A VERDADE SEGUNDO GINNY MOON

BENJAMIN LUDWIG

A VERDADE SEGUNDO GINNY MOON

Tradução
Débora Isidoro

1ª edição
Rio de Janeiro-RJ / Campinas-SP, 2020

VERUS
EDITORA

Editora
Raïssa Castro

Coordenadora editorial
Ana Paula Gomes

Copidesque
Erica Bombardi

Revisão
Lucas Puntel Carrasco

Diagramação
Juliana Brandt
Beatriz Carvalho

Título original
Ginny Moon

ISBN: 978-85-7686-811-8

Copyright © Benjamin Ludwig LLC, 2017
Edição publicada mediante acordo com Folio Literary Management, LLC
e Agência Literária Riff.

Tradução © Verus Editora, 2020

Direitos reservados em língua portuguesa, no Brasil, por Verus Editora. Nenhuma parte desta obra pode ser reproduzida ou transmitida por qualquer forma e/ou quaisquer meios (eletrônico ou mecânico, incluindo fotocópia e gravação) ou arquivada em qualquer sistema ou banco de dados sem permissão escrita da editora.

Verus Editora Ltda.
Rua Benedicto Aristides Ribeiro, 41, Jd. Santa Genebra II, Campinas/SP, 13084-753
Fone/Fax: (19) 3249-0001 | www.veruseditora.com.br

CIP-BRASIL. CATALOGAÇÃO NA PUBLICAÇÃO
SINDICATO NACIONAL DOS EDITORES DE LIVROS, RJ

L975v

Ludwig, Benjamin
  A verdade segundo Ginny Moon / Benjamin Ludwig ; tradução Débora Isidoro. - 1. ed. - Campinas [SP] : Verus, 2020.
  23 cm.

Tradução de: Ginny Moon
ISBN 978-85-7686-811-8

1. Ficção americana. I. Isidoro, Débora. II. Título.

20-63023

CDD: 813
CDU: 82-3(73)

Leandra Felix da Cruz Candido - Bibliotecária - CRB-7/6135

Revisado conforme o novo acordo ortográfico.

Seja um leitor preferencial Record.
Cadastre-se no site www.record.com.br e receba
informações sobre nossos lançamentos e nossas promoções.

Atendimento e venda direta ao leitor:
sac@record.com.br

Para minha esposa, Ember, cujo coração se abriu.

6H54 DA NOITE,
TERÇA-FEIRA, 7 DE SETEMBRO

O bebê eletrônico de plástico não para de chorar.

Meus Pais Para Sempre disseram que ia ser como um bebê de verdade, mas não é. Não consigo deixá-lo feliz. Nem quando o embalo. Nem quando troco sua fralda e dou a mamadeira. Quando falo *sh, sh, sh* e o deixo chupar meu dedo, ele só parece idiota e grita, grita e grita.

Eu o abraço mais uma vez e repito mentalmente: *Calma e paciência, calma e paciência.* E tento todas as coisas que Gloria costumava fazer quando eu *perdia a cabeça*. Depois disso, ponho a mão na nuca do bebê e subo e desço na ponta dos pés.

— Melhor assim, melhor assim — digo. De agudo a grave, como em uma canção. — Desculpa.

Mas ainda não funciona.

Eu o coloco em cima da cama e, quando o choro fica mais alto, começo a procurar minha Boneca Bebê. A de verdade. Mesmo sabendo que ela não está ali. Eu a deixei no apartamento da Gloria, mas bebês chorando me fazem ficar muito, muito ansiosa, por isso tenho que procurar. É como uma regra dentro da minha cabeça. Procuro nas gavetas. Olho no closet. Olho em todos os lugares onde uma Boneca Bebê possa estar.

Até na mala. A mala é grande, preta e parece uma caixa. Eu a puxo de baixo da cama. O zíper dá a volta toda nela. Mas a Boneca Bebê não está lá.

Respiro fundo. Tenho que fazer o choro parar. Se eu colocar o bebê na mala e cercar de cobertores e bichinhos de pelúcia, depois guardar tudo embaixo da cama, talvez não ouça mais. Vai ser como guardar o barulho dentro do meu cérebro.

Porque o cérebro está dentro da cabeça. É um lugar muito, muito escuro, onde ninguém além de mim consegue enxergar algo.

E é isso que eu faço. Ponho o bebê eletrônico de plástico dentro da mala e começo a pegar cobertores. Ponho os cobertores em cima do rosto dele, depois um travesseiro e alguns bichinhos de pelúcia. Imagino que o barulho vai parar em poucos minutos.

Porque para chorar é preciso respirar.

7H33 DA NOITE, TERÇA-FEIRA, 7 DE SETEMBRO

Acabei de tomar banho, mas o bebê eletrônico de plástico continua chorando. Já devia estar quieto, mas não está.

Meus Pais Para Sempre estão sentados no sofá assistindo a um filme. Minha Mãe Para Sempre está com os pés dentro de uma bacia de água. Ela diz que, ultimamente, eles têm *inchado*. Vou até a sala de estar, paro na frente dela e espero. Porque ela é uma mulher. Eu *me sinto muito mais confortável com mulheres* do que com homens.

— Oi, Ginny — diz minha Mãe Para Sempre enquanto meu Pai Para Sempre aperta o "pause". — Que foi? Quer falar alguma coisa?

— Ginny — fala meu Pai Para Sempre —, andou arranhando as mãos de novo? Estão sangrando.

Eram duas perguntas, por isso não falo nada.

Minha Mãe Para Sempre insiste:

— Ginny, o que aconteceu?

— Não quero mais o bebê eletrônico de plástico — respondo.

Ela afasta os cabelos da testa. Gosto muito do cabelo dela. Neste verão, ela tem permitido que eu tente trançá-los.

— Você ficou quase quarenta minutos no banho — ela diz. — Tentou fazer o bebê parar? Pega isto aqui enquanto a gente arruma uns Band-Aids.

Ela me dá um guardanapo.

— Dei mamadeira e troquei a fralda dele três vezes — respondo. — Balancei, e ele não parava de chorar, e eu p... — Paro de falar.

— O barulho agora está diferente — diz meu Pai Para Sempre. — Não sabia que podia ficar tão alto.

— Pode fazer ele parar, por favor? — Peço à minha Mãe Para Sempre. E repito: — Por favor?

— É bom ouvir você pedindo ajuda — ela responde. — Patrice ficaria orgulhosa.

Longe, vindo do corredor, ouço o choro de novo e começo a procurar lugares para me esconder. Porque lembro que Gloria sempre saía do quarto no apartamento quando eu não conseguia fazer minha Boneca Bebê parar de chorar. Principalmente quando ela estava com um amigo. Às vezes, quando ouvia Gloria se aproximando por causa do choro da Boneca Bebê, eu saía com ela pela janela.

Seguro o guardanapo com força e fecho os olhos.

— Se fizer ele parar, prometo que vou pedir ajuda o tempo todo. — Abro os olhos.

— Vou dar uma olhada — diz meu Pai Para Sempre.

Ele fica em pé. Quando passa por mim, eu *me encolho*. Então vejo que ele não é Gloria. Ele olha para mim de um jeito engraçado e segue para o corredor. Escuto o barulho da porta do meu quarto. O choro fica mais alto de novo.

— Não sei se essa ideia está dando certo — minha Mãe Para Sempre comenta. — Queríamos que você visse como é ter um bebê de verdade em casa, mas não foi bem isso que planejamos.

No meu quarto, o choro fica tão alto quanto é possível. Meu Pai Para Sempre volta. Ele está com uma das mãos na cabeça.

— Ela pôs a boneca na mala — diz.

— O quê?

— Tive que seguir o som. Quando entrei, não a vi em lugar nenhum. Ela a enfiou lá com um monte de cobertores e bichos de pelúcia, fechou o zíper e empurrou a mala de volta para baixo da cama.

— Ginny, por que você fez isso? — pergunta minha Mãe Para Sempre.

— Ela não parava de chorar.

— Sim, mas...

Meu Pai Para Sempre a interrompe.

— Olha, vamos acabar malucos se não pusermos um fim nisso. Tentei fazer ela parar, mas também não consegui. Acho que esse é o ponto sem volta. Vamos ligar para a sra. Winkleman.

A sra. Winkleman é a professora de saúde.

— Ela disse que deu o número de emergência para Ginny hoje de manhã — diz minha Mãe Para Sempre. — Está em um pedaço de papel. Veja na mochila dela.

Ele volta ao corredor e abre a porta do meu quarto de novo. Cubro as orelhas com as mãos. Ele sai segurando minha mochila. Minha Mãe Para Sempre encontra o papel e pega o celular dela.

— Sra. Winkleman? — diz. — Sim, é a mãe de Ginny. Desculpe por ligar tão tarde, mas temos um problema com a boneca.

— Não se preocupe, Garota Para Sempre — diz meu Pai Para Sempre. — Isso vai acabar em alguns minutos, e depois você pode ir se arrumar para dormir. Lamento que tenha sido tão intenso e irritante. Só pensamos...

Minha Mãe Para Sempre abaixa o celular.

— Ela disse que tem um buraco na parte de trás do pescoço. Use um clipe de papel para pressionar o botão dentro do buraco. É assim que desliga.

Ele vai ao escritório, volta e percorre mais uma vez o corredor a caminho da porta do meu quarto. Começo a contar. Quando chego ao doze, o choro para.

E agora posso respirar de novo.

2H27 DA TARDE, QUARTA-FEIRA, 8 DE SETEMBRO

Durante a quarta aula, que é de estudos sociais, a sra. Lomos entrou na classe para me dar um recado. Ela é minha orientadora. Usa grandes brincos de argola e muita maquiagem.

— Seus pais estão vindo para a escola para uma reunião — ela disse. — E depois vão levar você para casa. Então, quando ouvir os avisos da tarde e o sinal, fique na sala cinco com a sra. Dana. Pode ir adiantando a lição de casa. Eles vão te chamar em algum momento. Querem que você participe.

E agora estou na sala cinco, que é onde faço parte do curso de artes da linguagem com outras crianças especiais. Porque eu tenho "autismo" e "dificuldades de desenvolvimento". Ontem ninguém me falou que hoje haveria uma reunião. Imagino que seja sobre o bebê eletrônico de plástico.

A sra. Dana está cuidando do ônibus. Eu a vejo pela janela com seu colete cor de laranja. Está em pé ao lado do Ônibus Número 74. Que é o meu ônibus. Atrás e na frente dele há outros ônibus. Filas e filas de crianças entrando neles. No corredor, todos que fazem esporte se preparam para os treinos. Alison Hill e Kayla Zadambidge já foram. Elas são as outras duas crianças que vão para a Sala Cinco comigo e Larry.

Os ônibus normalmente saem às duas e meia, mas três minutos não são suficientes para eu acessar a internet. Faz tempo que estou tentando acessar a rede sozinha, mas não tenho permissão para usá-la sem um adulto.

Uma vez, quando eu estava com Carla e Mike, escondi o laptop dela embaixo do suéter e o levei para o closet. Eu digitava *Gloria LeBla...* no Google no exato momento que Carla abriu a porta e me achou. Ela pegou o laptop, e, quando fiquei em pé, ela *aproximou o rosto do meu* e gritou e berrou.

E aquilo me deixou com medo, medo, medo.

Então uma vez na escola, enquanto eu fazia uma redação sobre gatos grandes, digitei no Google "Gloria vende principalmente gatos da raça maine coon", porque é isso que Gloria faz para ganhar dinheiro. Mas minha professora me pegou, e, quando vim para essa nova escola da minha nova Casa Para Sempre, meus novos Pais Para Sempre disseram que não posso usar a internet nunca, porque eles precisam me manter em segurança. Depois Maura falou que ela e Brian me amam e que a internet *simplesmente não é segura. Simplesmente não é segura porque sabemos que você está procurando Gloria* era o que ela realmente queria dizer mesmo não dizendo a última parte.

E minha Mãe Para Sempre está certa, porque Gloria voltou para o apartamento com a minha Boneca Bebê. Não sei em que cidade fica o apartamento. Preciso saber se ela encontrou minha Boneca Bebê ou se já passou muito tempo e agora *é tarde demais para mim*. Se não for tarde demais para mim, preciso pegar minha mala depressa e cuidar muito bem dela, porque, às vezes, Gloria some por dias. Além disso, ela sempre recebe muitos amigos homens. E fica brava e bate. E tem o Donald, quando ele está na cidade. *Queria poder estar aqui com mais frequência, mas não posso*, Crystal com C costumava me falar quando eu contava as coisas que Gloria estava fazendo. *Então trata de cuidar bem da sua Boneca Bebê, exatamente como sua mãe diz. Ela vai ser sempre seu bebê, aconteça o que acontecer.*

Saio do meu cérebro e começo a arranhar meus dedos.

Larry entra. Ele põe a mochila em cima de uma carteira, apoia as muletas de braço na parede e senta. Muletas de braço são muletas que ficam presas ao corpo. Elas fazem Larry parecer um gafanhoto. Larry tem cabelo e olhos castanhos. Meus olhos são verdes. E ele canta o tempo todo e não gosta de matemática como eu gosto.

— Oi, baby — ele diz.

Eu respondo:

— Larry, não sou um bebê. Tenho treze anos. Não sabe disso ainda? Que coisa *chata*.

Chato é quando você fala uma palavra muitas e muitas vezes e as pessoas se irritam, como Patrice fazia ao dizer o tempo todo que eu era *um pouco parecida com uma boneca* quando eu estava no apartamento com Gloria. Foi isso que ela disse no dia que avisei que precisava ir dar uma olhada na boneca. Ela não entendeu nada.

Larry estica os braços e boceja.

— Cara, estou cansado. Foi um dia muito, muito longo — ele diz. — Tenho que ficar aqui até minha mãe vir me buscar para ir no treino de vôlei da minha irmã.

— Você devia fazer a lição de casa enquanto espera — eu falo, porque foi o que a sra. Lomos disse para eu fazer. Pego o livro de artes da linguagem e abro na página cinquenta e sete, onde tem um poema de Edgar Allan Poe.

— Não — Larry responde. Vou mexer no meu Facebook. Criei um ontem.

Ele levanta, encaixa os braços nas muletas de novo e se aproxima do computador. Eu o sigo com os olhos.

— Você tem Facebook? — Larry pergunta quando para na frente do computador. Ele digita sem olhar para trás.

Olho para minhas mãos.

— Não — respondo.

— Então, baby, precisa de um. — E se vira para mim. — Vem cá, vou te mostrar. Todo o pessoal descolado tem, sacou? — Larry fala *sacou* o tempo todo. Eu acho que *sacou* é basicamente uma expressão.

— Não posso usar a internet sem um adulto — conto.

— Verdade. Eu lembro. Por que seus pais não deixam?

— Porque Gloria está na internet.

— Quem é Gloria?

— Gloria é minha Mãe Biológica. Eu morava com ela.

Paro de falar.

— Ela é fácil de achar? — Larry pergunta.

Balanço a cabeça.

— Não. Tentei encontrá-la três vezes na internet em diferentes Casas Para Sempre, mas todas as vezes era *interrompida*.

— Como é o nome dela mesmo?

— Gloria. — Percebo que me levanto. Estou animada e pronta, porque sei que Larry vai me ajudar.

— Gloria do quê?

Eu me inclino para a frente e olho de lado para ele por cima dos óculos. Empurro o cabelo para trás, mas ele cai de volta no rosto. Queria ter um elástico para prendê-lo.

— Gloria *LeBlanc*. — Faz tempo que não falo o nome *LeBlanc* em voz alta. Porque esse era meu nome. É como se eu tivesse deixado a eu original para trás quando fui morar com meus novos Pais Para Sempre. Com Brian e Maura *Moon*. Meu nome é *Ginny Moon*, mas ainda tem algumas partes da eu *original* em mim.

É como se eu me transformasse na Ginny Moon original.

— Soletra — Larry me pede, e eu vou falando as letras. Ele digita, depois recua e aponta a cadeira. Eu me sento nela.

E a vejo.

Gloria, que me batia, depois me abraçava e chorava. Gloria, que me deixava sozinha no apartamento o tempo inteiro, mas me dava bebidas chiques quando sentávamos no sofá para assistir a filmes de monstros, que dizia que ela mesma era *muito espertinha, apesar do que dizem*, porque ela *passou no exame final do colégio com notas altas*, o que me fazia pensar em um desfile de garotas vestidas com saias bonitas, girando bastões com flâmulas e celebrando.

Gloria, a segunda pessoa mais assustadora que eu conheci.

Gloria, minha Mãe Biológica.

A blusa e o cabelo de Gloria estão diferentes, mas ela tem fotos de gatos na página toda. E Gloria ainda usa óculos e é muito, muito magra, como eu. Não a vejo nem falo com ela desde que eu tinha nove anos. Foi quando a polícia chegou e ela me pediu desculpas dizendo que sentia muito. Agora tenho treze anos, mas vou fazer catorze em 18 de setembro, nove dias depois de hoje, porque:

18 de setembro
- 9 de setembro
_____
9

E nove era a idade que eu tinha quando começou o primeiro Para Sempre. Um a cada dois meses, basicamente.
— Baby? — Larry me chama.
Ele está falando comigo. Saio do meu cérebro.
— Quê?
— Quer ver se ela está online no chat?
Fico animada, porque *chat* significa *conversar*.
Larry aponta para uma parte da tela.
— Aqui — ele diz. — É só clicar aqui.
Eu clico e aparece uma caixa onde posso digitar.
— Digita o que quer falar para ela. Sei lá, dá um oi e faz uma pergunta.
Não quero dar um *oi*. Em vez disso, digito a pergunta que faço a todo mundo e ninguém nunca entende:

> Encontrou minha Boneca Bebê?

E espero.
— Você tem que clicar em Enviar — Larry explica.
Mas não estou escutando, porque as imagens da polícia e de Gloria e da cozinha estão se movendo tão depressa que não consigo ver mais nada. Estou mergulhando de novo no fundo do meu cérebro. Vejo Gloria com o rosto apertado contra a parede e a polícia a segurando lá. Vejo a porta arrombada e a luz vindo de fora e dois gatos fugindo. Não lembro quais.
— Eu clico para você — diz Larry.

Vejo a seta se movendo na tela na minha frente. A ponta toca o botão Enviar, e eu começo a contar, porque, sempre que alguma coisa pode acontecer, preciso ver até quanto eu consigo contar antes de acontecer, principalmente quando é a resposta que estou esperando há quatro anos.

Seis segundos passam. Então algumas palavras surgem na tela embaixo das que eu digitei. As palavras são:

> É você, Ginny?

Mas isso não é uma resposta para a minha pergunta. Quero arranhar meus dedos, mas não posso, porque tem uma pergunta na tela e é minha vez de responder. Eu digito:

> Sim, é a Ginny. Você não respondeu o que eu perguntei.

E clico em Enviar como Larry me mostrou.

Uma palavra surge na tela do computador. Em letras maiúsculas e piscando.

> SIM!

E depois:

> SIM, ACHAMOS SUA BONECA BEBÊ ONDE DIABOS VOCÊ ESTÁ?

Quero escrever, *Está cuidando bem dela?*, mas minhas mãos tremem tanto que não consigo fazer os dedos me obedecerem. E Gloria fez uma pergunta. Abro e fecho as mãos três vezes, coloco as duas entre os joelhos, depois as tiro de lá e digito:

> Na Sala Cinco com o Larry.

E ela escreve:

> QUEM É LARRY QUAL É SEU ENDEREÇO?

Agora estou arranhando os dedos. Preciso, porque não quero falar sobre Larry ou dar meu endereço. Só quero falar sobre minha Boneca Bebê. Porque, apesar de Gloria ter dito "SIM!" e "ACHAMOS SUA BONECA BEBÊ", não sei se ela está dizendo a verdade ou se minha Boneca Bebê está bem. Porque Gloria não é *confiável*, não é *coerente*, e ela mente. Abro e fecho as mãos mais duas vezes e me lembro de respirar, depois digito:

> Larry é meu amigo. Número 57 da Cedar Lane Greensbor...

Paro de digitar porque escuto a sra. Dana no corredor. Ela está falando com alguém. Outra professora, imagino.

O que significa que em um minuto alguém vai me pegar.

— Baby? — Larry me chama. Ele está em pé atrás de mim. Sua voz é *ansiosa*.

Digito TENHO QUE IR, mas, assim que clico em enviar, quero voltar e escrever também: *Pode, por favor, por favor, por favor, trazer minha Boneca Bebê para mim?*, mas minha vez acabou e a sra. Dana vai entrar a qualquer momento.

Levanto depressa para me afastar do computador. Alguém toca meu ombro e eu me *encolho*.

Quase caio. Quando vejo que é só o Larry e ninguém vai me machucar, baixo o braço e olho para a tela novamente, onde vejo algo escrito.

> MANICOON.COM

E depois:

> É ONDE PODE ME ENCONTRAR.

E:

> FODA-SE ESTOU INDO PARA AÍ CHEGO AMANHÃ.

Olho para o lado. Não vejo Gloria, o apartamento ou minha Boneca Bebê. Só vejo Larry com um dos braços fora do encaixe da muleta e a mão levantada.

— Ei, cara — ele diz. — Tudo bem? Vem, a gente tem que sentar e pegar os livros. — Depois ele morde a boca e diz: — Vou desligar o computador. Não surta, pode ser? — Ele estende a mão, segura o mouse e clica em cima de Log Out, depois no X no canto da tela. Então vai sentar. Empurro a cadeira para trás, levanto, limpo a sujeira das mãos e olho para a foto de Edgar Allan Poe.

A sra. Dana entra.

— Ginny, seus pais estão esperando na sala da sra. Lomos.

Pego a mochila e saio. Quando chego no corredor, começo a correr. Corro com os dedos tocando a parede. Tenho a sensação de que vou cair se não continuar tocando em alguma coisa, e corro, corro e corro. Ainda estou animada, mas também estou com medo.

Porque Gloria vem vindo. Aqui na minha escola.

2H50 DA TARDE, QUARTA-FEIRA, 8 DE SETEMBRO

Meus Pais Para Sempre estão do lado de fora, na frente da porta da salinha da sra. Lomos.

— Vamos entrar na sala de reuniões, Ginny — diz a sra. Lomos.

Damos cinco passos para chegar à sala de reuniões, que fica do outro lado do corredor. Meus Pais Para Sempre se sentam à mesa, então eu também me sento.

— Oi, Ginny — diz minha Mãe Para Sempre.

— Oi — respondo. Ela está sentada com as mãos em sua barriga grande e redonda, que é tão grande quanto uma bola de basquete. A barriga do meu Pai Para Sempre também é grande e seu rosto é redondo, mas ele não tem barba branca nem um nariz que parece uma cereja.

— Ginny, seus pais vieram conversar sobre o que aconteceu ontem à noite com o bebê eletrônico — a sra. Lomos começa.

Fico sentada esperando eles falarem. Mas eles não falam.

— Eles me contaram que você o colocou na mala — continua a sra. Lomos. — Isso é verdade?

— Está falando do bebê *eletrônico de plástico*? — pergunto.

Ela olha para mim de um jeito engraçado.

— Sim, é claro — ela responde.

— Então sim.

— Por que você guardou o bebê na mala?

Tomo o cuidado de manter a boca fechada para ninguém enxergar dentro do meu cérebro. Depois olho para ela por cima dos óculos.

— Porque ele estava gritando — explico.

— Então você decidiu esconder o bebê embaixo de todos os seus cobertores e fechar o zíper da mala?

— Não. Deixei o cobertorzinho do lado de fora. — Porque meu cobertorzinho é a única coisa que tenho do apartamento. A mãe francesa da Gloria a ajudou a fazer o cobertor quando ela fugiu para o Canadá comigo, depois que eu nasci em um hospital. Elas fizeram o cobertorzinho juntas para mim e para mais ninguém. Eu sempre o usei para embrulhar minha Boneca Bebê.

— Sim, mas por que não tentou confortar o bebê? — pergunta a sra. Lomos.

— Eu tentei confortar o bebê *eletrônico de plástico*. Falei *sh, sh, sh* como a gente tem que fazer e tentei deixar que ele chupasse meu dedo, mas o buraco da boca não abria. E dei a mamadeira também.

— E não adiantou?

Balancei a cabeça em uma resposta negativa.

— Fez tudo que podia para o bebê ficar quieto? — Meu Pai Para Sempre pergunta.

Fecho bem a boca de novo para ninguém poder ver lá dentro. Balanço a cabeça mais uma vez.

Porque mentir é uma coisa que se faz com a boca. Uma mentira é coisa que você *conta*.

— Tem certeza? — ele insiste. — Pensa bem.

E eu penso. Sobre manter a boca fechada.

— Ginny, tem um computador dentro do bebê eletrônico — diz a sra. Lomos. — Ele registra quantas vezes o bebê é alimentado, quantas vezes a fralda é trocada e por quanto tempo ele chora. Ele registra até os tapas e chacoalhões.

Todo mundo está olhando para mim. Todos eles. Minha Mãe Para Sempre ao lado do meu Pai Para Sempre do outro lado da mesa com a mão em sua barriga grande e redonda. Não sei o que são *tapas e chacoalhões*, mas ninguém fez uma pergunta, por isso fico de boca bem fechada.

Meu Pai Para Sempre pega um pedaço de papel.

— O computador disse que a boneca foi agredida oitenta e três vezes e sacudida quatro vezes — ele fala. E põe o papel em cima da mesa. — Ginny, você bateu no bebê?

— O bebê *eletrônico de plástico* — digo, embora exista uma regra que diga: *Nós não corrigimos*.

— Não importa se o bebê é de verdade ou não — ele diz. — Pedimos para você tentar cuidar do bebê. Não podemos...

— Brian — minha Mãe Para Sempre interrompe. Depois fala para mim: — Ginny, não é legal sacudir ou bater em um bebê. Mesmo que o bebê não seja de verdade. Você entende?

Gosto muito da minha Mãe Para Sempre. Ela me ajuda com a lição de casa todas as noites depois do jantar e explica coisas que não fazem sentido. Além disso, jogamos xadrez chinês quando volto para casa da escola. Por isso respondo:

— Quando eu estava no apartamento com a Glo...

— Sabemos o que acontecia no apartamento — ela interrompe. — E sentimos muito, muito mesmo por ela ter te machucado. Mas não é legal machucar bebês. Nunca. Por isso você precisa voltar a encontrar a Patrice. Ela vai te ajudar a se preparar para ser uma irmã mais velha.

Patrice é terapeuta. Uma terapeuta de *ligações afetivas*. Não a vejo desde a adoção em junho. Eu morei com meus Pais Para Sempre na Casa Azul por um ano inteiro antes disso. Foi na mesma época que eu comecei a ir para a escola nova também.

Esse fato me lembra de novo que Gloria está *a caminho* agora. Não sei quanto tempo ela vai levar para chegar aqui. Não sei se vai chegar antes de eu ir encontrar Patrice. E isso é importante, porque preciso saber quando as coisas vão acontecer para poder contar e controlar o relógio e ter certeza de que tudo vai acontecer como tem que acontecer.

Arranho meus dedos com força.

— Quando vou ver Patrice? — pergunto.

— Vamos telefonar para ela hoje e ver quando está disponível — diz minha Mãe Para Sempre. — No começo da semana que vem provavelmente, se ela tiver horário. Aposto que vai encontrar uma vaga na agenda para você.

2H45 DA TARDE, QUINTA-FEIRA, 9 DE SETEMBRO

Gloria não veio à escola hoje. Esperei e esperei, e meu relógio e todos os relógios da sala avisaram que eram 2h15, e ouvimos os avisos da tarde. Depois o sinal tocou e saímos com todas as outras crianças para entrar nos ônibus.

E estou confusa.

Mas no momento estou confusa com uma coisa *mais urgente*. Patrice diz que *mais urgente* significa *alguma coisa mais importante que outras*. A coisa *mais urgente* é que tem alguém bravo aqui na Casa Azul. Eu tenho que descobrir quem é.

Por isso estou parada na escada na frente da varanda. Ainda estou carregando a mochila e minha flauta. Vejo que nossa caixa de correio foi derrubada e que tem marcas de pneus no chão, o que significa que alguém saiu *cantando pneus*. *Cantar pneus* é o que as pessoas fazem quando estão no carro e ficam muito bravas. Fico ali imaginando quem pode ter deixado as marcas, e quando levanto a cabeça vejo o carro do meu Pai Para Sempre na garagem, ao lado do carro da minha Mãe Para Sempre. Normalmente ele está no trabalho. É orientador no ensino médio.

Ajeito os óculos com um dedo. Olho de novo para as marcas de pneus. Lembro que às 2h44, pouco antes de o ônibus parar na frente da Casa Azul, vi dois carros da polícia vindo do outro lado. Eles iam bem devagar, e eu prendi a respiração até passarmos por eles.

Não gosto de policiais. Todos eles têm a mesma cabeça.

Então saí do ônibus e vi a caixa de correio e as marcas de pneus.

Abro a porta da varanda. Sinto cheiro de cigarro imediatamente. Ninguém na Casa Azul fuma. O cheiro me faz pensar no apartamento de Gloria.

Entro. Minha Mãe Para Sempre está parada na frente da pia da cozinha, segurando um copo de água com uma das mãos e a barriga com a outra. Tenho a impressão de que ela não penteou o cabelo, e vejo as sombras escuras embaixo dos olhos. Sem olhar para mim, ela diz:

— Oi, Ginny. Vá guardar suas coisas. Precisamos conversar com você na sala. — A voz dela é baixa.

Levo a mochila e a flauta para o quarto e volto.

— Oi, Garota Para Sempre — meu Pai Para Sempre fala. Ele está em pé ao lado da janela. — Aconteceu alguma coisa interessante hoje na escola?

— Não. Mas queria saber qual de vocês dois está bravo.

Eles se olham.

— Bravo? — Meu Pai Para Sempre estranha.

Balanço a cabeça para confirmar.

— Por que um de nós estaria bravo?

— Porque tem marcas de pneus no gramado da frente. Qual dos dois cantou pneus?

— Espera — ele fala. — Você acha que um de nós está bravo porque tem marcas de pneus no gramado?

Balanço a cabeça de novo.

Minha Mãe Para Sempre sorri, depois faz um barulho de respiração, um som longo.

— Bom, acho que isso vai ser mais fácil do que pensávamos — ela diz. — Ginny, não fomos nós que fizemos aquelas marcas.

Estou confusa, por isso fico ali parada pensando.

— Vamos voltar à primeira pergunta — meu Pai Para Sempre decide. — Aconteceu alguma coisa interessante na escola?

— Não — repito.

— Você telefonou para alguém?

— Não.

— Alguém foi te visitar?
— Não.
— Alguém pediu seu endereço?
— Hoje?

Meu Pai Para Sempre olha rapidamente para minha mãe, depois para mim de novo.

— Sim. Hoje.
— Então não.
— *Então* não? E ontem? Alguém pediu seu endereço ontem?

Eram duas perguntas seguidas, e eu não sabia qual delas devia responder. Além do mais, a regra é que só posso responder a uma pergunta de cada vez. Porque só tenho uma boca e não sei que pergunta é *mais urgente*. Então balanço a cabeça e fico de boca bem, bem, bem fechada. Só por precaução.

Minha Mãe Para Sempre olha para meu Pai Para Sempre. E apoia o queixo na mão.

— Bem, então, como foi que ela achou a gente? — pergunta.

E eu quero saber:

— Como *quem* achou a gente?

— A pessoa que cantou pneus no nosso gramado — diz meu Pai Para Sempre. — Mas não se preocupe, ela foi embora. A polícia a obrigou a ir.

— Então não estão bravos comigo por causa do bebê eletrônico de plástico?

Ele olha para mim de novo de um jeito estranho.

— *Bravo* não é a palavra certa — responde meu Pai Para Sempre. — Estamos *preocupados*, só isso.

Queria saber se eles estão mentindo. Gloria mente o tempo todo. Então começo a pensar se eles descobriram, talvez, que Gloria está *a caminho*, porque *bravo* é o que todo mundo estaria se soubesse. Arranho muito meus dedos, fecho os olhos e digo:

— Alguém pode por favor, por favor, por favor, me dizer qual de vocês está bravo? — Porque é preciso ter cuidado com pessoas bravas. Elas ficam malucas e batem.

Minha Mãe Para Sempre responde:

— Ginny, já dissemos que ninguém aqui está bravo. Você está segura. Podemos falar sobre as marcas de pneus outra hora. Por que essa cara preocupada? Agora vá se lavar e trocar de roupa. Você vai à fazenda de maçãs na semana que vem, e seu aniversário está chegando! E você vai ver Patrice na quarta-feira! Já conversamos com ela e marcamos um horário. Talvez deva anotar na sua agenda.

Mas isso não era uma pergunta, então não falo nada. Além do mais, o que ela falou sobre a fazenda de maçãs não é verdade. Minha aula lá é no dia 21 de setembro, não na semana que vem. E agora não consigo lembrar com que estava preocupada, mas, quando levanto a cabeça, vejo meus Pais Para Sempre olhando para mim e sorrindo. Sorrio de volta.

— Ginny, quer um abraço? — pergunta minha Mãe Para Sempre.

Queria, por isso deixei ela me abraçar. Ela precisa se inclinar para a frente, porque a barriga é muito grande.

— Agora vai trocar de roupa — diz.

Vou para o meu quarto e ponho as roupas de brincar. Olho pela janela e vejo as marcas de pneus de novo.

E lembro.

Às vezes, tenho dificuldade para entender as coisas. Eu me distraio e esqueço de olhar para onde tenho que olhar. Ou mergulho tão fundo no meu cérebro que esqueço o que devia saber. Mas agora sei que ninguém aqui na Casa Azul está bravo. Ninguém gritou e ninguém me bateu. Foi outra pessoa que deixou as marcas de pneus, mas essa pessoa já foi embora, e eu posso me arrumar para esperar a Gloria. Quando ela chegar na escola, vou correr até o Carro Verde para ver se minha Boneca Bebê está com ela. Se não estiver, vou ter que entrar no carro e voltar ao apartamento. Mesmo que eu não queira. Mesmo sabendo o que vai acontecer comigo. Porque preciso ver se minha Boneca Bebê ainda está na mala. Se estiver, se não for *tarde demais*, tenho que tirá-la de lá e *cuidar muito bem dela*. Dá para perceber que Gloria *não mudou nada*. Lembro de todas as drogas, dos gatos e dos homens estranhos à noite. Lembro o que ela costumava fazer comigo quando eu fazia muito barulho. Mas a pior parte é Donald. Ele vai ficar muito, muito bravo quando descobrir o que eu fiz. Vai me matar. Gloria disse isso.

E acredito nela, apesar de ela mentir.

Sempre que Gloria saía para pegar mais gatos ou encontrar seu traficante, eu tinha minha Boneca Bebê para me fazer companhia, mas agora minha Boneca Bebê está lá sozinha. Não sei se dá para ouvir alguma coisa de dentro de uma mala. Esperando.

Por isso preciso voltar.

Talvez, quando eu correr para o Carro Verde, Gloria esteja *de boa*. Talvez ela saia, me dê um abraço e diga: "Puta merda, Ginny! Você cresceu muito! Seus olhos ainda são verdes? Mesmo que tenha sido adotada e mudado de nome, você sempre vai ter olhos verdes. Como nós!"

Espero que ela esteja certa.

6H45 DA MANHÃ, SEXTA-FEIRA, 10 DE SETEMBRO

São 6h45, o que significa que é hora de ir para a escola. Pego a mochila e o estojo da flauta, e estou usando meu relógio. Uso meu relógio em todos os lugares, menos no chuveiro.

Meu Pai Para Sempre está comigo. Normalmente ele fica na varanda quando saio para ir pegar o ônibus, mas hoje ele quis ir junto. Estamos atravessando o gramado em direção ao lugar onde o ônibus para, na frente de casa. Passamos pelas marcas de pneus. Vejo uma caixa de plástico branco no chão, ao lado de uma das marcas, e a pego. É uma caixa de Tic Tac com cinco Tic Tacs brancos dentro. Seguro a caixa e conto os Tic Tacs mais duas vezes. Balanço a caixa. As balas fazem barulho.

— O que é isso? — pergunta meu Pai Para Sempre.

Não respondo. Gloria sempre tem Tic Tac. Ela sempre tem cheiro de Tic Tac e cigarro. Os brancos são seus preferidos.

Então lembro que a cortina da varanda também cheirava a cigarro.

Olho para meu Pai Para Sempre e sacudo a caixa de Tic Tac. Aponto para ela.

— É da Gloria — falo.

Meu Pai Para Sempre faz um barulho com a boca. E assente.

— É, provavelmente — responde.

Depois pega a caixa, porque os Tic Tacs podem estar sujos, embora eu prometa que não vou comê-los.

— Como vieram parar aqui? — pergunto.

— Bem... — E ele não fala mais nada.

Isso significa que Gloria esteve aqui na Casa Azul. Ontem. Por isso as marcas de pneus. *Ela* era a pessoa brava. Veio quando eu estava na escola. E saiu cantando pneus, foi embora. E isso significa que veio ao lugar errado. E também significa que não vou conseguir correr ao estacionamento para ver se minha Boneca Bebê está com ela no Carro Verde. Não vou conseguir voltar ao apartamento e olhar dentro da mala.

Para ter certeza, pergunto:

— Gloria esteve na Casa Azul ontem?

— Sim — meu Pai Para Sempre confirma. — Gloria esteve na Casa Azul ontem.

— Ela trouxe minha Boneca Bebê?

Ele faz uma cara engraçada.

— Não, não trouxe sua Boneca Bebê. Ginny, sei que não gosta nem que a gente diga isso, mas, se quer uma boneca nova, compramos uma. Quer ir à loja de brinquedos hoje à tarde?

— Não, obrigada, não quero ir à loja de brinquedos. — Uso minha voz simpática, apesar de ficar muito brava quando as pessoas me fazem essa pergunta. — Quando ela volta?

— Não volta. Ela assustou sua mãe e fez uma cena e tanto. Até atropelou nossa caixa de correio.

Não sei o que é uma *cena e tanto*, mas sei que, quando Gloria está brava, ela grita muito e briga. Quebra coisas e bate.

Olho para a caixa de correio. Está caída no chão com um lado todo amassado e a porta aberta. Como uma boca, sem se mover.

— Ginny?

Saio do meu cérebro.

— O que é?

— Eu disse que ela não vem. A polícia veio avisar que ela não tem permissão para fazer visitas.

Mas sei que Gloria nunca faz o que a polícia manda. Ela é muito sorrateira. Sei que ela quer voltar e sei que tenho que ajudá-la. Tenho que descobrir se é *tarde demais*. Mesmo estando com medo. Mesmo que Gloria fique muito *violenta* e não *mereça confiança*, como disse uma das assistentes sociais. Preciso saber o que aconteceu com minha Boneca Bebê.

Ouço o ônibus se aproximando.

— Podemos conversar mais sobre isso depois da aula — meu Pai Para Sempre diz. — Seria bom?

Vejo o ônibus e começo a contar.

— Ginny?

— Estou vendo o ônibus.

— Sim. Eu também estou — responde meu Pai Para Sempre. — Vamos conversar mais depois da aula, se você quiser.

O ônibus demora treze segundos até encostar na calçada. Meu Pai Para Sempre afaga meu ombro. Não me *encolho*, porque ele pode fazer isso. Porque uma vez ele perguntou se podia me dar um abraço, e eu disse que não, então ele perguntou se um carinho no ombro era aceitável, e eu disse que sim. Minha Mãe Para Sempre pode me dar um abraço, quando pede, mas meu Pai Para Sempre é homem, por isso tem que ser só um carinho no ombro.

Meu cérebro está funcionando depressa demais. As imagens dentro dele são como mãos balançando na frente do meu rosto.

— Ginny? — ele chama.

— Tchau — eu falo. E entro no ônibus.

7H04 DA MANHÃ,
SEXTA-FEIRA, 10 DE SETEMBRO

Quando chego à escola, a sra. Lomos está lá esperando na calçada, bem ao lado do ônibus. Hoje ela está usando brincos que parecem peras de prata.

— Bom dia, Ginny — ela diz quando piso no último degrau.

— Bom dia — respondo, porque é isso que você faz quando alguém diz "Bom dia". Às vezes, também gosto de falar "Como vai?" depois de "Bom dia", mas estou pensando em quando vou poder pedir ao Larry para usar a internet de novo e explicar para a Gloria onde me encontrar. Porque ela não veio à escola, como devia ter vindo. Tenho que ajudá-la a *entender direito*. Acho que a biblioteca é um bom lugar para eu acessar a internet, porque, vez ou outra, não tem nenhum professor lá.

— Quero que conheça a sra. Wake — diz a sra. Lomos.

Olho para cima e vejo uma mulher parada ao lado da sra. Lomos. Ela é uma senhora, usa óculos e suéter branco. Não está vestindo uma camiseta do Michael Jackson. Eu adoro o Michael Jackson, porque ele não é como os outros homens. Não é grande e barulhento. Não é assustador. Ele é a pessoa mais legal do mundo, e, quando ouço suas músicas, eu me sinto como se estivesse em um círculo usando sapatinhos brancos e, quando me sinto assim, tenho vontade de pular, jogar os pés para trás e girar ao aterrissar e levantar os ombros e soltar um: "Oooh!"

Mas acho difícil falar sobre como me sinto. Patrice diz que isso é parte da minha *incapacidade*.

— A sra. Wake vai acompanhar você em todas as aulas — diz a sra. Lomos.

— Ela vai comigo à biblioteca? — pergunto.

A sra. Lomos faz uma cara engraçada.

— Acho que hoje sua turma não vai à biblioteca, Ginny. O que você tem para fazer lá?

— Tem livros na biblioteca — respondo, embora também tenha computadores.

— Sim, tem. Talvez a sra. Wake possa te ajudar a escolher um.

A sra. Wake sorri para mim. Não sorrio de volta.

— Oi, Ginny — ela diz. — É um prazer conhecer você.

A Primeira Aula é artes da linguagem de novo. A sra. Wake senta ao meu lado e fica lá o tempo inteiro, tentando me ajudar com perguntas sobre um homem chamado Nathaniel Hawthorne. No fim da Segunda Aula, eu vou à Sala Cinco com Larry e Kayla Zadambidge e Alison Hill. Quando me sento na carteira, a sra. Wake finalmente vai ao banheiro, e eu digo:

— Larry, preciso da internet.

E ele responde:

— Cara, tem um computador bem ali. — E aponta, e começa a cantar uma música que diz que se eu quero, tudo bem, só preciso ir buscar. — Mas não vai se meter em confusão? — ele pergunta quando termina de cantar.

Estou quase dizendo que *ele* pode acessar a internet por mim, quando a sra. Dana entra. Ela se senta à mesa e começa a nos mostrar de novo como usar uma agenda. Decido não falar para o Larry agora que não vou me meter em confusão se ele acessar a internet, não eu. Mais tarde vou dizer que posso só espiar por cima de seu ombro enquanto ele olha o Facebook ou o *Manicoon.com*. Mas a sra. Dana continua falando e falando, e depois a sra. Wake volta, então guardo meu plano secreto no cérebro e fecho bem a boca para ninguém ver lá dentro.

Às 9h42, vou para o Recreio. A sra. Wake vai comigo.

Às 9h55, vou para o ensaio da banda. A sra. Wake vai comigo.

Quando chego à sala da banda, ela senta perto da porta, e eu vou para o palco e pego minha flauta. O sr. Barnes, professor da banda, diz que o Concerto da Colheita será na segunda-feira, 18 de outubro. Ele diz que vamos tocar duas músicas sobre o outono, uma sobre o Halloween e uma sobre a lua da colheita.

Às onze horas, é a vez de estudos sociais. A sra. Wake me segue pelo corredor, passando pelo refeitório e pelos armários. Ela me segue até a sala de estudos sociais e senta à minha esquerda.

Fico com a boca fechada para ninguém ver o que estou pensando.

A sra. Merton, professora de estudos sociais, está escrevendo na lousa. Ela faz isso todo dia. Temos que copiar as anotações no caderno.

Olho para a sra. Wake.

— Não trouxe o caderno — digo. E é verdade, porque o caderno de ciências não está comigo.

— Onde o deixou? — ela pergunta.

— Na Sala Cinco.

A sra. Wake olha para a lousa. A sra. Merton já escreveu três frases. Todos os outros alunos estão copiando.

— Você *precisa* copiar as anotações no caderno? — ela pergunta.

— Sim — respondo.

— Tudo bem. Vou buscar o caderno na Sala Cinco. Vai copiando em um pedaço de papel. Podemos grampear essa folha no seu caderno quando eu voltar. De que cor é o caderno?

Penso um pouco.

— Verde — falo. — Está na minha prateleira.

A sra. Wake sai da sala. Assim que ela sai, levanto a mão. A sra. Merton vê e me pergunta:

— Sim, Ginny?

— Posso ir ao banheiro? — pergunto.

— Pode ir, assina a lista.

Levanto, ando até a porta e ponho meu nome na lista de saída da sala. Começo a andar pelo corredor em direção à biblioteca. Três salas de distância. Estou quase lá quando ouço meu nome.

— Ginny?

Viro para trás. É a sra. Merton.

— O banheiro do oitavo ano é para o outro lado — ela avisa. — Não pode ir ao que fica perto da biblioteca, aquele é dos professores.

Quero dizer *Que droga!*, porque não vou poder usar o computador para falar com Gloria. Professores e Pais Para Sempre me impediram de usar a internet durante quatro anos inteiros. Por um tempo, eu desisti e tentei fugir e procurar na lista telefônica, mas nada disso funcionou. Eu tinha que ser *muito espertinha* e fazer dar certo desta vez. Estou tão brava que quero rosnar.

Mas não rosno. Em vez disso, volto pelo corredor. Passo pela sra. Merton, depois passo pela sra. Wake, que está saindo da Sala Cinco.

— Ginny, aonde você vai? — ela pergunta.

— A sra. Merton falou que eu podia ir ao banheiro — respondo.

— Certo. Vamos logo, temos que voltar para a aula de estudos sociais. Ah, encontrei seu caderno. — Ela me mostra. — Mas só tem anotações de ciências nele. Vamos dar uma olhada na sua mochila, talvez o outro esteja lá.

9H08 DA MANHÃ, SÁBADO, 11 DE SETEMBRO

Nos fins de semana, eu acordo às nove da manhã. Levo só dois minutos, às vezes três, para me espreguiçar, pôr os óculos e o relógio e beber água antes de ir ao banheiro. Depois vou para a cozinha. Estou em pé na frente da geladeira, ouvindo. Não ouço nada. No refrigerador tem uvas e leite. Tem muitas outras coisas, mas uvas e leite são o que eu preciso. Tenho que comer nove uvas para começar o café da manhã e um copo de leite humano, mas tem uma regra que diz que *Não abrimos a geladeira*. E *Pedimos comida quando estamos com fome*.

Fico ali esperando. Se meus Pais Para Sempre estivessem ali, diriam que estou *cercando*, que é quando fico muito, muito perto de alguma coisa. E espero.

Minha Mãe Para Sempre entra. Ela ainda está com o cabelo molhado e usa maquiagem. Ela nunca usa maquiagem de manhã, só quando vai sair.

— Bom dia, Ginny — ela diz. — Hoje alguém vem nos visitar.

Ou se alguém vem nos visitar.

Por isso digo:

— Não gosto de surpresas.

— Ah, não é surpresa. É Patrice.

Patrice entende quase tudo que eu falo para ela. Entende até algumas coisas que eu não falo. Gosto muito dela, mas ela sabe como enxergar dentro do meu cérebro. Preciso tomar cuidado quando Patrice está por perto e ficar de boca fechada quando não estou falando.

— A que horas ela vai chegar? — pergunto.

— Em uma hora, mais ou menos — responde minha Mãe Para Sempre. — Por volta das dez. Patrice está fazendo uma viagem especial no fim de semana para passar um tempo com você.

Patrice nunca esteve na Casa Azul. Eu sempre fui ao escritório dela, mas queria mostrar meu quarto e todas as minhas coisas do Michael Jackson, e queria contar sobre Gloria, as marcas de pneus e os Tic Tacs. Não vou contar para ela meu plano secreto de entrar no Facebook ou no *Manicoon.com* na escola, porque ela pode contar aos meus Pais Para Sempre.

Às dez, o carro de Patrice aparece na entrada da garagem. Ela desce do carro. Está com o suéter roxo e peludo e de cabelo curto de novo. Corro para o carro dela. Eu a abraço, e nenhuma de nós se *encolhe*.

— E como vai minha amiga aventureira? — ela pergunta.

Está falando de mim. Ela me chama de *minha amiga aventureira* porque falou comigo todas as vezes que fugi e depois do que aconteceu com Gloria no apartamento e depois que tentei fugir das minhas outras Casas Para Sempre. Ela diz que tenho muitas aventuras.

E eu respondo:

— Estou bem, obrigada.

Fico ali olhando para ela.

Patrice diz:

— Por que não me leva lá para dentro, e vamos conversar um pouco com sua Mãe Para Sempre? Depois você pode me mostrar seu quarto. E ouvi dizer que amanhã você vai ver os veleiros?

Levo Patrice para dentro e ela cumprimenta minha Mãe Para Sempre. Elas conversam sobre o bebê na barriga da minha Mãe Para Sempre. Patrice me diz:

— Ginny, você vai ajudar sua mãe a cuidar da Bebê Wendy quando ela chegar?

Não sei que cara vai ter a Bebê Wendy, mas imagino que ela vá usar macacõezinhos. Minha Boneca Bebê não tinha macacão, mas eu queria arrumar uns para ela. Gloria disse que *não tínhamos dinheiro para isso*. Michael Jackson tinha um chimpanzé chamado Bubbles que usava macacão, como um bebê de verdade. Porque, quando Michael Jackson era pequeno, ele queria muito um chimpanzé, queria tanto que pediu à mãe muitas vezes, e acho que finalmente ela disse sim, tudo bem, *legal*, Michael Jackson, você pode ter um chimpanzé. Michael Jackson pegava o chimpanzé como eu pegava minha Boneca Bebê. Só que Bubbles ficou tão forte que Michael Jackson não precisava mais segurá-lo por baixo do bumbum. Ele punha Bubbles na cama todas as noites, mas Bubbles ficou tão grande que Michael Jackson teve que dar o chimpanzé para alguém. Porque Bubbles podia *atacar*. Ele o deu para um zoológico, e agora Bubbles mora em uma jaula grande onde não pode machucar ninguém. Eu o vi na televisão.

— Ginny?

— O quê?

— Acha que vai gostar de ajudar sua mãe a cuidar da Bebê Wendy quando ela chegar em casa do hospital?

— Sim.

— Que bom! — diz Patrice. — Pode ajudar a pegar coisas quando sua mãe estiver com ela no colo. E, quando a bebê for maior, vocês duas podem aprender a brincar juntas. Ela vai querer ser como você, sabe? Vai querer fazer tudo que a irmã mais velha faz. Não vai ser divertido ser irmã mais velha?

— Quase sempre.

— Que bom. E você sabe por que estou aqui, Ginny?

— Por que quer olhar meu quarto?

— Não só. Estou aqui porque quero falar com você sobre algumas coisas. Fiquei sabendo que Gloria esteve aqui na Casa Azul há alguns dias.

E eu falo:

— Ela veio na quinta-feira, 9 de setembro, enquanto eu estava na escola. Ela é completamente *não confiável*.

Paro de falar e trato de manter minha boca bem fechada. Tem muita coisa no meu cérebro que não quero que Patrice veja.

Patrice olha para mim de um jeito engraçado.

— É um jeito interessante de colocar as coisas — diz. — Você a viu?

Balanço a cabeça para dizer que não.

— Queria saber como ela conseguiu te encontrar — Patrice fala. — Você sabe?

Balanço a cabeça de novo, mas minha boca abre e eu digo:

— Ela deixou marcas de pneus no gramado e estragou nossa caixa de correio, o que significa que estava muito brava ou muito chapada. E ela fez uma cena. Não a vi quando desci do ônibus, mas meu Pai Para Sempre contou que ela não trouxe minha Boneca Bebê.

Patrice ri, mas é uma risada amigável. Às vezes as pessoas riem de um jeito mau. Quase sempre como uma provocação. Nem sempre consigo saber qual é qual.

— Nossa — diz Patrice. — Parece que as coisas ficaram bem agitadas.

Balanço a cabeça para dizer que sim, mas ela não fez uma pergunta, então não falo nada.

Minha Mãe Para Sempre faz um barulho de respiração.

— Por que não mostra seu quarto para a Patrice? — diz.

E eu levo Patrice ao meu quarto e mostro todas as minhas coisas. Ela olha para as fotos em cima da cômoda e para todos os aniversários e datas especiais anotadas na minha agenda. Depois pergunta:

— Seus Pais Para Sempre te contaram que Gloria não vai voltar à Casa Azul?

— Sim. Eles contaram que a polícia disse que ela não pode.

Patrice gira de um lado a outro no meio de meu quarto e olha todas as minhas coisas. Estou parada na porta.

— É isso mesmo — ela diz. — Gloria arrumou muitos problemas quando veio aqui. Ela tentou entrar na casa e assustou sua Mãe Para Sempre. Sua mãe chamou seu pai e a polícia, e, quando a polícia chegou, tiveram que levar Gloria embora à força. Seu Pai Para Sempre veio do colégio. E os dois telefonaram para o Serviço Social, e a juíza entrou na história e... bem, vamos dizer que Gloria não pode mais vir aqui. Por isso vim conversar com você. Como se sente com tudo isso?

Eu lembro da juíza. A juíza é uma mulher que usa uma grande capa preta como a dos professores em *Harry Potter*. Nos filmes, não nos livros.

Gosto mais dos filmes do que dos livros, porque nos filmes as imagens se mexem. Conheci a juíza no dia 21 de junho, na adoção. É uma regra, você tem que fazer o que a juíza fala. A juíza disse que eu não podia voltar ao apartamento de Gloria e que Gloria não podia vir me procurar. Mas a juíza não sabe como Gloria é sorrateira. Nem Patrice.

— Ginny?

— O que é?

— Desculpa. Devia ter feito uma pergunta mais clara. Como se sente com relação a Gloria ter vindo aqui?

Patrice fala sobre sentimentos o tempo inteiro. Ela me ensinou como falar deles também. Então respondo:

— Eu me sinto muito mal. Minha Boneca Bebê está sozinha. — E olho para Patrice por cima dos óculos para ver se ela entende.

— Sei que sua Boneca Bebê era importante para você — diz Patrice. — Lembra o que conversamos no nosso último encontro? Falamos que *você* era como uma boneca quando estava no apartamento e era deixada sozinha o tempo todo. Mas agora está segura. Não se sente segura?

— Sim — respondo, mas não ligo para estar segura. Não ligo se Gloria me machuca ou se Donald pega a arma. Tenho que descobrir o que aconteceu com minha Boneca Bebê depois que a polícia me tirou de lá. Preciso saber se alguém a encontrou na mala, ou se é tarde demais.

— Que bom. E o melhor jeito para ficar segura é nunca, nunca entrar no carro com Gloria, se por acaso a encontrar. Não importa o que ela diga. Pode me fazer essa promessa?

Mantenho a boca bem fechada e balanço a cabeça para cima e para baixo.

— Sei que já falei isso, mas você teve sorte por sair viva do apartamento. Se ela vier aqui e te convencer a entrar no carro com ela, isso vai ser considerado sequestro. Sabe o que significa?

Não sei, por isso nego com a cabeça.

— Sequestro é quando alguém rouba uma criança. Se você for com a Gloria, ela vai estar roubando você. E roubar é ilegal. Faz sentido?

Faz, e eu balanço a cabeça para dizer que sim. Três vezes, porque acho que ser sequestrada é uma grande ideia. Assim posso ir ao apartamento e correr para o meu quarto e olhar a mala.

— E preciso te perguntar o que aconteceu com a boneca bebê da escola.

— Está falando do bebê *eletrônico de plástico*.

— Sim, esse. Fiquei sabendo que você bateu nele, depois o colocou em uma mala. Por que fez isso?

— Porque ele não parava de chorar.

— Mas tem outros jeitos de acalmar um bebê, não tem?

— Ah, tem. Você pode dar leite, ou pegar no colo e balançar. E, se não tiver leite nem comida, você pode deixar ele chupar seu dedo. Pode cantar "A dona aranha". Pode trocar a fralda ou dar banho. Ou só ficar com ele no colo.

Patrice está me olhando de um jeito engraçado.

— Você parece saber muita coisa sobre bebês — ela diz. — Onde aprendeu tudo isso?

Eu fecho os olhos e grito:

— Cuidando da minha Boneca Bebê!

E olho para ela para ver se entende.

— Não precisa gritar — ela diz. — Mas lembre-se: sua Boneca Bebê não era um bebê de verdade. Você deve ter aprendido essas coisas em outro lugar. Na televisão, talvez?

Respondo que não com a cabeça.

— Minha Boneca Bebê *era* um bebê de verdade.

— Ginny, isso não é real — diz Patrice. — Gloria não tinha outros filhos. Estudei a pasta do seu caso mil vezes, e você era a única no apartamento. Tinha um primo bebê, talvez? Lembro que sua tia ia visitar vocês de vez em quando.

— Crystal com C.

— Isso, Crystal com C. Crystal com C tinha um bebê?

Balanço a cabeça para dizer que não. Estou muito brava para falar alguma coisa com a boca agora.

— De qualquer maneira — Patrice continua —, você precisa saber que seus pais e eu criamos uma nova regra. É a regra mais importante que já colocamos para você. *Quando a Bebê Wendy nascer, você não vai poder tocar nela.* Primeiro temos que ter certeza que você aprendeu o jeito certo de lidar com bebês. É assustador quando alguém bate em uma boneca e a coloca em uma mala, mesmo que seja uma boneca. Malas não são bons lugares para colocar bebês, certo?

Arranho meus dedos com força. Com tanta força que uma gota escura de sangue aparece. Vejo a gota ficar maior e maior até se soltar e escorrer pelo meu polegar.

— Ginny?

Levanto a cabeça e, ao mesmo tempo, ponho as mãos para trás. Onde nenhuma de nós pode vê-las.

11H03 DA NOITE, DOMINGO, 12 DE SETEMBRO

Agora estou na cama respirando depressa e tentando me acalmar. Hoje fomos a Portland ver os veleiros. E os fogos. É a última coisa divertida que fazemos antes de minha Mãe Para Sempre começar a se preparar para ter o bebê, ela me disse. Deixei meu relógio em casa porque ontem encostei as mãos e os pulsos em hera venenosa. Achei que não teria problema em deixar meu relógio em casa, porque normalmente tem um relógio por perto para me dizer que horas são, mas me distraí porque os fogos faziam muito barulho e muita fumaça, e todo mundo ficava falando "Ooooh!" quando os viam. Era como se fossem todos fantasmas. E a fumaça era como o fantasma dos fogos de artifício. Ouvi que dá para guardar os fogos e a fumaça na cabeça se a gente fechar os olhos depois de vê-los. As imagens ficam lá.

E era o que eu estava fazendo quando voltamos ao carro. Por isso não vi imediatamente que horas eram. Sentei no meu lugar de olhos fechados e apoiei a cabeça na janela e continuei olhando para os jatos de azul e verde e vermelho e branco no meu cérebro. Só a música era diferente. Lá fora tinha grandes alto-falantes tocando melodias de flautas e tambores. No carro, meus Pais Para Sempre ligavam o rádio. Alguém cantava uma música sobre uma garota cujo nome não era Billie Jean nem Dirty Diana. Era Caroline ou alguma coisa assim Então abri os olhos e disse:

— Posso ouvir flautas e tambores? Estou tentando ver os fogos.
E minha Mãe Para Sempre respondeu:
— Meu bem, os fogos acabaram.
E foi então que vi que eram 10h43. Muito depois das nove da noite. Comecei a arranhar os dedos.
— Estão vendo que horas são? — perguntei.
— São 10h44 — disse minha Mãe Para Sempre.
Olhei e ela estava certa. O relógio havia mudado. Não eram mais 10h43. Eram 10h44.
— Que droga! — Comecei a morder a pele dos dedos. — Já passou da hora de eu ir dormir — falei, e escrevi na minha cabeça:

Hora de dormir = 9h00 da noite

— Tudo bem — meu Pai Para Sempre disse. — Tudo bem ficar acordada até mais tarde de vez em quando, não é?
— Mas são mais de *nove horas* — respondi.
— Tudo bem — disse minha Mãe Para Sempre. Era como se ela quisesse falar mais alguma coisa, mas não falou. Só ficou ali sentada e quieta no banco da frente, enquanto alguém no rádio cantava sobre os números vinte e cinco e seis-dois-quatro. E agora os números do relógio marcam 10h45. Nenhum desses números eram como os na minha cabeça, que ainda eram nove e zero e zero.
— Tenho que ir direto para a cama — avisei.
— Quer ficar acordada mais um pouco para ver televisão? *Só para relaxar?*
Relaxar é como *desestimular*. Significa *vamos dar um tempo para acalmar*. Balancei a cabeça para dizer que não.
— Tenho que ir para a cama *agora* — falei, porque nove horas é meu horário de ir dormir e eu tenho que comer nove uvas com meu leite humano de manhã. Nove anos era a idade que eu tinha quando a polícia chegou. Era minha idade antes de o Para Sempre começar.

43

— E escovar os dentes? — perguntou meu Pai Para Sempre. — Não quer escovar os dentes primeiro?

É uma regra que *Sempre escovamos os dentes antes de ir para a cama*. E eu gosto de regras.

— Tudo bem, sim, legal — falei. — Depois que eu escovar os dentes. E depois que eu for ao banheiro e lavar as mãos. E depois que eu pegar água para deixar em cima da cômoda e vestir o pijama. Então, eu vou *direto para a cama*.

— Que pijama vai usar hoje? — perguntou minha Mãe Para Sempre. — O que tem gatos ou o que tem os macacos de meia?

— O de gatos. O de macacos de meia é para as segundas-feiras.

Então pensei na minha Boneca Bebê e decidi cantar para ela uma canção de ninar. Mesmo que ela não pudesse me ouvir. Porque ainda podia ver os fogos de artifício no meu cérebro, que é onde vejo minha Boneca Bebê. Comecei a cantar "I'll Be There" para ela. Meu Pai Para Sempre desligou o vinte e cinco ou seis-dois-quatro, e minha Mãe Para Sempre pôs a mão em cima do relógio. Quando chegou na parte do "looking over my shoulder", eu cantei "ooohhh!" exatamente como o Michael Jackson, que não é como um fantasma canta, mas tudo bem. Depois olhei para trás e, dentro dos meus olhos, vi Michael Jackson dando um grande abraço de urso em Bubbles pelas grades do zoológico.

— Está indo muito bem, Garota Para Sempre — meu Pai Para Sempre disse. Tudo bem eles me chamarem assim por enquanto, porque ainda é assim mesmo. Gosto de ser a Garota Para Sempre deles e vou sentir saudade dos dois, mas já passou muito, muito, muito das nove. Das nove horas e dos nove anos. Não quero voltar para aquele lugar assustador, mas tenho, tenho, tenho que ir.

11H32 DA MANHÃ, SEGUNDA-FEIRA, 13 DE SETEMBRO

Em ciências estamos estudando os furacões. Estou trabalhando com Alison Hill no nosso projeto. Temos que fazer um cartaz e um relatório sobre como os furacões funcionam. Também temos que digitar uma lista de fatos. Mas meu trabalho é fazer o cartaz. A sra. Wake está me ajudando a colocar pingos de cola em um pedaço grande de cartolina branca para eu grudar bolas de algodão nela. Mas não tenho permissão para usar cola, porque a sra. Dana contou a ela o que aconteceu no ano passado, quando decorei a combinação da porta do armário de materiais na Sala Cinco.

Mas em um minuto vou precisar da cola. Faz parte do meu plano secreto.

— Isso é muito bom, Ginny — diz a sra. Wake. — Agora vamos colocar algumas faixas de nuvens do lado de fora do furacão. Os ventos externos são os mais destrutivos, por isso temos que destacá-los.

Ponho mais duas bolas de algodão no cartaz. Alison Hill está perto da janela em uma mesa comprida, digitando a lista de fatos. Alison Hill digita bem. Ela é mais rápida que o Larry e mais rápida que eu, mas às vezes fica muito brava, quando alguém tenta fazê-la ser ser mais rápida ainda.

Solto a bola de algodão que estou segurando.

— Alison Hill, já acabou? — pergunto.

— Ainda não, Ginny — ela fala.

Olho para o meu relógio. São 11h35. Bato o lápis na mesa com força para fazer um ruído alto. Depois faço barulho com a respiração.

Alison Hill continua digitando.

Pego a tesoura e começo a cortar as setas curvas que a sra. Wake desenhou para mim. Faço de novo o barulho de respiração.

— Estou quase precisando dos fatos — aviso.

Alison Hill bate as mãos no teclado.

— Ginny, me deixa em paz!

— Ginny — diz a sra. Wake.

Mas a voz dela não sobe, então ela não estava fazendo uma pergunta.

— Aposto que os fatos já estariam prontos se o Larry estivesse digitando — falo.

Então Alison Hill joga o papel e o lápis para cima e se levanta. Olho para ela. Ela está com os dedos encolhidos como garras. A sra. Wake se aproxima de Alison e tenta *desestimular* a situação. Elas começam a falar alto e depressa.

Pego a cola e espalho na cadeira da sra. Wake. Aperto bem, bem, bem. Depois deixo a embalagem no chão e empurro com o pé para baixo da mesa, onde ela não pode ver.

Quando a sra. Wake acaba de ajudar Alison Hill a se acalmar, ela volta para continuar me ajudando. E senta.

— Vamos deixar a Alison trabalhar — diz. — Não fale com ela agora Ela precisa se concentrar.

E eu digo:

— Não consigo encontrar a cola.

A sra. Wake olha em volta.

— Estava aqui há um minuto — comenta. — Ginny, você comeu a cola? A sra. Dana disse...

Ela faz uma cara engraçada e põe a mão embaixo do traseiro.

Fico de boca fechada.

— Você fez isso? — ela pergunta. E levanta. Ela está usando uma saia cinza bonita. Tenta olhar o próprio traseiro, mas o pescoço não é longo o bastante, então ela põe a mão lá. E olha para a mão. E olha para mim. Seus olhos ficam grandes e molhados. — Ginny, não acredito! — E sai correndo da biblioteca.

Começo a me aproximar do computador onde Alison Hill está trabalhando. Lembro que Alison Hill sabe que não tenho permissão para usar a internet sem um adulto.

Paro e começo a arranhar os dedos.

Do outro lado da biblioteca, vejo um aluno do quinto ano levantar da frente de um computador. Vou até lá e sento onde ele estava sentado. Digito *Manicoon.com* no espaço branco no alto da tela. E aperto o "Enter".

Vejo na tela os gatos maine coons. Vejo suas longas orelhas e as caudas peludas. Eles olham para mim como Fire e Coke Head. Acima deles, vejo as abas de "Informação" e "Sobre Mim" e "Contato". E vejo as palavras **Uma Mensagem para Minha Filha**. Embaixo de Uma Mensagem para Minha Filha eu leio:

Fui ao endereço que você me deu e aqueles fodidos chamaram a polícia. Mas eles não vão me deixar de fora. Disse a eles que também tenho direitos. Ninguém pode tirar a liberdade de expressão. Há quatro anos eles te levaram embora, e desde então estou tentando te encontrar. Obrigada, Deus, pela internet. Mas não conta para ninguém sobre esse blogue. Não posso voltar na casa onde você mora porque a juíza emitiu uma ordem de afastamento. G, te amo muito. Quero você de volta para sermos uma família de novo. Tem ideia de quanto tem sido difícil sem você? Vou fazer qualquer coisa para ter você de volta. Devia ver as novas jaulas que eu instalei. E agora estou limpa. Fui para uma clínica e tudo mais. Crystal diz que eu devia ficar quieta e deixar a poeira baixar. Mas não consigo. Ela me ajudou muito depois que você foi embora, mas preciso te ver. Fala a hora e o lugar, e eu vou estar lá. Deixa um comentário, e eu vou apagar assim que visualizar. Ah! Quase rimou.

Não sei o que significa "Deixa um comentário", mas logo vejo a palavra "Comentários" embaixo da mensagem de Gloria. Clico nela e vejo um lugar para digitar. Escrevo:

Você pode ir ao Concerto da Colheita, em 18 de outubro. Por favor, tira minha Boneca Bebê da mala embaixo da minha cama. Não deixa ela lá sozinha.

Clico em "Postar," que deve ser a mesma coisa que "Enviar", e depois clico no X para fazer a tela desaparecer, e volto à mesa para esperar a sra. Wake.

EXATAMENTE 6H57 DA MANHÃ, TERÇA-FEIRA, 14 DE SETEMBRO

Antes de sair para pegar o ônibus, contei as cinco fatias de pão que restavam no pacote e minha Mãe Para Sempre disse que a palavra *aproximadamente* significa *próximo mas não exatamente*. E que o pão está *aproximadamente* no fim. Então, se hoje é 14 de setembro, nesta noite quando eu for para a cama será *aproximadamente* dia 15. E à meia-noite será *exatamente* dia 15.

Aproximadamente é uma boa palavra para usar quando você não tem um relógio. Também é boa para pensar na sua Boneca Bebê, se você não sabe *exatamente* se alguém a encontrou ou *exatamente* que horas Gloria vai levá-la ao Concerto da Colheita.

Mas não consigo pensar em que horas ela pode chegar, porque o ônibus está entrando no estacionamento da escola e vejo um carro estacionado que parece *aproximadamente* o Carro Verde. Meu relógio diz que são *exatamente* 6h59. O carro que vejo é verde como eu me lembro, mas não tem o pedaço grosso de plástico que Gloria colou na janela de trás quando ela quebrou. E na frente do carro tem alguém que parece *aproximadamente* com Gloria, mas não *exatamente*. Ela está longe, mas é muito, muito magra, e tem mais ou menos o mesmo tipo de cabelo, mas não está vestida com a camiseta da foto do Facebook. Olho para ela pela janela até pararmos na frente da escola. Então desço do ônibus. Quero dar a volta no ônibus para ver se é ela, mas a sra. Wake está lá na calçada esperando por mim. Ela me leva para dentro.

Além do mais, ontem falei para Gloria que ela podia vir para o Concerto da Colheita, então não pode ser ela.

A sra. Lomos telefonou para meus Pais Para Sempre ontem e contou a eles sobre a cola. Tive que escrever uma carta pedindo desculpas à sra. Wake. Tiro a carta da minha mochila e entrego para ela.

— Pega — falo.

Vamos para a sala da minha turma, e de lá seguimos para a sala de artes da linguagem. Agora são *exatamente* 7h45. A sra. Wake lê a carta quando se senta. Tudo que ela diz é:

— Obrigada, Ginny.

Sua boca é uma linha fina e ela não está falando como ontem. Acho que está brava, mas não está gritando, então não preciso tomar cuidado. Mesmo assim, não discuto quando ela me diz para pegar a lição de casa. Estamos trabalhando no projeto do furacão em ciências e em artes da linguagem.

Minha lição de casa era fazer uma lista de coisas para levar comigo, caso haja um furacão e eu tenha que procurar abrigo. Fiz uma lista de *exatamente* vinte e três coisas com uma linha entre a número cinco e a número seis. Todas as coisas acima da linha são aquelas com que a sra. Wake me ajudou ontem. Tudo abaixo dela é o que fiz sozinha.

1. *Um celular (para ligar para minha família e amigos)*
2. *Uma lanterna (para enxergar as coisas no escuro)*
3. *Comida (para comer)*
4. *Um rádio (para ouvir as notícias sobre o furacão)*
5. *Pilhas (para o rádio e a lanterna)*

---

6. *Alguns livros sobre Michael Jackson (para ler quando eu não estiver ouvindo o rádio)*
7. *Meu iPod (para escutar quando eu não estiver lendo os livros ou ouvindo o rádio)*
8. *Os fones de ouvido do meu iPod (para plugar no meu iPod)*

9. O carregador do meu iPod (para carregar meu iPod)
10. Alguns jogos, como Uno (para jogar)
11. Minha escova de cabelo (para escovar o cabelo)
12. Um elástico de cabelo (para prender meu cabelo)
13. Minha escova de dentes (para escovar meus dentes)
14. Pasta de dentes (para pôr na escova de dentes)
15. Desodorante
16. Calcinha nova (só por precaução)
17. Meias (se meus pés ficarem molhados)
18. Chinelos (se meus pés ficarem molhados de novo)
19. Um cobertor (para todo mundo sentar)
20. Bebidas (para a gente beber)
21. Um cooler (para manter as bebidas geladas)
22. Canudinhos dobráveis (para nossas bebidas)
23. Pipoca (para comer com nossas bebidas)

— Vem comigo, Ginny — diz uma voz.

Levanto os olhos do trabalho. É a sra. Lomos. Fico surpresa por ela estar ali. Também fico surpresa com seus brincos. São pequenas máscaras brancas.

— Vamos à minha sala — ela diz.

Respondo que estou revisando o dever de casa antes de entregá-lo. Ela diz que tenho que ir com ela *agora*. E eu vou.

São exatamente 7h52. Sigo a sra. Lomos até sua salinha. Ela me pede para sentar. Fecha a porta e diz:

— Ginny, quando foi a última vez que você viu Gloria?

— Há quatro anos, no dia 18 de abril, quando a polícia chegou para me tirar de lá — falo. — Ela chorou, chorou e disse: "Desculp..."

— Tem *certeza* que essa foi a última vez que a viu? — insiste a sra. Lomos.

— Você me interrompeu — eu falo.

— Desculpa. É que você já me contou como Gloria chorou e disse "desculpa, desculpa" várias vezes. Mas agora é importante que você pense muito bem e me diga se viu Gloria recentemente.

Não sei bem se a sra. Lomos está fazendo uma pergunta, por isso não respondendo nada.

A sra. Lomos fala:

— Vamos tentar de novo. Quando foi a última vez que você viu Gloria?

E eu digo:

— Quer saber *exatamente* ou *aproximadamente*?

O rosto da sra. Lomos parece surpreso.

— *Exatamente* — ela diz.

Mas ainda não estou *exatamente* certa de que foi Gloria que eu vi no estacionamento, então digo:

— A última vez *exatamente* que vi a Gloria foi no dia 18 de abril há quatro anos.

— E você a viu *aproximadamente* depois disso?

— Sim. Eu vi a Gloria *aproximadamente* hoje de manhã.

— Como pode ter certeza que era ela?

— Eu disse que foi *aproxim*...

— Ginny, o que você viu?

— Vi uma pessoa perto de um carro verde, e a cabeça dela era praticamente a mesma, mas a blusa era diferente.

— Obrigada — diz a sra. Lomos. — Preciso dar um telefonema. Enquanto faço essa ligação, vou te passar uma tarefa muito importante. Quero que escreva tudo que fez hoje de manhã.

Ela me entrega um lápis e um bloco de papel branco e pautado. O lápis não é o meu do Snoopy, que é o único lápis que gosto de usar.

— Tudo? — pergunto.

— Tudo — responde a sra. Lomos. — Comece com o que aconteceu quando acordou e termine com o que acabamos de conversar.

Olho para a ponta do lápis, que é muito, muito fina, e me preparo para escrever. Depois começo a pensar sobre como Gloria foi à Casa Azul e o que pode significar eu ter visto alguém *aproximadamente* parecido com ela quando cheguei na escola.

Penso, penso e penso.

E vejo que são 8h06, e a sra. Lomos está comigo em sua sala de novo. Ela diz:

— Oi, Ginny. Sua mãe e seu pai estão vindo para cá para podermos conversar todos juntos. Um policial vai vir com eles. Sei que não gosta de policiais.

Às vezes vejo policiais na televisão ou em uma foto e tudo bem, mas, quando os policiais estão em lugares onde não espero vê-los, fico surpresa. Como quando tem um na esquina ou quando um vai na escola para ser palestrante convidado e ninguém me avisou. Mas não falo nada disso. Não digo nada porque quero saber por que meus Pais Para Sempre estão vindo para cá para falar comigo e por que um policial vem com eles, e quero saber, mais que tudo, se vi Gloria *aproximadamente* ou *exatamente* quando o ônibus estava entrando no estacionamento. Porque se a vi *exatamente* preciso sair e entrar no Carro Verde depressa. Antes que a polícia chegue.

Porque, há quatro anos, quando eu tinha nove, um policial ficou na frente da Gloria enquanto outro policial me levava embora. Enquanto um dos policiais me segurava, outro empurrava Gloria para trás, e, quando ela tentou passar por ele, ele a segurou pelo braço e empurrou o rosto dela contra a parede, e sua bochecha ficou achatada, os olhos ficaram redondos e brancos e ela gritou meu nome e disse "Desculpa! Desculpa, Ginny!" muitas vezes, enquanto eu esperneava e tentava lutar, e Gloria gritava "Essa é minha filha! Essa é minha filha!" e depois "Ginny, você é minha!", e o policial que estava me segurando começou a me levar para a porta, e eu *perdi a cabeça*.

Porque eles não sabiam onde eu tinha escondido minha Boneca Bebê, e, quando tentei falar, eles não me ouviram. Os policiais me puseram no banco de trás de um carro de polícia e me levaram para o hospital.

Levanto da cadeira pequena e dura na sala da sra. Lomos. Tinha posto o lápis em cima da mesa, mas o pego de novo. Ainda está com a ponta bem fina. Não escrevi nada. Abro a porta.

— Ginny? — a sra. Lomos me chama.

Não escuto. Meus pés começam a se mover e ouço o *suish-suish* das pernas da minha calça raspando uma na outra, e agora estou correndo para a biblioteca que tem uma janela com vista para o estacionamento onde eu *aproximadamente* ou *exatamente* vi Gloria encostada no Carro Verde.

Passo pela sra. Wake. Ela abre a boca para falar alguma coisa, mas continuo correndo.

Abro a porta da biblioteca e passo correndo pelos computadores. Vou até a janela. Olho para fora.

E a vejo. Ela não está segurando minha Boneca Bebê. Olho com mais atenção para ver se a enxergo dentro do Carro Verde. Pulo para ver se ela está no banco de trás, mas não vejo uma cadeirinha, um cesto, nada.

Tem um policial na frente da Gloria apontando para o Carro Verde. Ele balança a cabeça. Gloria está de boca aberta, e sei que ela está brava. Mesmo sem conseguir ouvi-la. O policial aponta de novo para o Carro Verde. Mais dois carros da polícia se aproximam depressa, mas as luzes não estão acesas. Ouço o motor dos carros através do vidro. Mais dois policiais descem de cada carro. Agora são cinco.

Gloria cospe.

Um dos policiais chega muito, muito perto dela. Ela põe as mãos para cima e abaixa a cabeça, depois se afasta e estende uma das mãos para a porta do Carro Verde.

Tem um aquecedor na frente da janela. Subo nele e ponho os braços no vidro. Aproximo o rosto dele e bato as mãos na janela muitas, muitas vezes e começo a gritar.

Gloria olha para cima. Para a janela. Inclino o corpo para trás para bater no vidro com toda força. Bato de novo e de novo. E de novo e de novo. Não quebra.

Pulo de cima do aquecedor e pego uma cadeira. Levanto a cadeira sobre a cabeça e corro.

Alguém me segura. A cadeira desaparece das minhas mãos e eu caio. É a diretora e a sra. Dana. Estou *perdendo a cabeça* porque preciso falar para Gloria não ir embora. Tenho que dizer a ela para vir me ajudar a *fugir*, mas a sra. Dana me segura e me deita no chão. Ela está em cima de mim, não consigo levantar. Esperneio e luto. Mordo o braço dela. Ela grita e me solta.

— Ginny! — Ouço alguém dizer. — Ginny!

É a sra. Lomos. Vejo os pés dela.

Fico em pé.

— Foi... — começo. — Foi *exat...* — Mas as palavras não saem, e a diretora me segura por trás. Estou caindo, mas olho para a janela e vejo o Carro Verde indo embora. Estou no chão outra vez, ao lado de uma estante de livros com *Julie of the Wolves* e *Island of the Blue Dolphins*. Meus olhos querem chorar, mas não conseguem, porque minha respiração está falhando e falhando e não consigo respirar. Vejo a sra. Dana, a sra. Lomos e a sra. Wake e a bibliotecária, e agora tenho a sensação de estar embaixo d'água ou de um cobertor, e tudo fica escuro.

EXATAMENTE 3H31 DA TARDE, TERÇA-FEIRA, 14 DE SETEMBRO

Meus Pais Para Sempre estão em casa. Os dois. Estão na sala falando com um policial que não está vestindo uniforme. Não é o mesmo que foi na escola. Sei que ele é policial porque meus Pais Para Sempre me contaram. Estou em pé no meu quarto e não vou sentar de novo até ele ir embora.

Estou brava porque Gloria foi na escola e não consegui ir embora com ela. Eu falei para ela vir para o Concerto da Colheita, mas ela veio hoje. Eu não estava preparada. Não consegui ver se minha Boneca Bebê estava no banco de trás. Ela é completamente *indigna de confiança*. Queria que ela fosse como Crystal com C. Crystal com C sabe que não gosto de expressões. *Eu sempre vou te dizer a verdade, Ginny,* ela me falava. *Mesmo que seja difícil de ouvir.* Eu acreditava nela 100% e tentava sempre dizer a verdade também 100%. Ou *idem* que é praticamente a mesma coisa que *também*, mas escrito de um jeito diferente.

Exatamente às 3h40, o policial entra no meu quarto com meus Pais Para Sempre.

Eu chio.

Minha Mãe Para Sempre estende a mão como se fosse tocar meu braço.

Eu rosno.

Agora sou um dos maine coons. Estou com o pelo todo em pé. Se alguém tocar em mim...

— Ginny — minha Mãe Para Sempre fala —, o policial não vai te machucar. Ele está aqui para ajudar.

Policiais nunca estão *aqui para ajudar*, embora minha Mãe Para Sempre não minta. Se estivessem *aqui para ajudar*, ele me levaria para Gloria. O oficial fala e fala, mas eu não escuto. Depois ele pergunta:

— Você entende?

E sorri.

Seu nome é Oficial Joel, mas seu nome não interessa, porque todos os policiais são *exatamente* iguais.

O policial diz que, se eu voltar a ver Gloria, devo contar para os meus Pais Para Sempre ou para uma professora imediatamente. *Imediatamente* significa *agora, não importa como*. Ele diz que preciso ficar aqui na Casa Azul com minha Família Para Sempre porque agora *eles* são minha família. Quando digo que preciso ver se minha Boneca Bebê está bem, ele fala que Gloria não é uma pessoa confiável. Diz que não é seguro voltar ao apartamento porque ela me deixava sozinha com frequência e me machucava. E todos os homens estranhos e as drogas. E eu não lembrava o que aconteceu com o gato? O policial diz que a mesma coisa poderia ter acontecido comigo.

— Não queremos que uma coisa como essa aconteça com uma criancinha, queremos?

Eu grito:

— Então por que não me deixa ir buscar minha Boneca Bebê?

Ele balança a cabeça e continua falando. Fala sobre condições insalubres e abuso e o gato. Bola de Neve. Ele está enganado sobre o que aconteceu com o gato, mas estou tão perturbada que tudo que consigo falar agora é a palavra *errado, errado, errado* muitas e muitas vezes no meu cérebro e tampar os ouvidos com as mãos, porque ele não entende. Ele só sabe *aproximadamente* o que aconteceu.

E eu sei *exatamente*.

EXATAMENTE 10H05 DA MANHÃ, QUARTA-FEIRA, 15 DE SETEMBRO

Estou no escritório da Patrice. Não fui à escola. O escritório da Patrice tem três poltronas macias. Uma é inteira de flores. Ela tem um gato magrelo e preto e branco chamado Agamemnon, que gosta de *fazer pão* no colo da gente. *Fazer pão* é uma expressão, porque Agamemnon não sabe cozinhar. Não dói quando Agamemnon faz pão, porque as unhas dele foram removidas quando ele era pequeno. Ele não lembra da operação, Patrice diz. Mas não estou vendo Agamemnon agora. Procuro por ele toda vez que venho aqui, porque gosto muito de gatos. Quero ter um gato, mas meus Pais Para Sempre não permitem. Dizem que não é *apropriado*. Não ser *apropriado* significa que alguma coisa não cabe. Mas eu acho que cabe. Especialmente depois de Bola de Neve.

Patrice está na cozinha.

— Ginny, quer me ajudar a preparar um lanche? — ela pergunta. Paro de procurar Agamemnon e vou ajudá-la. Patrice diz que comida e bebida ajudam as pessoas a relaxar. O lanche de hoje é chocolate e leite. Despejo o pacote inteiro de bombons em uma tigela e levo para a sala onde estão as poltronas. Depois sento e começo a comer.

— Então, que drama é esse sobre o qual fiquei sabendo?

Não sei o que é *drama*, por isso digo:

— Não entendi a pergunta.

Patrice me ensinou isso. Devo dizer *não entendi* se tiver alguma coisa que não entendo ou que quero saber. Patrice diz que pedir ajuda faz parte da *autodefesa*.

— *Drama* significa muitos sentimentos e ações barulhentas — diz Patrice. — Quando alguém diz que foi um drama, significa que aconteceram muitas coisas malucas.

— Não vi nenhuma coisa maluca — respondo, e ponho outro bombom na boca. Depois levanto a cabeça, porque é uma regra: *Você tem que fazer contato visual quando fala com alguém.*

— Desculpa — Patrice pede. — Eu não devia colocar as coisas dessa maneira. Não é drama nenhum, na verdade. É só muita coisa acontecendo ao mesmo tempo. Pode me contar o que houve ontem com a Gloria? Seus pais me falaram que ela foi na escola.

Amasso o papel do bombom entre os dedos e faço uma bola.

— É verdade — digo. — Ela foi na minha escola. Eu vi a Gloria ontem no estacionamento quando desci do ônibus. Ela foi com o Carro Verde.

— O que você pensou na hora em que a viu?

— Não sabia se era ela.

— Por que não sabia?

— Porque ela estava com a cabeça diferente.

— Se tivesse certeza que era ela, o que teria feito?

Não respondo, porque não quero que Patrice saiba o que eu teria feito. Fecho a boca e começo a contar.

Patrice diz:

— Ninguém sabe como ela conseguiu descobrir onde você mora, mas ela não devia ir te procurar. Não é permitido, Ginny. E não é seguro. Ela ainda é completamente *impulsiva*. Não mudou nada. Bem, talvez eu não deva ir tão longe, mas ela continua fora da casinha.

— Ela cantou pneu? — pergunto. Porque Gloria fica muito, muito brava quando alguém diz que ela não pode fazer alguma coisa.

— Não sei — Patrice responde.

— Ela fez uma cena e tanto?

— Pelo que fiquei sabendo, sim, ela fez. Tentou entrar no prédio. As portas estavam trancadas e ela se recusava a ir embora. Gloria pediu para te ver, mas, como ninguém na escola sabia quem ela era, chamaram a polícia. Depois ela usou uma pedra para tentar arrombar a porta. A polícia a levou de volta ao carro dela, e foi então que você apareceu na janela.

Fico sentada pensando. Estou feliz por Patrice me contar o que aconteceu. Patrice sempre me conta a verdade. Ela chama isso de *falar claramente*, porque muita gente continua escondendo segredos de mim.

— Ginny? — Patrice fala.

— O que é?

Estou arranhando meus dedos de novo.

— É extremamente importante que você nunca acompanhe a Gloria. Se for com ela, talvez se machuque. Seus Pais Para Sempre já têm uma ordem de afastamento, por isso ela não pode ir à Casa Azul, e agora eles vão providenciar outra para ela não poder ir à escola. Sabe o que é uma ordem de afastamento?

Respondo que não balançando a cabeça.

— É como uma regra, só que maior. É como uma lei. Uma lei para uma pessoa. Acho que podemos dizer que é *contra a lei* a Gloria ir te ver agora. Não é seguro. Não entendo por que quer vê-la de novo. Isso também incomoda seus Pais Para Sempre. Você quase morreu quando estava lá. Pode nos ajudar a entender?

— Quero ver se minha Boneca Bebê está bem.

— Ai, meu Deus, Ginny. Sei que você passou por muita coisa, mais do que qualquer pessoa deveria ter que enfrentar, mas já falamos sobre isso inúmeras vezes! Lembra? Chegamos à conclusão de que o motivo para você querer cuidar de uma Boneca Bebê é que *você* era como um bebê quando morava no apartamento. E não queremos que o que aconteceu com o bebê eletrônico de plástico aconteça com você de novo. Entende o que estou dizendo? Gloria te machucou muito, Ginny. Lembra como estava quando a polícia te tirou do apartamento? Lembra de como era magra? E os ferimentos? Teve sorte por sair de lá viva. Sei que ela é sua Mãe Biológica, mas Gloria é simplesmente incapaz de cuidar de crianças pequenas.

Ela continua falando e me fazendo perguntas sobre todas as coisas ruins que Gloria fez, e eu sempre respondo sim, eu sei, eu entendo, Gloria não é uma pessoa confiável, por isso preciso voltar lá e pegar minha Boneca Bebê.

Mas Patrice continua balançando a cabeça e dizendo não, Ginny, sinto muito, sua Boneca Bebê não é um bebê de verdade, eu estudei os arquivos.

Então, finalmente eu fecho as mãos com força, fecho bem os olhos e grito:

— Não está nos arquivos. Está na mala.

Ela para.

— Ginny, sei que pensa que ninguém te escuta, mas nós olhamos a mala. A polícia voltou lá para olhar depois que você foi deixada no hospital. Não tinha nada lá dentro.

— Não tinha nada lá dentro?

Patrice balança a cabeça.

— Nada. A mala estava embaixo da cama, mas vazia. E as assistentes sociais visitaram você algumas vezes antes de te tirarem do apartamento. Acha que elas não saberiam se houvesse um bebê?

Eu pisco. Se a mala estava vazia, então disse a Gloria para olhar no lugar errado quando escrevi para ela no dia 13 de setembro. Mas não sei onde é o *lugar certo*. Não sei onde falar para ela procurar minha Boneca Bebê.

— Ginny?

Alguém deve ter tirado a boneca da mala depois que a polícia me levou do apartamento. Mas quem?

— Ginny?

— Quando eles voltaram para olhar?

— Assim que deixaram você no hospital.

Foi uma viagem curta até o hospital no carro da polícia. Eu ainda não tinha um relógio, por isso não sei quanto tempo durou, mas não pode ter sido muito tempo.

O que significa que pode não ser tarde demais. Ou *era* tarde demais e alguém...

— Ginny? — Patrice me chama de novo. — Quer beber alguma coisa?

Olho para ela, mas não vejo seu rosto. Não vejo nada, porque meu cérebro está se esforçando muito para imaginar o que aconteceu depois que a polícia me levou para o hospital.

EXATAMENTE 6H52 DA MANHÃ, SEXTA-FEIRA, 17 DE SETEMBRO

Quem tirou minha Boneca Bebê da mala?

Estou no ônibus pensando em coisas que não gosto de pensar. No fundo do meu cérebro. Na maior parte do tempo, eu deixo esses pensamentos trancados no escuro, mas agora tenho que tirá-los de lá, porque a polícia olhou a mala quando eu estava no hospital e não tinha nada dentro dela.

Penso em Donald. Será que foi ele?

Donald tinha calças, mas normalmente não usava à noite, quando saía do quarto de Gloria para ir me ver. Era sempre fácil dizer se o homem no quarto da Gloria era Donald, porque Miller estava lá. Miller era o nome do gato do Donald. Miller costumava correr na frente das jaulas e miava para todos os maine coons.

Miller gostava muito de mim. Talvez por isso nós dois ganhamos nomes do mesmo jeito. Ele não gostava de ir embora com Donald quando Donald ia embora de manhã. Eu o via pegar o Miller como se Miller fosse um bebê e colocá-lo na caixinha de carregar gato. Depois ele levava Miller para o carro e ia embora, mas ele sempre trazia o Miller de volta quando ia dormir no quarto da Gloria, onde eles jogavam um jogo que chamava *Esconder o Cannoli*. Eu passava muito tempo procurando o cannoli quando não tinha ninguém em casa, mas nunca o encontrei. Acho que devia ficar em alguma gaveta secreta, ou eles o levavam quando saíam.

Mas um dia eu não queria que Miller fosse embora, então o coloquei dentro de uma mala com muitos travesseiros e cobertores para ele ficar quieto. Ele arranhou meu braço e minha mão enquanto eu o segurava lá dentro, mas depois pus um moletom em cima da cabeça dele e fechei a mala.

Fechei o zíper e empurrei a mala para baixo da cama. Donald procurou e não encontrou o gato, e finalmente ele disse: "Vou deixar a porcaria do gato aqui. Não se importa, não é?" E Gloria respondeu: "Não tem problema. Seus dois gatinhos vão estar aqui te esperando". Ele deu um tapa no bumbum dela, depois a beijou e foi embora.

E Gloria achou dinheiro e pediu pizza enquanto a gente assistia a um filme de vampiros. A pizza era de bacon e cebola. Era minha favorita. Tomamos nossas bebidas chiques. Refrigerante na lata com canudinho dobrável para mim e gim-tônica para Gloria. Por isso me chamou de Ginny. Porque gim-tônica era sua bebida favorita.

Consegui ficar com o Miller. Mas não podia tirá-lo de lá, porque não queria que Gloria soubesse que ele estava comigo e não queria que Donald o levasse embora de novo. Donald voltou cinco dias depois, e ninguém conseguiu encontrar o gato. Ele devia ter fugido de algum jeito, disseram. Donald ficou bravo e gritou muito com Gloria, mas depois eles saíram para encontrar o traficante de Gloria e tudo ficou silencioso. Então, pus minha Boneca Bebê em cima da cama e, com o braço que não doía, puxei a mala e abri, e Miller estava morto. Morto quer dizer que você está dormindo, mas não vai acordar. E o cheiro é muito, muito ruim. Levei minha Boneca Bebê para a sala e ficamos lá até escurecer. Mais tarde, Gloria voltou para casa sozinha e abriu a porta do meu quarto por causa do cheiro. Ela viu o Miller e disse:

— Puta merda, Ginny! Você matou o Miller!

E eu falei:

— Não matei o Miller. Só tentei fazer ele sair da mala.

— O que fez para sufocar o gato? Ou ele morreu de fome? — Gloria o tocou com o pé, mas Miller não se mexeu. — Temos que fazer alguma coisa. Se o Donald souber disso, ele vai te matar. Sabe, vai *fazer você morrer*. Não estou brincando.

E eu fiquei com muito medo, porque Donald tinha armas. E uma vez ele jogou a Gloria no corredor e a chutou muito. Ele gosta de ferir as pessoas, e eu tenho quase certeza de que ele gosta de matá-las também.

Foi então que Gloria levou a mala para fora e a virou de cabeça para baixo para o Miller cair na varanda. Depois ela pegou sua arma e disse:

— Te amo, menina. — E me deu sua Coca diet de cereja. Ela atirou na cara do Miller para ele não ter mais cabeça. Era só um corpo peludo com patas e um buraco onde antes ficava a cabeça. Depois de atirar, Gloria disse: — Agora, Donald nunca vai saber que foi você que matou o Miller.

— Ele vai saber que foi quem? — perguntei.

— Ah! — disse Gloria. — Ele vai saber que fui eu. Não tenho muito tempo para sumir com as evidências. O cheiro vai ficar muito ruim se eu jogar o corpo no lixo. Se eu encontrar alguma coisa para cavar, talvez possa enterrar o gato. Só me dá um abraço e me deixa olhar para minha linda menina, antes que meus olhos fiquem tão inchados de modo que eu não consiga mais olhar para você. Donald vai chegar a qualquer minuto.

Mas Donald não chegou. Em vez disso, a polícia apareceu. Os vizinhos devem ter escutado o tiro e chamaram a polícia, Gloria me falou antes de subir para se esconder. Eu ouvi quando eles entraram. Vi as luzes azuis. Alguém estava batendo na porta. Batendo com força. Gloria correu. Peguei a mala e a arrastei para dentro. Mesmo sentindo muita dor no braço. Depois peguei minha Boneca Bebê em cima da cama e a guardei na mala. Pus meus travesseiros e cobertores em volta dela, embora a mala tivesse um cheiro horrível. Vi seus olhos verdes ficarem muito grandes e redondos e piscarem quando pus o cobertorzinho em cima deles. Depois empurrei a mala para baixo da minha cama e pus mais cobertores em volta dela, e minhas roupas também. Depois entrei no armário embaixo da pia da cozinha. E a polícia arrombou a porta do apartamento.

Foi nesse dia que começou o primeiro Para Sempre.

Mas eu lembro do dia *exatamente*. Sei que pus minha Boneca Bebê na mala. Se a polícia não a encontrou, onde ela pode estar?

O ônibus estaciona. Saio depressa do meu cérebro e respiro fundo pelo nariz. Estamos na escola. Tenho que encontrar um jeito de fazer a sra. Wake me deixar sozinha de novo para eu poder usar um computador. Tenho que perguntar a Gloria o que aconteceu.

— Oi, baby.

Levanto a cabeça. É o Larry. Ele está no corredor com a mochila nas costas. Estamos no ônibus.

— Hora de ir. Mas primeiro as damas — ele diz, sorrindo, estendendo a mão para me convidar a passar. Seu rosto fica vermelho e ele olha para o chão. Eu levanto, passo na frente dele e desço do ônibus correndo.

EXATAMENTE 10H33 DA MANHÃ, SÁBADO, 18 DE SETEMBRO

Meus Pais Para Sempre estão lá fora caminhando pelo quintal. Minha Mãe Para Sempre agora anda o tempo todo, porque quer que o bebê que está dentro dela *desça*. Isso significa que está quase na hora de ele sair.

Estou no meu quarto segurando meu cobertorzinho e chorando. Porque tenho catorze anos. Bem nesse minuto. Agora. E não devia ter. Devia ter nove anos e devia estar protegendo minha Boneca Bebê. Eu não devia estar aqui. Eu devia ter nove anos.

Meu Pai Para Sempre bate e abre a porta do meu quarto.

— Ginny, por que não fica com a gente lá fora? Não quer brincar de pega-pega?

— Não quero — respondo.

— Tudo bem. E de basquete? Podemos fazer algumas cestas.

— Quero ficar no meu quarto.

— Ginny, é seu aniversário. Sei que tem acontecido muita coisa e você está confusa, mas hoje devia ser um dia feliz. Vamos ter bolo e presentes depois do jantar.

Ele continua tentando me fazer sair, mas eu não vou. Preciso ficar sozinha dentro do meu cérebro. Mesmo sendo meu aniversário. Mesmo com presentes e bolo depois do jantar. Às 10h36 ele finalmente vai embora.

Manicoon.com. Manicoon.com. Repito o endereço do site muitas vezes com a boca. Baixo, sussurrando. Essa é a única coisa que importa. Tentei acessar o site ontem, mas não consegui me afastar da sra. Wake. Tenho que usar o computador mais uma vez e perguntar para a Gloria para onde foi minha Boneca Bebê e falar para ela esperar. E ela tem que esperar o Concerto da Colheita, como eu disse. Não pode ser *impulsiva* e tentar vir antes. Ela tem que, tem que, tem que esperar, ou vai ser pega e vai estragar tudo.

EXATAMENTE 9H10 DA MANHÃ, SEGUNDA-FEIRA, 20 DE SETEMBRO

Estamos na aula de artes da linguagem, escrevendo poemas sobre colher maçãs. Amanhã vamos à fazenda de maçãs e os poemas nos ajudam a nos preparar. Para ajudar a gente a escrever os poemas, lemos um de Robert Frost. Nele tem macieiras e uma escada. Se eu tivesse uma escada agora, poderia descer pela janela dessa sala de aula. Tenho que *fugir* daqui para ir à biblioteca e usar um computador.

O que significa que preciso encontrar algo novo para colar a sra. Wake.

Quando você escreve um poema, precisa falar sobre coisas que significam outras coisas. A escada no poema de Robert Frost significa *paraíso*, disse a sra. Carter. Então, no meu poema, eu ponho uma escada que significa *estou saindo pela janela do meu quarto para ir encontrar a Gloria*. Temos que fazer um desenho para acompanhar o poema, e eu desenho o Carro Verde e a Casa Azul e eu na escada saindo pela janela do meu quarto. Depois vou desenhar minha Boneca Bebê no Carro Verde, mas a sra. Carter está em pé ao lado da minha carteira olhando para o que estou desenhando. Ela diz que aquilo não é *apropriado*.

— Não, acho que não é isso — diz a sra. Wake. — E acho que devemos mostrar o desenho para a sra. Lomos.

E a sra. Wake me leva à sala da sra. Lomos. Passamos pelo bebedouro e pelo banheiro e pelo armário do zelador. Penso em empurrá-la para dentro e trancar a porta. Corro na frente, mexo na maçaneta, mas a porta está trancada.

— O que está fazendo? — pergunta a sra. Wake.

— Mexendo na maçaneta — respondo.

Penso em trancá-la em outro lugar qualquer, mas teria que ser um lugar muito, muito discreto. Caso contrário, alguém poderia ouvir a sra. Wake batendo e pedindo para sair.

A sra. Lomos diz que a sra. Carter estava certa. Não é apropriado desenhar Gloria e o Carro Verde. Ou eu fugindo. Quando pergunto por que não, ela diz que Gloria não é confiável e o desenho significa que quero ir com ela.

O que faz sentido. Então, não é apropriado eu desenhar o que realmente quero, porque as pessoas podem descobrir. Estou surpresa com a sra. Lomos me dizendo essas coisas, mas feliz, porque agora posso guardar melhor esse segredo.

— Vamos te manter em segurança apesar do que quer, mocinha — a sra. Wake fala quando estamos no corredor voltando para a aula. Não sei o que isso significa, então pergunto.

— Significa que sabemos o que está planejando — ela responde. — Finalmente entendemos esse seu número.

— Tenho catorze anos.

— Isso mesmo — ela concorda. — Fez aniversário há dois dias, não foi?

— Foi.

EXATAMENTE 3H05 DA TARDE, TERÇA-FEIRA, 21 DE SETEMBRO

Estou na mesa da cozinha, comendo nove uvas no meu lanche da tarde.

— Ginny, temos que conversar sobre os computadores da escola — diz minha Mãe Para Sempre. — Sabemos sobre a página da Gloria no Facebook e o blogue. Ela deletou bem depressa os comentários que você deixou, mas sabemos que vocês têm mantido contato.

Ponho a primeira uva na boca e espero ela continuar.

— A polícia não pode obrigá-la a tirar as páginas do ar, mas estamos acompanhando as postagens. A polícia também está. Portanto, não pode mais falar com ela desse jeito.

Não sei se ela leu algum dos meus Comentários. Não sei se Gloria teve tempo para *ler e deletar* o último. Não sei se minha Mãe Para Sempre sabe que falei para Gloria vir para o Concerto da Colheita.

— Ginny?

— O quê?

— Ouviu o que eu disse?

— Sim.

— Então, como se sente?

Penso bem e trato de manter a boca fechada. Quero ser boa e falar com ela, mas não posso.

— Como se sentiu com a visita à fazenda de maçãs? — ela pergunta. — E sobre o fato de estar em um lugar seguro e ter muita comida? Como se sente sobre saber que ninguém vai te bater? E sobre virar irmã mais velha e ficar na mesma escola por dois anos seguidos? Ou na mesma casa?

Ela não está gritando, mas está falando cada vez mais alto. E fez cinco perguntas de uma vez só. Não falo nada. Como mais duas uvas e espero.

E então ela grita.

— Que droga, Ginny, por que está fazendo isso? Por que está chamando a Gloria de volta? Ela te espancava! Você tinha um braço fraturado e estava morrendo de fome! Quase morreu! Vou ter um bebê em duas semanas... não dá para ter esse tipo de insanidade na casa com um recém-nascido! Ginny, você não vê? Isso tem que acabar. Não podemos...

Ela para. Fecho os olhos com força, só por precaução. Depois escuto os passos dela saindo da cozinha. Ouço a porta do banheiro fechar. Ela está chorando.

O que significa que não vou apanhar.

Respiro fundo e termino de comer as uvas. As últimas seis.

EXATAMENTE 4H08 DA TARDE, QUARTA-FEIRA, 22 DE SETEMBRO

— Funciona assim — diz Patrice. — Quando uma Garota Para Sempre é adotada, é para sempre, a menos que ela transforme sua nova Casa Para Sempre em um lugar perigoso. Entende?

— Sim — respondo.

— Nas últimas duas semanas, você bateu em um bebê eletrônico de plástico e arranjou duas visitas da Gloria para ela vir te buscar. Tentou jogar uma cadeira pela janela e mordeu uma professora. Acha que esse ambiente é bom para uma irmãzinha?

— Não.

— Sabe o que pode acontecer se não parar com isso?

— Se eu não parar com *o quê*?

— Se não parar de tentar fazer contato com a Gloria.

— Não.

— Então eu vou dizer. Você pode ser *desadotada*. Ginny, seus pais amam você, mas não vão permitir que transforme a Casa Azul em um lugar perigoso para a Bebê Wendy. Por isso, se não parar de tentar trazer a Gloria para te ver, vai ter que sair da Casa Azul. Para sempre.

— E vou ter que ir para outra Casa Para Sempre?

— Provavelmente vai ter que ir para uma instituição para garotas que não são seguras então.

Penso bem. Gloria não vai saber onde estou, se eu for para outro lugar. Gloria não vai conseguir me encontrar de novo. Imagino que ela não tenha o endereço da *instituição para garotas que não são seguras*. Levei quatro anos inteiros para conseguir usar um computador e contar para ela onde fica a Casa Azul.

O que significa que tenho que ser boa. Tenho que me *comportar*. Não posso tentar *fugir* ou entrar em contato com Gloria de novo. Tenho que esperar até o Concerto da Colheita.

— Ginny, não é hora de se retrair. Como se sente sobre tudo que acabei de falar?

Olho para Patrice.

— Quero ficar na Casa Azul — digo.

Patrice sorri.

— Essa é a melhor coisa que ouvi você dizer em muito tempo. Agora precisamos falar sobre o que precisa fazer para continuar lá. Vai me encontrar três vezes por semana por um bom tempo, então vamos trabalhar muito nisso.

EXATAMENTE 5H29, SEGUNDA-FEIRA, 18 DE OUTUBRO

É a noite do Concerto da Colheita, mas ainda não é noite. O sol está se pondo, mas ainda é dia.

Tenho sido muito, muito boa na Casa Azul e na escola para não *ser desadotada*. Apesar de as coisas no meu cérebro continuarem tentando me puxar para lugares escuros. Tenho arranhado muito as mãos e as mantenho no colo para ninguém ver. Não tentei usar um computador ou fazer Larry acessar a internet por mim. Disse a Patrice três vezes por semana que queria ser uma boa irmã mais velha. E é verdade. Se não for sequestrada hoje à noite no Concerto da Colheita, vou fazer um grande esforço para ajudar a *cuidar muito bem* da Bebê Wendy quando ela nascer.

Na minha mochila, tem a flauta, meu cobertorzinho e dois litros de leite. Estou preparada para cuidar da minha Boneca Bebê assim que a encontrar.

A sra. Wake está me levando para a sala da banda, para o aquecimento e o ensaio com o restante da banda. Os músicos têm que estar lá às cinco e meia. O concerto começa às sete.

Passamos pelo saguão e por três portas de vidro que levam à área dos ônibus na frente e ao estacionamento. Olho para fora. É difícil enxergar, porque tem muita luz. O sol bate forte em meu rosto. Queria saber quando o Carro Verde vai chegar. Aperto os olhos.

Depois do saguão, passamos pelo escritório. Vejo um grupo de garotos do coro vindo do outro lado. Estão vestidos com camisa branca e calça preta e carregam garrafas de água e pastas pretas. Atrás do grupo tem um homem de casaco azul. Pai de alguém, acho. Depois vem uma mulher de colete vermelho em cima de um suéter. Mãe de alguém.

Viro para trás. Vejo duas mulheres andando e conversando. Atrás delas, outra mulher. Ela tem o cabelo preso em um rabo de cavalo. E usa uma grande jaqueta marrom com o zíper aberto. Embaixo da jaqueta ela usa uma camisa de flanela roxa e marrom. Não é gorda, mas não é magra como Gloria. Ela para ao lado da primeira porta do saguão e sorri levando o dedo aos lábios.

É Crystal com C.

Não sei por que Crystal com C está aqui. Devia ser a Gloria. Mas estou muito, muito feliz. É bom que Crystal com C esteja aqui em vez da Gloria, porque Gloria é *indigna de confiança* e *impulsiva*. Além do mais, ela fez uma cena e tanto. Duas. E minha Mãe Para Sempre disse que todo mundo sabia que eu estava falando com ela pelo computador.

— Ginny? — A sra. Wake me chama.

— O que é?

— Olha para a frente. A sala da banda fica por ali.

Olho para trás mais uma vez. As outras duas mulheres sumiram. Crystal com C está perto da primeira porta do saguão. Viro para continuar andando, mas ouço seus passos. Ela está nos seguindo.

Passamos pelo ginásio. Tem um banheiro lá dentro, e eu paro.

— Preciso ir ao banheiro — aviso.

A sra. Wake olha para a porta e depois para o interior do ginásio. Está escuro lá dentro, exceto por uma luzinha.

— Parece que o vestiário das meninas está aberto — ela diz. Vai, mas volta logo. Vou esperar aqui.

Antes de ir, olho para trás. Crystal com C está na última porta do saguão. Ela sorri. Aponta para mim. Depois aponta para a porta. Eu a vejo pegar um cigarro e sair.

Entro no ginásio. A porta do vestiário das meninas fica logo depois da entrada. Entro e passo por todos os armários e bancos e saio do outro lado do ginásio. Vejo a placa de saída em cima da porta. É a porta para o campo. Abro a porta.

E corro.

Corro pelo fundo da escola. Ainda não está escuro, mas é cada vez mais difícil enxergar. Passo correndo pelo carro do zelador e pela Lixeira. Passo correndo pela porta do fundo do refeitório. Pela plataforma de carga e descarga. Chego no canto da escola onde os professores estacionam. Reduzo a velocidade e olho. Aqui também não tem ninguém. Passo correndo pelas vagas de estacionamento e agora estou na frente da escola. Olho para a calçada comprida que dá no saguão. Olho de novo para o estacionamento. Não vejo Crystal com C.

Olho com muito cuidado para os dois lados e atravesso a área dos ônibus. Paro entre dois carros vazios e olho. Ando pela fileira de carros e olho e olho até ver uma silhueta perto de um carro cinza. É uma pessoa. Com um ponto vermelho perto da boca.

— E aí, Ginny? — ela diz. — Pronta para viajar?

Respondo que sim com a cabeça. E sorrio. Porque Crystal com C é quem vai me sequestrar, e ela é quem diz a verdade. Ela abre a porta do carro para mim, e eu entro.

EXATAMENTE 5H43 DA NOITE, SEGUNDA-FEIRA, 18 DE OUTUBRO

Crystal com C entra depressa no carro. Liga o motor. Ela tem uma bola de metal de um lado do nariz, aquilo não estava lá antes. E óculos roxos pontudos. Também são novos.

Sorrio mostrando os dentes e levanto os ombros até as orelhas.

— Uau, que sorriso lindo! — ela diz. — Queria muito te dar um abraço, menina, mas temos que ir embora daqui o mais depressa possível. Tudo bem? — Os pneus chiam levemente e ela sai do estacionamento. Crystal com C se *encolhe*, e isso é o que a gente faz quando ouve um barulho alto ou vai apanhar de alguém. Ela olha para o espelho, depois de novo para a rua.

— Encontrou minha Boneca Bebê? — pergunto. — Gloria disse que encontrou, mas...

Crystal com C olha para o espelho. Vejo os olhos dela lá.

— Sabia que você ia fazer essa pergunta. Não mudou nada — ela diz. — Sim, encontramos sua Boneca Bebê. Eu encontrei, na verdade. Gloria ligou para mim da delegacia, e eu fui imediatamente ao apartamento. Ela não sabia onde você tinha posto o bebê, mas eu somei dois e dois e achei a mala.

— Ela estava... — Não consigo terminar a frase. — Está...

Ela olha para mim.

— *Viva?* É isso que está tentando dizer? Puta merda, é claro que estava viva! O que você pensou, que tinha matado sua irmãzinha?

Quero responder. Quero dizer: *Sim, obrigada, obrigada por finalmente me dizer,* mas minha garganta dói e não consigo mais mexer a boca, mas ela abre por conta própria e meu peito se mexe depressa para cima e para baixo. Não sai nenhum som, mas lágrimas quentes descem por meu rosto e caem na calça. Eu choro, choro e tremo, enquanto Crystal com C olha para mim e olha para a rua e fala alguma coisa e olha de novo para mim, mas não consigo ouvir nada.

Então eu paro. E respiro. Estou melhor.

— ... tudo bem? — Escuto Crystal com C dizer.

Não sei o que ela perguntou, mas respondo que sim com a cabeça.

Crystal com C faz um barulho de respiração.

— Ginny, não acredito nisso. Faz cinco anos. Cinco anos! Sei que sua mãe é uma coisa de louco e que você precisava ficar longe dela, mas é horrível imaginar o que você deve ter passado, sem saber o que tinha acontecido com sua irmã. Mas, no momento, preciso tirar a gente da cidade, está bem? Vai ter que me deixar dirigir por um tempo. Temos dez minutos, no máximo, antes de alguém chamar a polícia. Vou ter que pegar umas estradas secundárias. Não podemos viajar pela rodovia, porque a polícia vai criar bloqueios.

— O que é um bloqueio?

— É uma barreira na estrada. Sabe, a polícia para os carros no meio do caminho e para todo mundo que passar por lá. Estarão procurando você. Vão lançar um Alerta Amber e tudo.

— Minha Boneca Bebê está com a Gloria?

— Sim, ela está com a sua mãe.

Crystal com C toca meu braço e faz uma cara feliz. Seus ombros sobem até as orelhas e descem. Depois ela olha para a frente.

— Ela estava bem mal quando a encontrei. Acho que você tinha motivos para ficar preocupada. Fiquei com muito medo, porque ela ficou bastante tempo lá dentro. Pelo menos uma hora, tranquilamente. Pensei que ela estivesse *dormindo* quando a vi, mas ela estava inconsciente. Voltou quando fiz respiração boca a boca.

Crystal com C fica quieta.

— Voltou de onde? — pergunto.

— Voltou de... merda, não sei. Ela está bem, pode ser? Está bem mesmo. Mas, se eu não tivesse chegado lá naquela hora, as coisas teriam sido diferentes.

— Ela está bem — falo. Para me ajudar a lembrar.

— Certo. Então, para resumir uma longa história, eu a levei para casa, limpei e alimentei. Ela estava muito magrinha. Mas não tanto quanto você. Lembra quando o juiz descreveu o seu estado? Nos documentos da decisão? Não sei se você leu. Bom, você era muito nova, não pode ter lido. Ele disse que você parecia ter saído de um campo de concentração, de tão magra e machucada. Naquele dia eu me senti mal. Fiquei fora de cena por um tempo durante o primeiro ano, quando Gloria estava cuidando de vocês duas. Mas o que o juiz disse... ele foi bem direto.

Crystal com C está falando depressa. Balanço a cabeça concordando com ela, mas nem sei por quê.

— Enfim, ela estava desnutrida. Eu a levei a uma médica, que disse que estava surpresa por ela ter aguentado tanto tempo. Você a manteve viva, Ginny. Salvou a vida de sua irmã.

— Colocando minha Boneca Bebê na mala?

— Não! Deus, não! Mantendo a criança alimentada e protegendo a bebê da sua mãe. Amo minha irmã mais velha, mas ela não é uma boa mãe. E é uma porra de uma impulsiva! Bom, ela melhorou muito, principalmente depois das aulas de formação de pais, mas ainda não tem a cabeça totalmente no lugar. Você vai ver.

Não sei o que significa *não tem a cabeça totalmente no lugar*, por isso digo:

— Minha Boneca Bebê está *segura* com a Gloria?

Crystal com C ri.

— Segura o bastante. Mas ainda não gosto de ficar mais de um dia sem passar algumas horas com as duas. Gloria depende de mim para fazê-la pensar por ela. Fui eu quem a convenceu a ir para a clínica de reabilitação e fazer o curso de pais. E também a levei para morar comigo até ela se aguentar de novo sobre as próprias pernas.

— Ela dá muita comida para ela?

Crystal com C faz um barulho de respiração.

— Sim, ela dá muita comida.

— E lembra de dar banho nela?

— Ba...

— Ela lembra de trocar as fraldas? — Paro e começo a arranhar meus dedos. Mas estou tão ansiosa que tenho que continuar falando. — Ela sabe o que fazer quando a minha Boneca Bebê vomita? Põe meias nas mãos dela para não arranhar o rosto?

— Caramba, Ginny, quantos anos você acha que sua Boneca Bebê tem?

— Quase um ano. Ela faz aniversário no dia 16 de novembro.

— Ei — diz Crystal com C. E, fala de novo: — Ei. Está falando sério? É claro que está. Não seria capaz de fazer uma piada nem que sua vida dependesse disso. Menina, a gente tem muito que conversar. Mas não agora. Acho que ainda não está preparada para isso. E tenho que dirigir e pensar. Esqueci como seu cérebro funciona.

— O cérebro está na cabeça — falo.

— Não brinca — diz Crystal com C.

EXATAMENTE 5H27 DA MANHÃ, TERÇA-FEIRA, 19 DE OUTUBRO

Sento e olho em volta. Estou sozinha no carro. O sol ainda não nasceu, mas vejo através do vidro que lá fora tem árvores com folhas amarelas. Crystal com C sumiu.

Abro a porta e saio. Está ventando e, mesmo com minha jaqueta, ainda sinto frio. Atrás do carro tem uma casinha branca com uma chaminé de onde sai fumaça branca. Ouço música vindo lá de dentro. Penduro a mochila nos ombros e vou para lá.

Crystal com C está na casa. Eu a vejo passar pela porta enquanto subo a escada da varanda. Paro na frente da porta de tela e fico esperando.

Crystal com C passa na frente da porta de novo. Ela me vê e põe a mão no peito.

— Ginny! Não tinha te visto. Há quanto tempo está aí?
— Desde 5h28. — Meu relógio marca cinco e meia.
— Bom, entra — ela fala. — Não pode ficar aí fora. Estamos bem longe da estrada principal, mas alguém ainda pode passar por aqui. Você estava dormindo pesado quando a gente chegou, não quis te acordar. Sempre acordava de mau humor. Não gostava que te tocassem. Não sei se isso mudou.

Esfrego os braços, abro a porta e entro. Sinto cheiro de bacon e torrada e de fumaça do fogão a lenha. Estou com fome.

Crystal com C agora está na cozinha. Eu a sigo. Ela usa uma camisa marrom e cor de laranja com risquinhos brancos. E põe um prato de comida em cima da mesa.

— Eu ia fazer um pouco para você quando acordasse, mas acho que você foi mais rápida — diz. E aponta a comida.

Sento, pego um garfo e começo a comer.

— Precisamos conversar sobre algumas coisas — ela fala. — Você já está em todos os jornais. Tem um Alerta Amber, como eu disse que teria. Ainda não entrei em contato com Gloria. Não é seguro. A polícia pode ver qualquer coisa que você postar na internet, e eles também têm acesso a registros de celulares. Portanto, vamos ficar fora do mapa, por enquanto. Só algumas semanas, até a gente poder ir para o Canadá.

— Minha Boneca Bebê está no Canadá? — pergunto.

— Boneca Bebê — repete Crystal com C. — Por que não usa o nome dela?

— Porque você disse que *ela vai ser sempre minha bebezinha, aconteça o que acontecer*. Ela está no Canadá?

— Você sempre acreditou em mim e no que eu falo, não é?

— Sim.

— Que bom. E não, ela ainda não está lá. Vou encontrar um jeito de mandar uma mensagem para Gloria quando as coisas acalmarem e dizer para elas irem encontrar a gente. Gloria e eu nascemos lá, você sabe. Nós duas temos dupla cidadania. Você também. Tenho até seu passaporte, roubei da Gloria quando ela finalmente levou você de volta para o Maine. Mas sua Boneca Bebê nasceu no meu apartamento. Gloria não quis ir para o hospital, porque tinha medo de que tomassem o bebê dela. Ela era conhecida da polícia naquela época. Gloria, quero dizer.

Não lembro quando minha Boneca Bebê nasceu. Sei quando ela faz aniversário, mas não lembro do dia do seu nascimento.

— Onde eu estava quando minha Boneca Bebê nasceu no seu apartamento? — pergunto.

— Em casa, esperando. — Ela pega uma caneca de café na bancada e bebe um gole. — Sua mãe nunca foi uma boa mãe, mas ela ama você.

Ama loucamente. Quero dizer, é um amor louco, louco, louco. Sabe disso, não sabe?

Não sei se sei, por isso fico de boca fechada e respondo que sim com a cabeça.

— Ela está te procurando há anos. Na internet, por telefone, de todos os jeitos. Para Gloria, ter você de volta é mais importante que a segurança dela. Por isso, quando você a encontrou no Facebook, ela entrou no carro para ir te buscar. Depois foi na sua escola. Tentei impedir, mas ela não me ouviu. Esse tipo de coisa tem que ser feito devagar, mas Gloria não vive desse jeito. Finalmente, tive que sentar com ela, depois que a polícia ameaçou fazê-la passar uma noite na cadeia, e dizer: "Escuta, se não parar com isso, vai acabar presa. E aí não vai ver nenhuma das suas meninas". Foi quando ela me contou sobre o plano de ir para o Canadá.

Ela põe xícara em cima da bancada.

— Quantos anos você tem agora? — pergunta.

— Catorze.

— E sua Boneca Bebê tem *um*?

Balanço a cabeça para dizer que sim.

— Você está cinco anos mais velha, e sua Boneca Bebê não cresceu. É boa de matemática, não é? Essa conta não fecha.

— Porque ela *vai ser sempre minha bebezinha*, como você disse — explico. E depois: — Quando Gloria quer que a gente vá para o Canadá?

Crystal com C balança a cabeça e faz um barulho de respiração.

— Vou deixar essa parte como está por enquanto. Quanto à Gloria, ela nem sabe que estou fazendo tudo isso. Se soubesse, teria se metido e iria acabar na cadeia. Mas o Canadá é um ótimo lugar para nós. Temos família lá. E é bem fácil desaparecer em Quebec. Mas não, Gloria não está esperando encontrar a gente. Ela acha que estou no meu apartamento.

— Quando vamos embora?

— Quando as coisas acalmarem. Talvez até pudéssemos correr para a fronteira agora, mas Gloria vai ser vigiada e interrogada por muito tempo. Não quero atravessar a fronteira perto do dia em que você sumiu.

— Então, quem vai cuidar da minha Boneca Bebê?

— Como assim?

— Você não está passando algumas horas com elas todos os dias, e Gloria é muito desorganizada.

Crystal com C faz de novo o barulho de respiração.

— Minha irmã vai ter que se virar sozinha por um tempo. Acho que vai ficar tudo bem. Com toda essa atenção, Gloria não vai sair da linha. Ela é capaz de agir de um jeito bem razoável quando não está entupida de drogas ou acompanhada de um homem. Bom, razoável o suficiente. Agora, desculpa, mas tenho que sair. Preciso ir trabalhar e me comportar como se nada de anormal estivesse acontecendo. Ah! Mas é muito longe daqui. Comprei esta casa há dez anos. É minha casa longe de casa. Tem comida na geladeira. Sabe cozinhar, não sabe?

Ela pergunta se pode me dar um abraço, e eu digo que sim. Ela me abraça e vai embora.

EXATAMENTE 6H23 DA MANHÃ, TERÇA-FEIRA, 19 DE OUTUBRO

Fico esperando até ouvir o carro de Crystal com C se afastar. Então começo a ouvir alguns daqueles barulhos vazios que escutava quando ficava sozinha no apartamento. A geladeira e o eco que vem de todas as paredes e cômodos. Quase escuto o ruído da minha Boneca Bebê respirando baixinho, baixinho no meu ombro. Mas depois ouço o vento e as folhas lá fora e abro as mãos.

Vou até a varanda e ponho os dedos dos pés em uma fenda no limite da porta. Não vejo vizinhos nem uma rua lá fora. Não vejo prédios. Só vejo troncos brancos e folhas amarelas, amarelas.

Volto para dentro da casa e para a cozinha. Fico em pé na frente da geladeira e penso na regra que diz: *Não abrimos o refrigerador.* Minha Mãe Para Sempre e meu Pai Para Sempre criaram essa regra porque sabem que eu tenho *problemas com comida*. Mas eles não estão aqui agora. E eu não estou na Casa Azul. Estou na Casinha Branca da Crystal com C.

Minhas mãos tremem. Abro a geladeira.

Vejo uma embalagem com doze ovos e uma embalagem com nove e um pouco de ketchup e vinte e duas fatias de pão em uma embalagem e sete cebolas e um pedaço de duzentos gramas de queijo cheddar Tipo A pasteurizado. Quatro tabletes de manteiga em uma caixa. Duas embalagens fechadas de leite. Vejo outras coisas também, mas pego o queijo. E o ketchup, porque ketchup é *rápido e fácil*.

Começo a comer.

Quando o queijo acaba, pego uma das embalagens de leite na geladeira, porque quero beber alguma coisa. Essa é da Crystal com C. A outra é a que eu trouxe da Casa Azul. Não lembro de ter guardado. Crystal com C deve ter cuidado disso. Mas queria saber se meus Pais Para Sempre ficaram bravos por eu ter pegado o leite. Talvez minha Mãe Para Sempre precise do leite para minha nova Irmã Para Sempre que ainda não nasceu. Bebê Wendy. Na semana passada, minha Mãe Para Sempre disse que eles iriam para o hospital *a qualquer momento.*

A qualquer momento.

Estou feliz por Crystal com C ter encontrado minha Boneca Bebê na mala. Estou feliz por ela ter cuidado dela e ter ido lá todos os dias, mas estou preocupada com o fato de Gloria estar cuidando da minha Boneca Bebê sozinha. Sei que ela não vai dar comida nem manter a bebê limpa. Sei que às vezes ela leva homens estranhos para dormir no apartamento. E tem o Donald. Acredito em tudo que Crystal com C diz e confio nela cem por cento, mas tem algumas coisas que ela não sabe, porque não estava lá o tempo todo. Algumas coisas que lembro no fundo do meu cérebro e das quais nunca, nunca vou falar.

O que significa que tenho que ir procurar o apartamento de Gloria agora. Não posso esperar.

EXATAMENTE 7H02 DA MANHÃ, TERÇA-FEIRA, 19 DE OUTUBRO

Entro na sala. Preciso de um computador para procurar o endereço da Gloria, porque não sei onde estou ou onde ela está ou como chegar lá.

Olho para o fogão a lenha, o fogo está aceso. Olho para o sofá e para a poltrona. Não tem televisão. Olho em volta procurando o computador, mas não vejo um. Ando pelo corredor e encontro o banheiro. Faço xixi. Acho um quarto com as coisas da Crystal com C na cômoda. Depois encontro outro quarto com uma cômoda e uma escrivaninha. Na escrivaninha tem um abajur e gavetas vazias. A cama tem lençóis, um cobertor de lã e um travesseiro.

Olho em todos os closets e armários. Não tem computador nessa casa. Não tem nada que possa me dizer em que cidade estou ou onde está Gloria. Não tenho o endereço dela.

Então vou procurar uma biblioteca.

A biblioteca é aonde você vai quando quer usar um computador para encontrar alguma coisa. Ou quando quer mandar uma mensagem para Gloria. Estou pensando que talvez Gloria não possa me mandar uma mensagem no *Manicoon.com*, porque a polícia está de olho, mas pode ter o endereço dela na página. Lembro que tinha um botão de Contato.

Pego na geladeira o leite que trouxe da Casa Azul para minha Boneca Bebê. Ela gosta muito de leite. Todos os bebês precisam de leite. Guardo a embalagem na mochila com a flauta e meu cobertorzinho. Depois fecho o zíper da jaqueta e vou ao banheiro de novo, penduro a mochila nos ombros e saio.

O caminho da entrada da garagem desce pela floresta. Tem grama alta dos dois lados. Ela raspa na minha calça conforme ando. O vento faz barulho à minha volta e o ar é frio. No fim do caminho tem uma rua. Ela vai para a esquerda e para a direita. Tem árvores do outro lado da rua e árvores deste lado da rua, e não tem carros nem prédios.

Paro e penso. Um carro passa. Um carro vermelho que vem da direita e vai para a esquerda. Não sei se está indo para a cidade ou vindo dela. Se eu estivesse no carro, acho que estaria indo para a escola. E a escola fica na cidade. Então, começo a andar para aquele lado.

Lá na frente, vejo um homem vindo em minha direção.

Começo a arranhar meus dedos.

O homem está subindo a colina. Ele veste uma roupa verde e marrom com linhas entrecruzadas. Usa botas marrons e um chapéu. Está carregando alguma coisa sobre um ombro. É uma arma.

Quero correr e me esconder. Não gosto de homens, principalmente se forem policiais, e esse homem é *parecido* com um policial, embora eu não acredite que seja, porque ele nem está usando o uniforme certo. Ele está com uma roupa de caçador. As linhas marrons e verdes me dizem que ele é bom em se esconder e se camuflar.

— Bom dia — diz o homem com uma voz alegre quando se aproxima. Ele para bem na minha frente. Fico feliz por não me perguntar nada, mas ele fala: — Vai pegar o ônibus? O ônibus escolar passou há dois ou três minutos.

Quero falar *Que droga!*, mas em vez disso respondo:

— Não.

Ele olha para mim.

— Alguém vem te buscar, então?

Balanço a cabeça. Se parar de dar respostas com a minha boca, talvez ele pare de fazer perguntas com a dele.

— Bom, o que está fazendo aqui sozinha em dia de aula?

Não posso contar para ele para onde estou indo. Se eu contar, vão me pegar.

—Vou dar uma caminhada — respondo. Porque é verdade. Eu estava caminhando.

— Uma caminhada? Vai a pé para a escola?

— Não.

— Está só caminhando então.

— Estou só caminhando — digo.

—Tudo bem. Escuta, por acaso não está com uma camiseta do Michael Jackson embaixo dessa jaqueta, está? — Ele aponta o dedo na minha direção. Eu me *encolho*.

Quando olho para ele de novo, o homem está estendendo as duas mãos para mim, como se me pedisse para ficar quieta.

— Desculpa — ele fala. — É que ouvi no rádio que estão procurando uma menina mais ou menos da sua idade com uma camiseta do Michael Jackson, e ela tem uma flauta. Bem, cuidado com os alces na sua caminhada, está bem? Fui caçar cervos hoje de manhã, mas os alces ainda estão atravessando a estrada. Eles ainda estão por aí. Ficam malucos nessa época do ano. Entendeu?

— Entendi — respondo. E passo por ele com muito, muito cuidado, caso ele tente me tocar outra vez. Continuo andando, mas não escuto os passos do homem. Sei que ele ainda está olhando para mim.

Começo a contar.

No cinco, ouço passos na estrada e olho para trás rapidamente. Ele está andando de costas e continua me observando. Olho para ele. O homem acena, vira e começa a andar de um jeito normal.

Mas agora estou nervosa, porque ele pode chamar a polícia. Paro e conto até vinte, depois viro para trás. O homem desapareceu. Volto em direção à entrada da garagem. Estou pensando que, se eu for para a cidade e encontrar a biblioteca agora, posso ser pega. Vou tentar de novo amanhã.

Fico com medo, porque mais alguém pode me ver agora. Talvez outro carro passe, ou eu encontre outra pessoa na estrada. Entro na floresta e ando pelo meio das árvores e pela grama alta até chegar à Casinha Branca no alto da entrada da garagem.

EXATAMENTE 7H09 DA NOITE, TERÇA-FEIRA, 19 DE OUTUBRO

Está escuro lá fora. Vejo luzes se aproximando da casa. Pneus no caminho da garagem. Alguém bate a porta de um carro e sobe a escada.

Corro para a sala.

Crystal com C abre a porta e entra.

— Oi, Ginny — ela diz. E passa por mim a caminho da cozinha, onde deixa duas sacolas em cima da bancada. — Como foi o dia? No trabalho foi tudo bem. Ninguém sequer mencionou o Alerta Amber, exceto um empreiteiro novo na sala do café. — Ela abre a porta da geladeira. — Ei!

Ainda estou na sala, perto da porta de tela.

— Ginny, os ovos continuam aqui, mas cadê o resto da comida?

— Comi.

— Você comeu?

Respondo que sim com a cabeça.

Crystal com C entra na sala.

— Ginny, você comeu mesmo toda a comida que estava na geladeira? Menos os ovos?

Balanço a cabeça de novo, embora tenha escondido o pão e o leite em um closet. Ela vai olhar dentro da lata de lixo. Pega o frasco vazio de ketchup e os papéis que embrulhavam a manteiga. E a embalagem vazia do queijo.

— Você comeu tudo isso?
— Sim.
— Cozinhou alguma coisa?
— Não.
Ela examina o lixo mais uma vez. Pega a caixa vazia de brownie.
— Isso também?
Balanço a cabeça de novo para dizer que sim. É bom no leite.
— Sem assar? Ficou enjoada? Vomitou?
Eram três perguntas seguidas.
Crystal com C faz um barulho de respiração.
— Não sei se devo te dar um laxante ou me preocupar com a diarreia. Escuta, amanhã vai ter que comer o que eu mandar. Vou até deixar escrito. Não pode comer tudo que tem na geladeira, ou vai ficar com o estômago muito embrulhado. Pode ficar constipada. Entende?
Não sei o que significa *constipada*, então digo:
— Não.
— Vai comer só o que eu puser na lista, certo?
— Gosto de listas.
— Que bom. Pode guardar as compras enquanto troco de roupa? Depois vamos fazer o jantar juntas. Vou te ensinar a preparar ovos mexidos.
Ela joga a caixa de brownie de volta no lixo.
— Espera — eu falo.
Ela olha para mim.
— Em que cidade Gloria e minha Boneca Bebê moram?
— Elas ainda estão em Harrington Falls. Agora vai guardar as compras. Preciso tirar essa roupa.

EXATAMENTE 6H50 DA NOITE, QUARTA-FEIRA, 20 DE OUTUBRO

Estou parada com os dedos dos pés na soleira da porta, tentando pensar em um jeito de sair da Casinha Branca sem me molhar. Porque choveu o dia inteiro e minha capa de chuva ficou na Casa Azul. E não gosto de ficar molhada. Gosto de ficar seca sempre, a menos que eu esteja tomando banho ou na piscina. Não ter uma capa de chuva está me deixando muito, muito nervosa. Estou presa.

Crystal com C também não tem uma capa de chuva. Eu olhei.

Às sete da noite ainda está chovendo, então vou tomar banho, porque Crystal com C disse que era isso que eu devia fazer de agora em diante, se ela ainda não tivesse chegado em casa. Quando desligo a água e saio da banheira, encontro uma coisa dura e preta na minha perna. Não consigo tirar e não consigo ver o que é, porque não estou de óculos. Ponho os óculos, mas tem muito vapor e eu não enxergo. Ouço ruídos do outro lado da porta. Acho que é Crystal com C, e saio do banheiro e vou até a cozinha, onde ela está arrumando a mesa.

— Tem uma coisa na minha perna — falo.

E ela diz:

— Ginny, pega uma toalha!

Volto ao banheiro, pego uma toalha e me enrolo com ela. Depois saio e repito:

— Tem uma coisa na minha perna.

— Deixa eu ver. — Ela fica em pé e olha. Depois diz: — Preciso de uma pinça. Vem comigo no banheiro.

Vamos ao banheiro. Ela encontra a pinça no armário de remédios e tira a coisa dura. Dói quando ela puxa, por isso falo:

— Ai!

Ela me mostra a coisa. Diz que é um carrapato.

O carrapato é um inseto pequeno e preto. Eu sei porque ele tem pernas.

— Tudo bem — ela diz. — Deixa eu ver se tem outros. Tem uma tonelada deles lá fora.

Ela tira a toalha e olha meus braços, pernas e costas. Olha minha barriga e meus lados. Encontra mais três carrapatos e tira todos eles. Um está nas costas, onde fica o cinto. O outro está perto do joelho. E tem um no tornozelo.

Eu digo:

— Por que eles estão grudados em mim?

— Eles não estão grudados. Estão mordendo. Carrapatos mordem a pele das pessoas.

— Por que eles fazem isso?

— Para beber o sangue.

Eu fico com muito, muito medo.

E pergunto:

— Como um vampiro?

E ela diz:

— Sim, mais ou menos.

As imagens na minha cabeça começam a se mover depressa. Lembro dos filmes de vampiro que Gloria via na televisão. Quando um vampiro morde alguém, a pessoa se transforma em um vampiro. Por isso pergunto:

— Vou virar um carrapato?

— É claro que não — ela diz. — Mas como pegou todos esses carrapatos? Ginny, você foi lá fora?

Eram duas perguntas ao mesmo tempo, e eu não falo nada.

— Ginny, perguntei se você foi lá fora.

— Está chovendo.

— Sim, eu sei que está chovendo, e sei que não gosta de ficar molhada, a menos que esteja tomando banho, mas isso não é resposta para a minha pergunta. Você foi lá fora?

— Sim.

— Aonde foi?

— Na estrada.

— Hoje?

— Não.

— Quando?

— Ontem.

— Ginny, não pode fazer isso. Se alguém vir você, vai ser pega e não vai poder ir comigo para o Canadá. Não vai poder ver sua Boneca Bebê.

E eu digo:

— Mas tenho que ter certeza que ela está segura. Gloria não sabe cuidar dela.

— Puta merda! Sim, ela sabe! É só por um tempinho! Sua Boneca Bebê nem está... — Ela para. — Escuta, não sou psicóloga. Não sei o que consegue processar e o que não consegue. Mas tem uma coisa que você ainda não está enxergando, e estou com muito medo de explicar. Não quero que pire, ou alguma coisa assim. Então, por favor, por favor, acredite em mim, sua Boneca Bebê está segura com a Gloria por enquanto. Talvez não para sempre, mas por enquanto. Fica aqui dentro, está bem? Vai ser só por algumas semanas!

EXATAMENTE 6H22 DA MANHÃ, QUINTA-FEIRA, 21 DE OUTUBRO

Não está mais chovendo.

Antes de eu ser adotada, tentei fugir três vezes de minhas diferentes Casas Para Sempre, mas a polícia me encontrou e me levou de volta em todas as tentativas. Fugi de Carla e Mike quando ainda tinha nove anos, e fugi duas vezes de Samantha e Bill quando eu tinha onze. Mas dessa vez é diferente, porque não estou fugindo de Crystal com C. Ela me sequestrou, então não pode chamar a polícia. Nem que queira. Vai ficar encrencada se chamar.

Sei que é só uma expressão, mas às vezes sou uma *espertinha*.

Crystal com C saiu há cinco minutos para ir trabalhar. Estou usando minha jaqueta e parada na soleira da porta da frente. Já pus a embalagem fechada de leite e o pão na minha mochila, com a flauta e meu cobertorzinho. Eu saio. O dia é ensolarado, apesar de as árvores e a grama ainda estarem molhadas da chuva. E está frio.

Agora sei que Gloria e minha Boneca Bebê moram em Harrington Falls. Não sei onde fica isso, mas posso descobrir. Posso parar na biblioteca ou pedir informações quando passar por alguma senhora na calçada.

No fim da entrada da garagem, olho para os dois lados. Procuro caçadores. Procuro a polícia. Só vejo a estrada vazia, sem carros, pessoas ou alces que ficam malucos nessa época do ano.

Viro para a esquerda e começo a andar. Se eu for para a cidade, ninguém vai estar me procurando, porque faz dois dias inteiros que encontrei o homem com a arma que às vezes esquece como andar do lado certo. A areia no acostamento bate na parte de trás das minhas pernas e entra nos meus sapatos, mas eu tenho que me acostumar com isso, porque o caminho é longo até Harrington Falls. E sei que, se andar pela floresta, vou pegar carrapatos que chupam meu sangue.

Ouço um barulho atrás de mim. Um motor. Viro e vejo um carro cinza se aproximando. Vejo que é Crystal com C na janela.

Ela encosta perto de mim. A janela está aberta. Continuo caminhando, porque não quero conversar. O carro anda mais um pouco e breca na minha frente.

— Ginny, para! — Crystal com C grita. Ela desce do carro. Paro para ouvir o que ela tem para dizer. — Aonde você pensa que vai?

— Vou para Harrington Falls — respondo.

— Já conversamos sobre isso. Você precisa voltar para casa. Se não voltar, vai ser pega.

— Não vou ser pega.

— Ginny, você é sutil como um elefante no meio do trânsito. Não consegue cuidar de si mesma. E o que está fazendo é a prova. Precisa de supervisão constante. Mas, meu bem, eu tenho que trabalhar! Preciso ir trabalhar, ou as pessoas vão começar a se perguntar onde eu me enfiei.

Olho para os meus dedos.

— E agora você quer atravessar o estado inteiro a pé, e não sabe nem para que lado ir. Também não tem ideia de como lidar com as pessoas. Quando se relaciona com pessoas, você se destaca como um dedão inflamado. Entende o que quero dizer?

Não falo nada.

— Ginny, entra no carro.

— Não.

— O que acha que vai acontecer se conseguir achar o caminho para Harrington Falls? É uma viagem de duas horas de carro! Sabe quanto tempo levaria para percorrer essa distância a pé? Mesmo você que chegasse bem lá, a polícia te encontraria. Eles falam com Gloria todos os dias. Não entende? Estão te procurando! Se for para lá, vão levar você de volta para a Casa Azul. E eu vou para a porra da cadeia! Agora entra na merda do carro antes que alguém veja a gente.

Escuto um barulho. Outro carro. Um carro preto que vem do lado onde acho que fica a cidade. Ele passa por nós e não para.

— Viu? — Crystal com C fala. — Isso não é seguro, Ginny. Temos que voltar para casa neste segundo ou tudo vai desmoronar de um jeito estrondoso. Eu fico em casa com você, está bem? Vou ligar para o trabalho e avisar que estou doente. Ginny, por favor!

Fico de boca fechada e penso. É verdade que, se eu for para Harrington Falls e encontrar o apartamento da Gloria, a polícia vai me achar. Não tinha pensado nisso. E eles já conhecem o meu esconderijo embaixo da pia. Vão me achar e me levar embora. Crystal com C tem razão.

Mas minha Boneca Bebê está sozinha com a Gloria.

Eu digo:

— Mas minha Boneca Bebê não está segura.

— Sim, está. *Juro* que está. Ela está muito, muito mais segura do que jamais esteve antes. Só não posso contar o porquê, ou você vai surtar! Lembra o que aconteceu quando perguntou se o Papai Noel existia? Gloria continuava dizendo que sim, e eu falei a verdade. Lembra o que você fez?

Lembro *exatamente*. Fiquei muito brava com a Gloria, colei todas as drogas dela com fita adesiva nos gatos maine coons e deixei os bichos saírem das jaulas. Depois joguei todas as meias dela na privada e dei a descarga.

Balanço a cabeça para dizer que sim.

— Então, você tem que confiar em mim — diz Crystal com C. — Porque prometo, Ginny, prometo que sua Boneca Bebê vai ficar segura até todas nós chegarmos ao Canadá. Só não posso dizer por quê. Você não está preparada para ouvir.

Gloria sempre mentia quando falava *prometo*, mas Crystal com C é diferente. Sei que ela está tentando me ajudar de verdade. E sei que posso confiar nela.

— Ginny, por favor! Precisa acreditar em mim, ela está segura!

Dou a volta no carro e entro.

— Obrigada — Crystal com C fala quando fecho a porta. As mãos dela estão tremendo e seu rosto está molhado. — Puta merda, obrigada. Obrigada! — Ela manobra o carro e sobe pela entrada da garagem.

EXATAMENTE 11H33 DA MANHÃ, QUINTA-FEIRA, 21 DE OUTUBRO

— Ginny, você usou todo o leite? — pergunta Crystal com C.

Da sala, ouço quando ela fecha a porta da geladeira. O leite ainda está na minha mochila. Esqueci de tirar de lá quando voltei para a Casinha Branca.

Crystal com C entra na sala. Estou sentada no sofá olhando para o fogo.

— Olha — ela fala —, não quero deixar você sozinha. Merda. Quer dizer, eu *realmente* não quero deixar você sozinha, mas precisamos de leite para a massa que vou fazer. E sei que você gosta de tomar leite de manhã. Vou ter que ir ao mercado. Fica logo ali na estrada. Se ficar com fome, faz um lanche. Um lanche pequeno, está bem? Não vai comer todo o queijo e todo o ketchup de novo.

Respondo que sim com a cabeça.

— Só vou demorar uns vinte minutos — ela diz. — E, Ginny, fica em casa, entendeu? Não saia por motivo nenhum. Lembra o que eu disse antes. Sua Boneca Bebê está segura, e, se tentar ir para Harrington Falls, a polícia vai te encontrar.

Ela me encara. Continuo olhando para o fogão a lenha, porque ela não fez nenhuma pergunta.

— Ginny, você me ouviu?

Respondo que sim com a cabeça.

— Queria que você fosse um pouco mais… falante — ela diz.

Quando ela sai, eu levanto. Vou fazer um lanche.

EXATAMENTE 11H40 DA MANHÃ, QUINTA-FEIRA, 21 DE OUTUBRO

Crystal com C disse que para fazer ovos mexidos é preciso quebrar os ovos em uma tigela, misturar, jogar na frigideira e deixar cozinhar por cinco minutos. Ela me mostrou como quebrar os ovos. Essa parte já está feita. Até tirei as cascas. Então, começo a misturar tudo.

Jogo os ovos na frigideira. Meu relógio diz que são 11h42. Tiro o pano de prato do ombro, que é onde Crystal com C o pendura quando está cozinhando. Deixo o pano em cima da bancada ao lado do fogão. Depois acendo o fogo.

Vou para a sala e sento para esperar.

Às 11h44, sinto cheiro de fumaça.

Volto à cozinha. O pano de prato está pegando fogo.

Aprendemos na escola que quando acontece um incêndio devemos ligar para o número de emergência e *parar, deitar no chão e rolar!* Mas não tem telefone aqui na Casinha Branca e a cozinha é muito pequena.

O fogo está aumentando. Ele estala. Alcança a prateleira em cima da bancada. Quero que alguém faça o fogo parar, mas não tem ninguém aqui.

O alarme de incêndio dispara. É alto e assustador, e não gosto de barulhos fortes, por isso cubro as orelhas com as mãos e me *encolho*. O barulho não desaparece, e, depois de *exatamente* sete segundos, eu abro os olhos, baixo os braços e corro para a pia.

Agora o fogo também está na bancada. Encho um copo com água e jogo nas chamas. O fogo diminui um pouco. Tem fumaça preta para todo lado. Jogo mais água, e depois de mais três copos o fogo está apagado, mas o pano tem um grande buraco preto. E solta fumaça quando o pego. E tem um cheiro ruim. Há algumas partes vermelhas do pano que ainda estão queimando, por isso o jogo no lixo. Não quero que Crystal com C o veja. Além do mais, está estragado. Meus ovos têm água, por isso também jogo tudo fora. Raspo a frigideira na lata do lixo e a deixo em cima da bancada. A bancada tem uma grande marca preta onde estava o pano de prato. Ponho uma fruteira com maçãs em cima da mancha.

Mas o alarme de incêndio continua tocando, é difícil enxergar e estou tossindo, então vou lá para fora e fico na entrada da garagem. Olho para a estrada e começo a contar.

Quando chego em 537, Crystal com C chega. Ela sai do carro, olha para mim e olha para a Casinha Branca. Eu também olho. Porque não estava olhando antes. Tem muita fumaça preta saindo pela porta de tela.

Crystal com C entra correndo.

Quando sai, traz a lata de lixo. A fumaça está saindo de lá. Ela joga todo o lixo no chão. Eu vejo fogo. Ela pula em cima das chamas e no lixo. O fogo apaga.

Então, Crystal com C bate com as duas mãos no teto do carro.

— Ginny! — ela grita. Está chorando. Ela chora, chora e diz: — A polícia está na cidade falando com as pessoas. Estão mostrando sua fotografia para todo mundo. Alguém te viu, droga! Você foi vista! E agora eu volto para casa e encontro isso?

Não respondo.

— Entra no carro — ela fala. — Só entra no carro! Vou buscar sua mochila. Temos que ir embora!

EXATAMENTE 2H48 DA TARDE, QUINTA-FEIRA, 21 DE OUTUBRO

Estamos viajando.

Todas as roupas de Crystal com C estão no banco de trás. Ela jogou tudo lá bem depressa antes de sairmos da Casinha Branca. Estou segurando minha mochila no colo. Quando perguntei para onde íamos, ela disse que ainda não sabia. Disse que só precisávamos sair dali.

Crystal com C chorou três vezes dirigindo. Uma vez às 11h53, outra às 12h28 e de novo à 1h14. Não sei por que ela chorou. Quando pergunto, ela diz que é porque não sabe o que fazer. Ainda não podemos ir para o Canadá, explica, e não podemos ir para o outro apartamento dela. E também não podemos ficar na Casinha Branca, porque a polícia vai nos encontrar.

Estamos na estrada outra vez. É a mesma rodovia por onde viajamos quando saí da escola há três dias. Eu sei por causa das placas. A placa pela qual acabamos de passar dizia "Greensborough, Saída 33, 1 Km". E eu pergunto:

— Por que estamos aqui de novo?

Crystal com C responde:

— Porque temos que voltar. A polícia sabe que fomos para o oeste, agora temos que ir para o leste. E isso significa retroceder. Sabe o que significa retroceder, não sabe?

Não sei, mas a palavra faz sentido. *Retroceder*. Respondo que sim com a cabeça.

— E também vamos ter que fazer um desvio — ela diz.

— Por causa do *bloqueio*?

— Sim, por causa do bloqueio. Vamos ter que atravessar a cidade. Você vai ter que ficar abaixada. É só se encolher bem embaixo da janela. Agora. Vá para o chão e se encolha o máximo que puder para ninguém ver você. Vou cobrir sua cabeça com uma jaqueta. Assim os policiais não vão te ver quando passarmos por eles. Você precisa se esconder, Ginny.

— Sou boa nisso, em me esconder. — Vou para o chão, e Crystal com C põe um casaco em cima da minha cabeça. Não consigo mais ver onde estamos, mas isso não importa, porque sei que Crystal com C vai *fazer tudo por mim*.

Viramos, vamos mais devagar e viramos de novo e seguimos em frente. Está muito escuro, não consigo enxergar meu relógio. Viramos mais três vezes. Direita, esquerda, esquerda. E o carro para.

Ouço a voz de Crystal com C.

— Ginny, fique exatamente onde você está. Vou descer do carro por um minuto. Fique preparada.

A porta do lado do motorista abre e fecha. Sete segundos passam. Depois a porta do meu lado abre.

— Vai, Ginny, saia! — Crystal com C sussurra alto. — Temos que usar um carro diferente! Saia depressa. E fique de cabeça baixa!

Jogo o casaco para trás e saio do carro com a mochila. Estou encolhida, de cabeça baixa. Pisco na luz forte. São 3h55 e estou com medo, medo, medo.

— Fique perto do carro! Não deixe ninguém ver você! — diz Crystal com C.

Faço o que ela manda. Estou perto do carro e encolhida. Crystal com C fecha minha porta. Ela passa correndo por mim. Por trás do carro. Espio para ver aonde ela vai.

Mas na minha frente, do outro lado da calçada, vejo uma grande casa amarela que eu conheço.

Levanto a cabeça. Do outro lado da rua tem o Cumberland Farms e o posto de gasolina que faz parte da loja. Também vejo o correio. Estamos no meio de Greensborough, bem perto da minha escola. No fim da rua, vejo o caminho para o estacionamento dos ônibus.

Ouço um clique. O barulho da trava da porta do carro.

Crystal com C está do outro lado do carro.

— Ginny, eu amo você — ela diz. Seu rosto está diferente. — Eu tentei. Juro que tentei, mas você é demais. É muito trabalho. Agora vá para a escola e fale para os seus professores que você está bem. Mas, por favor, não fale meu nome para ninguém, combinado? Não fale da casa incendiada, da cor do carro, nada. Fale que foi dar uma volta e ficou confusa. Você estava muito bem nesses três últimos dias, certo?

Estou confusa.

— Como eu vou chegar no Canadá?

Crystal com C faz um barulho de respiração.

— Você não vai para o Canadá. Não hoje, pelo menos. Volte para a escola, Ginny. Volte e finja que nada disso aconteceu. Finja que não lembra!

Mas fingir seria o mesmo que mentir se eu falasse tudo isso com a boca. Quero explicar que *simplesmente não posso fazer isso*, mas Crystal com C volta para o carro e liga o motor. O carro vai embora. Quero correr atrás dele, porque Crystal com C é a única pessoa que pode me ajudar a ter de volta minha Boneca Bebê. Outros carros passam por ali, e sei que não é seguro correr por uma rua movimentada, mas vou atrás dela mesmo assim. Tenho que ir. Dou um passo. E ouço uma sirene.

Luzes azuis se aproximam depressa pela rua. Tão depressa que penso que vão rasgar a rua em dois pedaços. Depois mais luzes azuis se aproximam, e um carro de polícia derrapa de lado na frente do carro da Crystal com C. O barulho é mais alto que o do alarme de incêndio. Vejo carros de polícia com policiais descendo deles e pessoas correndo e mais carros de polícia e policiais correndo para mim. Viro para correr, mas alguém me segura e eu me *encolho* e cubro o rosto e aperto, aperto e aperto.

Exatamente 12h08 da tarde, sábado, 23 de outubro

Minha nova Irmã Para Sempre nasceu em 19 de outubro, um dia depois do Concerto da Colheita. Eu a vi por *aproximadamente* um minuto ontem. Minha nova Irmã Para Sempre tem olhos azuis e mãos e pés pequenos. Ela só dorme e chora. Fiquei olhando para ela por *exatamente* treze segundos na sala de estar enquanto minha Mãe Para Sempre a segurava. Depois ela disse:

— Bem-vinda de volta, Ginny. Acha que pode se afastar um pouco? — E depois, — Estamos felizes por ter voltado do hospital.

Porque fui para lá antes de voltar para a Casa Azul. A polícia me levou para o hospital, e, depois que a médica me examinou, meu Pai Para Sempre chegou para me trazer para cá. As médicas eram todas mulheres. Queriam ver se eu estava machucada, porque todas sabiam que Crystal com C tinha me sequestrado. Eu não podia *fingir que nada disso tinha acontecido*. E a polícia levou Crystal com C. Então, acho que eles descobriram tudo.

Minha nova Irmã Para Sempre chama Bebê Wendy. Ela é muito pequena, por isso precisa de muito leite. A gente pega o leite na geladeira, embora eu saiba que ele vem das vacas. Mas minha Mãe Para Sempre diz que está *amamentando*. Ela está lá em cima no quarto fazendo isso agora.

Estou na sala arranhando meus dedos. Meu Pai Para Sempre está fazendo o almoço. Ele não entende. Finalmente, entro na cozinha e seguro meus peitos para mostrar para ele.

— Não tem leite neles — digo.

Ele derruba uma bacia de batatas e põe uma das mãos na testa.

— Não... sim... Ginny, vai devagar.

— Eu dava leite de uma toalha para a minha Boneca Bebê todos os dias

— De uma toalha?

— Você mergulha a toalha no leite e deixa o bebê chupar. Tira o leite *de uma embalagem* na geladeira. Não dos peitos.

Ele olha para o outro lado.

— Parece que Gloria não amamentou você — ele diz. E começa a recolher as batatas. — Mas não ia conseguir lembrar de uma coisa como essa. Você era muito nova. Usava mesmo uma toalha quando queria leite? Não tinha copos no apartamento?

Eram duas perguntas, e eu não respondo nada.

Ele continua falando.

— Algumas mães alimentam seus bebês com leite dos seios, e algumas mães alimentam seus bebês com leite de vaca. É chamado *fórmula*, na verdade. Mas é uma questão de escolha.

Ele não entende.

— Minha nova Irmã Para Sempre precisa de leite.

— Sim — ele responde.

— Ela precisa beber muito leite de verdade.

— Certa de novo. E ela *está* bebendo leite de verdade. Agora mesmo, lá em cima com a sua mãe.

— Não. *Aquilo* não é leite de verdade. Leite de verdade vem da geladeira.

Ele abre o refrigerador e pega o leite. Depois enche um copo e põe em cima da bancada.

— Pronto — diz. — Isso é leite de verdade. *Leite de vaca* de verdade.

— Exatamente — eu falo, porque às vezes *exatamente* significa *certo*. Pego o leite e ando em direção à escada.

— Ginny, o que você está fazendo?

— Vou levar o leite lá para cima.

— Não. Não faça isso. Põe o copo em cima da bancada. A Bebê Wendy bebe leite de peito.

Eu deixo o copo no lugar.

— Vamos tentar mais uma vez — ele diz. — O leite que você bebe vem de vacas, mas bebês podem beber leite das mães, se as mães decidirem amamentar. Sabe?

Quando as pessoas falam *sabe?* elas querem dizer *Você entende?*, mas meu Pai Para Sempre não entende nada.

— Eu sei de onde vem o leite humano — digo. Pego o copo de leite e aponto para ele. — Isso é leite humano. Sabe, *hu*-mano.

— Pode pronunciar como quiser, mas isso ainda vem da vaca — ele responde.

— Então, por que minha Mãe Para Sempre não dá isso para a bebê? Por que não dá para ela leite de verdade?

— Ela está dando leite de verdade.

Olho para ele por cima dos óculos e balanço meus seios de novo.

— Mas não tem leite nestes. — Tenho seios por *aproximadamente* um ano e sei que não sai leite deles. Não sai nada deles.

— Ginny, põe seu... olha... escuta — ele diz. — Sei que tem passado por muita coisa. Lamento que isso tudo seja tão confuso, mas vai ter que confiar em mim. Wendy está recebendo muito leite de verdade. Pode conversar com Patrice sobre isso quando formos vê-la depois do almoço. Ela foi muito gentil abrindo um horário para você hoje. Afinal, é fim de semana. Mas aposto que ela vai querer falar um pouco mais sobre voltar para a escola na quinta-feira. Acha que está preparada?

Ele está *mudando de assunto*, por isso preciso me concentrar. Não posso me distrair. Minha nova Irmã Para Sempre precisa de leite humano de verdade, mas não está recebendo, e sei que Gloria vai esquecer de alimentar minha Boneca Bebê, porque Crystal com C está na cadeia e ninguém vai lá vê-las. Vejo por um segundo no meu cérebro os olhinhos e o rosto da minha Boneca Bebê. Os olhos dela piscavam quando eu a pegava.

Saio do meu cérebro. O copo de leite ainda está na minha frente em cima da bancada. No meu cérebro de novo, eu me vejo mergulhando uma toalha ou minha camiseta nele e colocando a parte molhada na boca da minha Boneca Bebê.

— Ginny?

— O que é?

— Não se preocupa com a Wendy. Ela tem tudo de que precisa. Sinto muito por tudo ser intenso em torno da bebê agora. Sua mãe está tomando muito cuidado, ficando lá em cima o tempo todo. Seria bom você não cercar tanto quando ela desce. Só... dá um pouco de espaço para ela, está bem? Você vai ver. Logo todos nós vamos voltar ao normal. Você vai voltar para a escola na próxima quinta-feira, e depois tudo vai voltar aos poucos a ser como era antes. Todo mundo está seguro. Você está em casa, a bebê é saudável e sua mãe está bem. Tudo vai ficar bem. Crystal está presa, e sua irmãzinha tem muito leite para beber.

— Crystal *com* C — eu falo. E vou para o meu quarto.

EXATAMENTE 2H08 DA TARDE, SÁBADO, 23 DE OUTUBRO

— Faz dois dias que você voltou para a Casa Azul, e agora tem uma irmãzinha — diz Patrice. — Muita coisa mudou.

Não era uma pergunta, por isso não digo nada. Só fico sentada na poltrona florida e olho para Patrice.

— Seus Pais Para Sempre me contaram que você tem ficado muito quieta em casa. O que está acontecendo nessa sua mente? Ginny, quero que tente se conectar. Quero saber como se sente. Quero que me diga o que sente por estar de volta. Sei que Crystal não te machucou, mas...

— Crystal *com* C — eu falo.

— Tudo bem, Crystal com C não te machucou. As médicas do hospital disseram que você está bem, mas fico imaginando se Crystal com C não disse coisas quando você estava na casa dela em que ainda está pensando. Coisas de que você lembra. Pode me contar que coisas são essas?

— Ela me disse que minha Boneca Bebê está bem com Gloria por algumas semanas, mas ela gosta de passar pelo menos algumas horas com as duas todos os dias. Mas agora Crystal com C está na cadeia. E eu preciso voltar ao apartamento.

Ela escreve alguma coisa.

— Teria sido melhor se ela não tivesse alimentado essa história da sua Boneca Bebê — ela fala. — Não tinha nenhum bebê naquele apartamento com você, não esqueça. A polícia o teria encontrado. Eles até voltaram para olhar quando você disse que o bebê estava na mala. O que você sente com relação ao que aconteceu com Crystal com C?

— Raiva — eu respondo.

— Que bom. É normal sentir raiva quando a gente perde alguém. É normal sentir raiva e saudade da Gloria também. Sabia que seus Pais Para Sempre sentiram muita saudade de você quando estava longe?

— Sim — eu digo, porque eles me contaram.

— Todo mundo sentiu sua falta, Ginny. A cidade inteira. O estado inteiro, até. Todo mundo estava te procurando, rezando e se preocupando. Queriam te encontrar e te manter segura.

Esse é o problema. Todo mundo quer me manter segura, mas *segurança para mim* significa *nenhuma segurança para minha Boneca Bebê*. Assim:

(Segurança) para Ginny = (–Segurança) para Boneca Bebê

Mas, se eu fugir e for a Harrington Falls, a polícia vai me encontrar. Preciso pensar em um novo plano secreto.

— Estamos nos vendo todos os dias desde que você voltou — diz Patrice —, e vamos nos ver todos os dias da semana que vem. Seus pais dizem que você tem ficado muito perto da Bebê Wendy, e é claro que isso os preocupa. Eles ficam meio assustados. Dizem que é inquietante. Sua mãe, principalmente. Eles falaram que você insiste em levar coisas diferentes para a bebê comer e beber. Que passa o tempo inteiro tentando entrar escondida no quarto. Pode falar um pouco sobre isso?

— Eles não estão alimentando a bebê — digo.

Patrice olha para mim de um jeito engraçado.

— Por que diz que eles não a estão alimentando?

— Porque não dão leite para ela.

— Seu Pai Para Sempre mencionou pelo telefone que isso pode estar te confundindo. Sabe que sua Mãe Para Sempre está amamentando a Bebê Wendy, não sabe?

Respondo que sim balançando a cabeça.

— Então, por que acha que ela não a alimenta?

— Porque leite não vem dos seios.

— É claro que leite vem dos seios. Amamentar é isso. Ninguém nunca explicou para você como funciona a amamentação?

Balanço a cabeça para dizer que não.

Patrice sorri.

— Então acho que vai ficar feliz quando ouvir o que vou te dizer. Antes de explicar, porém, preciso pedir para você lembrar uma regra importante.

— *Quando a Bebê Wendy nascer você não vai poder tocar nela* — eu digo.

— Isso mesmo. E a Bebê Wendy nasceu. Ela está aqui. E você precisa garantir que nunca, nunca vai tentar alimentar a bebê. Confie um pouco nos seus pais, tudo bem? Eles sabem o que estão fazendo. Sua Mãe Para Sempre está amamentando a Bebê Wendy muito bem. Agora, vamos falar sobre como *exatamente* ela faz isso.

EXATAMENTE 6H44 DA MANHÃ, SEGUNDA-FEIRA, 25 DE OUTUBRO

Não escuto nenhum barulho do outro lado da porta. Minha cabeça e o meu rosto estão próximos, próximos, próximos dela. Porque estou ouvindo.

Sei que minha Irmã Para Sempre está lá dentro com minha Mãe Para Sempre. Sei que minha Mãe Para Sempre está *cuidando muito bem dela* porque meu Pai Para Sempre e Patrice me contaram. Mas, mesmo acreditando neles, preciso ter certeza. Preciso ver.

Fecho os olhos e escuto com atenção. Agora meus ouvidos estão apitando. Minha orelha está tão perto da porta que é como se eu ouvisse uma concha.

— Ginny?

Saio depressa do meu cérebro. É meu Pai Para Sempre. Lá embaixo, na ponta da escada.

— Desce. Agora. Se sua mãe souber...

A porta se abre bem na minha cara.

Eu pulo para trás e quase caio no cesto de roupa suja. Minha Mãe Para Sempre está na porta.

— Ginny, desce — ela diz. E depois fala para meu Pai Para Sempre: — Tudo bem, eu resolvo isso. — E olha para mim de novo. Seus olhos ficam finos e a boca vira uma linha muito, muito curta. — Ginny, você *tem que* parar de bisbilhotar. Chega de ficar ouvindo atrás da porta. É a segunda vez hoje. Wendy está bem. Agora desce como seu pai disse.

— Vem, Garota Para Sempre — diz meu Pai Para Sempre. — Já aqueci o carro, está na hora de ir.

EXATAMENTE 11H28 DA MANHÃ, QUINTA-FEIRA, 28 DE OUTUBRO

Faltam três dias para o Halloween. Vai ser no domingo. Estou na Sala Cinco almoçando com Larry e Kayla Zadambidge e Alison Hill, porque os professores querem que eu tenha uma *transição suave* de volta à escola. Além do mais, minha Mãe Para Sempre desceu por *aproximadamente* três minutos hoje de manhã e disse que houve um *circo da mídia* quando eu fui sequestrada, e todas as crianças da escola vão me fazer perguntas. Quando eu disse que nunca tinha ido a um circo e queria ver como era, ela respondeu que eu não precisava ir, porque já era a atração principal. Quando falei que não tinha entendido, ela falou que um circo da mídia é quando um bando de repórteres vai à sua casa procurando informações sobre você e quando falam sobre você na televisão e no rádio. Ela disse que um circo da mídia é compreensível em casos de sequestro, mas, quando se está voltando para casa com um bebê recém-nascido e repórteres enfiam câmeras na sua cara e batem na sua porta o tempo todo, tudo fica bem tenso. Principalmente se a criança que foi sequestrada planejou tudo e não demonstra nenhum remorso.

Depois disso ela subiu e fechou a porta. Meu Pai Para Sempre me levou para a escola.

Só as crianças que vão para a Sala Cinco podem almoçar comigo essa semana. E a sra. Carol. A sra. Carol é a nova professora que me segue como a sra. Wake me seguia. Ela não é uma senhora. Ela tem cabelo comprido e usa óculos que fazem seus olhos parecerem grandes demais. Quando perguntei à sra. Lomos onde estava a sra. Wake, a sra. Lomos respondeu:

— A diretora decidiu que era melhor ela ser transferida.

— Do que você vai se fantasiar no Halloween? — Larry pergunta a Alison Hill.

— Ainda não sei — responde Alison Hill. Ela está desenhando um rosto em uma abóbora cor de laranja.

— O Halloween é daqui a três dias, Alison Hill — eu falo. — É melhor decidir logo.

— Qual vai ser sua fantasia, Ginny? — Larry me pergunta.

Respondo:

— De bruxa. Gloria sempre me vestiu de bruxa e ela também era uma bruxa. Éramos bruxas juntas. Jogávamos feitiços uma na outra na cozinha e ficávamos de meias girando para fazer a fantasia se mexer. Depois voávamos na vassoura pela sala e pelo corredor.

— Bruxas não existem — diz Kayla Zadambidge. — Vou ser uma rainha.

Kayla Zadambidge tem cabelo comprido. Ela é bonita e vai ser uma linda rainha. Por isso eu digo:

— Você vai ser uma rainha feia, Kayla Zadambidge. Alison Hill, você devia ser Janet Jackson.

— Ginny! — A sra. Dana me chama.

Alison Hill faz uma cara estranha.

— Quem é Janet Jackson?

Solto os pedaços de milho que estou juntando. São amarelos, alguns mais escuros, outros mais claros. Uso uma voz dura.

— Qual é a merda do problema com você, Alison Hill? Janet Jackson é uma das irmãs do Michael Jackson.

A sra. Dana levanta a cabeça atrás da mesa.

— Ginny, meça suas palavras! — ela diz.

Larry começa a cantar. Alison Hill diz:

— Talvez eu deva ser um lobisomem.

— Lobisomens são medonhos — eu falo.

— E um vampiro? — diz Alison Hill.

— Não — respondo. — Vampiros também são medonhos. E chupam sangue.

— E alguém de Star Wars? — diz Larry.

— Você pode ser a Rainha Amidala! — diz Alison Hill.

— Ou você pode ser o R2-D2! Aquele carinha é *a bomba*! — diz Larry.

Olho para Larry e falo:

— Não, Larry, R2-D2 é um robô. Você não entende? Ele é uma porra de um robô. — Estou brava, brava, brava.

— Ginny, vamos — diz a sra. Dana. Ela se levanta e aponta para a porta. Os olhos da sra. Carol ficam realmente grandes por um segundo atrás dos óculos, depois voltam ao tamanho normal.

— Que linguagem é essa, baby? — diz Larry.

— Ginny, vem falar comigo no corredor — chama a sra. Dana.

Eu fico em pé. Não respondo à pergunta do Larry, porque ainda estou brava. Porque ainda não tenho um novo plano secreto. Preciso pensar em como voltar a Harrington Falls sem a polícia me encontrar. Ou como pegar uma carona para o Canadá e depois avisar Gloria para ir me encontrar lá. Ou como tirar Crystal com C da cadeia para ela poder me sequestrar de novo. Estou sentada aqui na escola enquanto minha Boneca Bebê está no apartamento com Gloria e ninguém, ninguém mais para mantê-la segura.

EXATAMENTE 4H14 DA TARDE, SEXTA-FEIRA, 29 DE OUTUBRO

— Sabe quem ajudou a te localizar quando estava com Crystal com C? — Patrice pergunta.

— O homem com a arma — respondo.

— Não. Teve outra pessoa. Foi muita sorte aquele caçador ter visto você, e ele ajudou muito quando telefonou. Mas também teve outra pessoa.

Patrice limpa a boca com um guardanapo. Estamos comendo brownies.

— Tudo fica confuso em um sequestro — ela diz. — Muita gente pelo país pensava ter visto você em lugares diferentes. Quando as pessoas procuram uma pessoa desaparecida, cometem muitos enganos. Por isso a polícia estabelece padrões. Procura várias denúncias reunidas em determinadas áreas, e depois vai para esses locais.

— Quem era a outra pessoa? — pergunto.

— Isso é que é interessante. A pessoa que ajudou a te localizar não chegou a te ver realmente. Mas ele conhecia Crystal com C e lembrou que ela tem um chalé de férias. O caçador telefonou da cidade onde fica o chalé, e a polícia foi lá investigar.

— Quem era ele?

— Seu pai.

— Meu Pai Para Sempre sabia do chalé?

— Não. Seu Pai Biológico.

— Não tenho Pai Biológico.

— Sim, você tem. Todo mundo tem.

Não digo nada. Não sei quem é meu Pai Biológico, mesmo que todo mundo tenha um. Talvez porque eu não seja *todo mundo*.

— Ginny, seu Pai Biológico nos ajudou a encontrar você. Seus pais nem queriam mencioná-lo no começo, mas agora... bem, Gloria o deixou quando você nasceu. Literalmente no hospital. Manteve contato com ele ao longo dos anos por telefone e e-mail, mas não deixava ele te ver. Durante a investigação, ele conheceu seus Pais Para Sempre, e agora ele diz que quer conhecer você.

Penso. E penso mais um pouco.

— Por quê? — pergunto.

— Porque ele é seu pai. Até a semana passada, ele não sabia que você existia.

Penso. Penso e penso.

— Ginny, como se sente a respeito de tudo isso?

— Não sei.

— É normal — diz Patrice. — Está acontecendo muito depressa. Mas quero que você saiba que seus Pais Para Sempre estão achando tudo muito excitante. Eles acham que é uma ótima ideia você conhecer seu Pai Biológico. Assim que estiver pronta.

— Assim que eu estiver pronta? — pergunto.

— Exato, assim que estiver pronta.

— Quando vai ser isso?

Patrice ri.

— Pelo que conheço de você, acho que em dois segundos.

EXATAMENTE HALLOWEEN — 2H05, DOMINGO, 31 DE OUTUBRO

Estamos no estacionamento da escola e eu estou colocando minha fantasia de fantasma. É um lençol com buracos na frente dos meus olhos. Eu ia usar minha fantasia nova de bruxa, mas mudei de ideia. Porque não quero mais ser eu. Em vez disso, quero poder ser invisível. Quero ser (-*Ginny*) porque minha Boneca Bebê está sozinha com Gloria e não sou esperta o bastante para pensar em um jeito de ir buscá-la.

Mas não falo isso para ninguém. Estou guardando o segredo no meu cérebro.

Quando mudei de ideia sobre a fantasia, minha Mãe Para Sempre disse:

— Francamente, Ginny, se tivéssemos decidido isso na semana passada, eu teria comprado dois jogos novos de lençol pelo preço daquela fantasia de bruxa. E você estaria usando a mesma coisa que está usando agora.

Mas isso não era uma pergunta.

Fico ao lado do carro e espero minha Mãe Para Sempre me ajudar a ajeitar a fantasia. Ela puxa a parte de baixo e mexe na parte de cima para meus olhos enxergarem pelos buracos que cortamos juntas.

— Pronto — diz.

— Uuuuuuuuh! — falo em voz alta, porque é isso que faz um fantasma.

— Muito bom — minha Mãe Para Sempre elogia. — Você é um fantasma excelente.

— Uuuuuuh! — falo de novo, porque ainda estou de fantasia. E porque gosto de fazer barulhos assustadores. Eles me fazem sentir forte.

— Tudo bem — responde minha Mãe Para Sempre. — Hora de entrar.

— Essa é a primeira vez que ela sai comigo desde que minha Irmã Para Sempre nasceu. Meu Pai Para Sempre está em casa cuidando dela.

Tem muitos e muitos carros no estacionamento, mas paro de contar depois do nove. Quando chegamos na porta, minha Mãe Para Sempre a abre. Ouvimos música lá dentro. Seguimos pelo corredor até o ginásio onde tem alunos da escola inteira, todos fantasiados e se movendo depressa. A decoração é toda preta e cor de laranja. Muitas crianças pequenas usam fantasias de borboleta ou de abóbora. Algumas estão vestidas de trens e carros. Tem crianças maiores vestidas de M&M's, lobisomens e zumbis.

Começo a arranhar os dedos.

Tem bruxas e princesas. Tem até alguém vestido de vaca. E todos estão fazendo barulho. Tanto barulho que eu não suporto. A música é muito alta. Várias crianças gritam tentando assustar as outras. Vejo vampiros e ciganas. Vejo um inseto gigante e um gato. Vejo até uma criança vestida de bebê. É como se todas as coisas que estão no meu cérebro saíssem.

Tiro a fantasia. Puxo o lençol de cima da cabeça e fico ali segurando-o.

— Ginny, por que fez isso? — pergunta minha Mãe Para Sempre.

E eu digo:

— Temos que ir embora agora.

E ela diz:

— Por quê?

— Porque está muito barulhento.

— Ginny — minha Mãe Para Sempre fala —, acabamos de chegar. Estou tentando passar um tempo com você sem a bebê. — Ela olha para trás, para a frente, levanta o pé e o põe no chão de novo. — Não quer dar uma volta e procurar seus amigos? E Larry e Kayla? Alison? Aposto que a sra. Dana também está aqui.

Penso que ela me fez uma pergunta, mas não lembro qual, por isso não falo nada. Um menino pequeno com uma máscara verde passa por mim correndo. Seu ombro toca minha fantasia.

— Ô! — eu grito, e dou um passo para trás. Mais alguém bate em mim. Eu me *encolho* e quase tropeço em um menino vestido de jogador de futebol. Ele fala "ei!" e olha para mim de cara feia. Eu me *encolho* de novo.

O lábio da minha Mãe Para Sempre levanta.

— Tudo bem — ela diz. E pelo meio dos dentes. — Ninguém pode dizer que não tentei. Vamos.

Ela estende a mão. Antes eu gostava de segurar a mão dela, mas não a pego. Porque não sou mais quem eu era antes, e acho que minha Mãe Para Sempre não gosta da pessoa em que me transformei. Acho que eu também não gosto da pessoa em que me transformei.

Saímos do ginásio, atravessamos o corredor e voltamos para fora. O ar é frio, mas gosto de senti-lo no rosto. O Halloween não é mais como era quando eu estava com Gloria. Não é como era. Não sou mais a Ginny.

Não sou Ginny.

Sou (-*Ginny*).

E isso me assusta, me assusta, me assusta. Porque não conheço essa garota.

EXATAMENTE 2H52 DA TARDE, TERÇA-FEIRA, 2 DE NOVEMBRO

Meu Pai Para Sempre faz um barulho de respiração.

— Ginny, por favor, pare de olhar o relógio. Estou tentando conversar com você.

Estamos sentados à mesa da cozinha. Minha Irmã Para Sempre está chorando. Ela chora muito. Esse barulho me faz querer subir a escada correndo para pegar a bebê no colo, porque sei *exatamente* o que fazer para ajudar. Mas não faço nada, porque lembro da regra mais importante.

— Tem duas coisas sobre as quais precisamos conversar — ele diz.

Fico feliz. Ele está usando números, e números me deixam feliz.

— Primeiro, você tem que ficar longe do quarto da sua mãe. Do nosso quarto, quero dizer. Ela fica lá o tempo inteiro com a bebê porque precisa de privacidade. Não pode mais entrar lá por qualquer motivo, e não pode ficar parada do lado de fora ouvindo atrás da porta. E, quando sua mãe descer com a bebê, precisa parar de dizer como ela tem que cuidar dela. Chega de conselhos sobre que alimentos dar e de que ela precisa. E o mais importante, você precisa parar de cercar. Tem que dar espaço para sua mãe, entendeu? Ela não larga a bebê porque sabe que você vai debruçar em cima dela para ficar olhando. Isso a assusta, Ginny. E me assusta também. Sei que é difícil de ouvir, mas é a verdade.

— Qual é a segunda coisa sobre a qual precisamos conversar? — pergunto. Porque ele terminou a primeira.

— A segunda coisa é que eu tenho a primeira carta — ele diz. E pega um pedaço de papel dobrado de cima da mesa. Seu rosto está mais vermelho do que era antes e ele toma mais comprimidos de manhã. E à noite também. E às vezes deita no sofá para descansar quando termina de conversar comigo e fecha os olhos. E respira fundo e devagar. — Do seu Pai Biológico. Está preparada para ler?

Balanço a cabeça para dizer que sim.

— Conhecer seu Pai Biológico vai ser mais fácil desse jeito — ele diz. — Se vocês dois trocarem cartas por um tempo, vão ter mais sobre o que conversar quando finalmente se conhecerem.

— Quando vamos finalmente nos conhecer?

— Ainda não sei. Vamos dar um tempo e ver como as coisas acontecem, antes de marcarmos uma data.

O choro parou lá em cima. Respiro fundo e abro as mãos.

— Posso ler a carta agora? — pergunto.

— É claro.

Desdobro o papel e leio.

Querida Ginny,
Estou muito feliz por ter a chance de conversar com você. Demorou muito, com certeza. Você já deve saber que sou seu pai. Conheci Gloria quando um amigo meu queria um gato. Ele viu os maine coons e marcou uma hora para ir ver alguns pessoalmente. Na casa da sua mãe. Meu amigo não arrumou um gato, mas eu arrumei uma namorada. Sua mãe era a garota mais esperta que eu conheci. Namoramos por um tempo, e um dia ela disse que ia ter um bebê. Eu quis casar com ela. Fizemos até planos para o casamento, mas ela foi embora com você alguns dias depois do seu nascimento. Saí para trabalhar, e, quando voltei ao hospital naquela noite, ela havia ido embora. Aparentemente, foi para o Canadá. Eu a encontrei um tempo depois no Maine, mas ela disse que não queria me ver. Acho que tinha outro homem na história, e talvez drogas também. Enfim, estava acabado para nós, e eu fiquei longe.

Nenhum pai tem direitos, na verdade. Mantive contato com ela por telefone e e-mail, mas isso era o máximo que ela permitia. Depois de alguns anos, ela mudou o número do telefone. Parou de responder os e-mails e me tirou de cena completamente.

Então ouvi a notícia sobre o sequestro, fui à polícia e contei tudo que consegui lembrar. Disse que não acreditava que Gloria pudesse planejar uma coisa como aquela, porque ela não é do tipo que mantém a calma, e eles me perguntaram se eu suspeitava de alguém, e eu falei que poderia ser a irmã dela, Crystal. Depois lembrei da casa de verão que ela comprou, e o resto você já sabe.

Mas naquele dia eu soube que você não estava mais com a Gloria e que tinha sido adotada. Seus novos pais parecem ser bem legais. Eles aceitaram a ideia de a gente se conhecer. Espero que você também aceite.

Algumas coisas sobre mim. Sou motorista de caminhão. Dirijo caminhões enormes pela costa, para cima e para baixo. Não passo muito tempo em casa. Mas tenho uma bem legal e uma namorada que cuida das coisas quando estou fora. Temos até um cachorro. Um beagle chamado Sammy. Mas não temos filhos.

O que você acha? Vai escrever uma carta para mim? Espero que escreva.

Seu Velho Pai,
Rick

Eu digo:
— Espera... por que ele escreveu isso? — E aponto para a última palavra.
— Isso o quê? *Rick*?
Respondo que sim com a cabeça.
— É o nome dele — diz meu Pai Para Sempre.
— O nome dele é *Rick*?
— Começa com a letra *R* — ele diz. — Você sabe, como *rosa*.
— Humpf — eu respondo, e começo a puxar a pele em volta das unhas.

Rick é um nome pequeno. Parece *tic*, *pic* ou *pica*, que é um palavrão. *Rick* é um nome rápido. Deixa com uma sensação na boca como se você tivesse comido muito doce de cereja, ou tivesse dentro dela alguma coisa pequena e brilhante feita de plástico rosa.

— Como se sente? — ele pergunta.

— Com fome — eu falo. — E acho que preciso beber algo. Devia assistir a um vídeo no meu DVD player no meu quarto e *tomar uma bebidinha*. Quando Rick vem?

— Ele não vem — diz meu Pai Para Sempre. — Mas quer saber se você vai escrever para ele. Quer escrever uma carta para ele?

— Quero bastante — falo. — Mas não hoje. Não está na minha lista.

— Ponha na sua lista, se quiser. Posso te ajudar a escrever a carta.

Balanço a cabeça para dizer que não.

— Talvez amanhã — falo. — Posso ir ver meu vídeo agora?

— Não quer conversar sobre a carta?

— Não.

Porque não quero. Já li e sei o que diz. Diz que meu pai *dirige caminhão* e quer me conhecer. Acho que o caminhão tem muito espaço para todas as minhas coisas. Preciso de tempo para entrar no meu cérebro e pensar.

— Preciso ver um vídeo agora — falo. E levanto.

— Tudo bem, então — diz meu Pai Para Sempre. — Pode ir ver seu vídeo. Falamos sobre isso outra hora.

— E preciso de uma bebida.

— Vou buscar sua bebida.

EXATAMENTE 9H08 DA NOITE, TERÇA-FEIRA, 2 DE NOVEMBRO

Estou na cama, pensando. Meu cobertor está esticado em cima da minha barriga e das minhas pernas. Estou deitada de costas.

Na minha cabeça, preciso falar o que acontece comigo logo depois que acontece. Preciso contar tudo para mim mesma, porque isso me ajuda a entender. Por isso, falo dentro do meu cérebro. É como um diário, só que eu não sou boa para escrever. Eu costumava falar tudo em voz alta quando estava no apartamento, mas Donald disse que isso o deixava muito louco. Depois, disse que eu devia ficar de boca fechada e não andar por aí com ela aberta, porque fico parecida com uma menina das cavernas. Ninguém pode ouvir o que falo dentro da minha cabeça, porque é lá que fica meu cérebro. Ele me ajuda a fazer coisas quando ninguém está olhando. Como quando eu costumava procurar embalagens de maionese e ketchup e comida no lixo quando Gloria e Donald ou um dos amigos dela estavam lá em cima.

Mas agora tenho que me preparar para escrever uma carta para Rick. Não posso apenas falar as palavras dentro da minha cabeça e deixá-las lá. Tenho que escrevê-las. No papel. Escrever é trabalho duro, mas preciso escrever porque tenho que convencer Rick a me dar uma carona para o Canadá.

Aposto que ele tem *dupla cidadania* como Gloria e Crystal com C. E eu. Mas tenho que pedir para ele falar para a Gloria ir encontrar a gente lá. Esse é meu novo plano secreto.

Então, vou falar a carta na minha cabeça esta noite e depois vou pedir para o meu Pai Para Sempre me ajudar a digitar tudo amanhã. A carta vai ser *exatamente* assim:

Querido Rick,
Não amo o nome Rick. Não se ofenda. Estou só dizendo. Talvez possa te chamar de Richard ou Kevin ou até Bobby. Não posso te chamar de Michael Jackson porque Michael Jackson é meu cantor--dançarino favorito no mundo todo. Tenho uma foto dele na parede do meu quarto e agenda. Ele é meu maior fã.

Estou escrevendo uma carta para você porque pus isso na minha lista. Quero que você venha me buscar no seu caminhão e me leve para o Canadá. Fala para a Gloria ir para lá com minha Boneca Bebê e encontrar a gente. Podemos morar lá todos juntos, a menos que você queira voltar e morar com sua namorada e Sammy. Por mim, tudo bem. Se não puder vir agora, por favor, vá a Harrington Falls para ver se minha Boneca Bebê está bem. Gloria precisa de ajuda para cuidar dela. Não deixa ela ficar fora por dias como sempre faz. Ajuda ela como Crystal com C ajudava. Mostra para ela como trocar a fralda e como dar bastante comida. Leva leite, porque não vai ter na geladeira. E mesmo que seja um pouco tarde demais para entender, por favor, fala para minha Boneca Bebê que eu sinto muito pela mala. Queria que ela ficasse segura, mas tive medo quando a polícia chegou.

Uma coisa que você precisa saber sobre mim é que fico brava quando as pessoas falam que vão fazer alguma coisa e não fazem. Devia sublinhar essa parte e guardar a carta no seu bolso para não esquecer. Escreve logo para eu saber se vai me ajudar ou não. E temos que dar um jeito de convencer meus Pais Para Sempre a me deixar ir com você. Acho que sequestro não vai funcionar dessa vez.

Da sua,
Ginny Moon

Repito a carta muitas vezes até ela dizer *exatamente* o que quero que diga. Amanhã vou pedir para o meu Pai Para Sempre me ajudar a escrever tudo.

EXATAMENTE 4H17, QUARTA-FEIRA, 3 DE NOVEMBRO

Quando cheguei na escola hoje de manhã, olhei pela janela do ônibus para o lugar onde vi o Carro Verde no dia 14 de setembro. Queria vê-lo de novo, mas ele não estava lá. Lembro de andar no Carro Verde perto da janela que estava quebrada. O plástico se mexia para a frente e para trás, e, às vezes, Gloria parava para colocar mais fita adesiva nele. Às vezes, a gente dormia no carro quando ia a algum lugar. Gloria dizia que era como acampar, mas muito mais divertido, porque, quando você acampa, tem que dormir no chão. *A gente não quer dormir no chão, quer?*, ela dizia. Não respondi porque ainda não falava. Aprendi a falar quando tinha cinco anos.

Faz muito tempo.

E agora um homem chamado Rick diz que é meu Pai Biológico. Queria conhecê-lo, mas primeiro tenho que persuadi-lo a me levar para o Canadá.

Saio do meu cérebro. Estou parada no começo da escada esperando minha Mãe Para Sempre aparecer na cozinha. Não quero falar nada, porque não quero que ela fique brava. Minha Irmã Para Sempre está dormindo, por isso minha Mãe Para Sempre está aqui embaixo. Ela desce de vez em quando se acha que não estou em casa, ou quando estou no meu quarto com a porta fechada. Não a vejo há três dias.

— Está me encarando, Ginny? — ela fala. Sem virar.

Começo a responder, mas paro. Estou começando a esquecer como devo falar com ela. Agora só sei conversar com meu Pai Para Sempre.

— Ginny, perguntei se está me encarando.
— Estou esperando você virar — digo.
— E está me encarando enquanto espera?

Encarar significa olhar com os olhos por muito tempo e não se mexer. Algumas pessoas dizem que é *chato*.

— Sim — eu falo. Baixo a cabeça. — Desculpa.

Minha Mãe Para Sempre se vira. Pega uma panela e põe no fogo.

— E então, Ginny, tudo em cima? — ela pergunta.

Eu sei que ela não está falando do teto nem do céu, mas preciso fazer um esforço imenso para não olhar para nenhum desses lugares.

— Escrevi uma carta para Rick. Caprichei.

Quando falo *Rick* o som é baixo e bobo, como se tivesse um cocô no chão e todo mundo estivesse olhando para ele. Cocô sempre é silencioso e bobo. Às vezes, eu também me sinto assim.

— Eu sei — diz minha Mãe Para Sempre. — Seu pai me contou. Quer que eu escute?

— Sim, eu quero — falo, e leio a carta.

Querido Rick,

Meu nome é Ginny e tenho catorze anos. Adoro Michael Jackson. Ele morreu em 25 de junho de 2009. Ele tem os melhores passos. Também gosto de ouvir Diana Ross. Sabe o que ela fez? Um dueto com Michael Jackson.

Mas estou feliz por podermos escrever cartas. Nunca soube que tinha um Pai Biológico, embora todo mundo tenha um. Pode vir me visitar?

Sinceramente,
Ginny Moon

Porque descobri que não posso falar o que realmente quero falar na carta quando meu Pai Para Sempre me ajudou a escrevê-la hoje. Passamos *exatamente* vinte e três minutos hoje falando e redigindo. Começou com o que eu tinha na cabeça ontem à noite, mas depois entendi que precisava mudar o texto. Vou dizer o que preciso dizer quando Rick vier me visitar. Vou falar baixinho no ouvido dele. Vai ser *nosso segredinho*, que é uma coisa que ouvi em um filme.

Minha Mãe Para Sempre diz:

— Acha mesmo que já está preparada para conhecê-lo?

Balanço a cabeça para dizer que sim.

— Quanta confiança. Não quer ver que tipo de pessoa ele é? Pelas cartas, quero dizer.

Não sei o que significa ver *que tipo de pessoa ele é* ou *pelas cartas*, por isso não falo nada.

— Não quer ver se pode confiar nele? — ela pergunta.

— Como sei se posso confiar nele?

Ela ri. Estou surpresa, mas gosto do som da risada.

— Acho que tem razão — ela diz. — Por enquanto, vamos só mandar a carta. Deixa ela ali em cima da bancada, e vamos digitar e mandar para ele em um e-mail. Ainda não podemos deixar você usar o computador. Então, nós vamos digitar e mandar, e depois esperar para ver o que Rick responde. Se correr tudo bem, marcamos um encontro. Provavelmente no parque. Sabe, conhecer seu Pai Biológico pode ser bom para todos nós. Quem sabe o que o futuro nos reserva?

Penso em muita gente que sabe, mas não falo o nome de ninguém. Minha Mãe Para Sempre desliga o fogão, pega a panela e despeja os ovos mexidos em um prato. Lembro como Crystal com C me deixou comer os ovos dela. Mas minha Mãe Para Sempre não põe o prato na minha frente em cima da mesa. Em vez disso, ela pega um garfo na gaveta e põe um pouco de ovo na boca. Mastiga e engole.

— Como se sente agora que escreveu a carta? — ela pergunta.

— Sinto que devia comer alguma coisa — respondo.

Ela limpa a boca com um guardanapo.

— Estou perguntando como se sente sobre o que escreveu. Está feliz com isso? Quer acrescentar mais alguma coisa antes de mandarmos a carta para Rick?

— Talvez eu queira acrescentar alguns silvos — falo, embora *silvar* não seja igual a *dizer alguma coisa*. — Como eu faço na escola. — Era o que os maine coons faziam quando conheciam alguém novo. Isso me faz sentir forte. Faço muitas coisas que os maine coons faziam.

— Espera... você silva para as pessoas na escola?

— Sim — eu digo.

— Quando silva para as pessoas?

— Na hora do almoço e quando as pessoas riem de mim ou dizem coisas más. Às vezes também rosno, mas o silvo é mais fácil.

— Por que não contou isso para nós antes? Com que frequência silva para as pessoas?

São duas perguntas juntas, e minha Mãe Para Sempre está falando depressa, e a voz dela está ficando mais alta. Começo a arranhar os dedos.

— Ginny, silvar para as pessoas não é uma coisa boa — ela diz. — Não pode mais fazer isso, nunca mais. É contra as regras.

Desvio o olhar e digo:

— Que droga!

— Como assim, "que droga"?

Levanto as mãos como Crystal com C fazia e as deixo cair de novo.

— Gosto de silvar para as pessoas! Isso faz as pessoas rirem! Eles respondem do mesmo jeito, a professora escuta e manda todo mundo me deixar em paz!

— Ginny, eles dão risada porque estão debochando de você. É estranho silvar para as pessoas. Só os gatos fazem isso.

— Não... *eu* também faço! — falo, e é verdade, cem por cento. Aprendi a fazer isso há muito tempo.

— Estou dizendo que só os gatos *devem* fazer isso. Garotas Para Sempre não devem silvar. Nunca. Não pode se comportar como um animal selvagem.

— Que droga! — repito. E limpo os olhos. — Vou para o meu quarto! Nada de xadrez chinês! Já para cima!

EXATAMENTE 8H05 DA MANHÃ, QUINTA-FEIRA, 4 DE NOVEMBRO

Na sala de aula, minha professora, a sra. Henkel, pergunta como foi meu dia, e eu digo:

— Meu Pai Biológico escreveu outra carta para mim ontem à noite e eu escrevi uma para ele.

A turma inteira olha na minha direção e fica em silêncio. Nunca ouvi todo mundo tão quieto antes. A sra. Henkel diz:

— Ginny, não quer dizer seu *Pai Para Sempre*?

E eu falo:

— Não, quero dizer Rick. Ele é o homem que Gloria deixou no hospital. Ele *dirige caminhão*.

— Quer dizer que ele dirige *um* caminhão.

Balanço a cabeça.

— Não, Sarah, não quero. Não acha que sei o que ele disse? É *meu* Pai Biológico, não o seu.

— Não chame a sra. Henkel pelo primeiro nome — cochicha a sra. Carol. Ela pisca com seus olhos grandes.

As crianças na sala de aula continuam completamente quietas. Gosto mais delas assim.

— Você conversou com seu pai? — ela pergunta.

— Sim, conversei — respondo.

— A sra. Lomos sabe disso?

— Sim — repito, e vejo a sra. Carol assentindo. Para a sra. Henkel.

Exatamente às 10h08, na aula de estudos sociais, eu vou ao banheiro. A sra. Carol também vai. Quando volto para a sala, Michelle Whipple fala:

— Ginny, você *dirige caminhão*?

E eu digo:

— Não, eu não *dirijo caminhão*. Meu Pai Biológico *dirige caminhão*. Não posso *dirigir caminhão* porque ainda sou uma criança.

Michelle Whipple dá risada, e eu silvo para ela, mesmo não tendo permissão para isso. Depois ela diz:

— Qual é, vai me arranhar, ou alguma coisa assim?

— Não, não vou te arranhar. O que acha que sou, um gato?

— O barulho que faz é de um! — diz Michelle Whipple. Depois ri de novo e olha para mim. Vejo seus olhos olhando para mim enquanto ela ri. Quero explodir essa menina com os olhos como o Ciclope ou rasgá-la com as garras como o Wolverine ou fazê-la pegar fogo, mas não tenho superpoderes nem fósforos, então *ataco*.

Não quero que Michelle Whipple me veja nunca mais, então vou arrancar os olhos dela. Agarro o cabelo de Michelle, puxo com força e tento segurá-la, porque, se ela ficar se mexendo, não consigo aproximar os dedos do rosto dela. Derrubo uma cadeira e empurro uma escrivaninha que está no caminho. Rosno, mostro os dentes e guincho como Bubbles. Michelle Whipple balança a cabeça para a frente e para trás, grita e tenta empurrar minhas mãos, mas continuo atacando como um chimpanzé, e em poucos segundos um dos olhos dela vai estar na minha mão.

A sra. Carol me agarra antes que eu consiga arrancá-lo. Ela me puxa para longe de Michelle Whipple e me segura para eu não conseguir me mexer. Ainda estou muito brava, mas não estou brava com a sra. Carol, então eu paro. Mas Michelle Whipple está gritando:

— Sua vadia maluca! Vadia maluca!

Ela grita muitas vezes, e eu berro para ela:

— Para com isso, Michelle Whipple! Está machucando meus ouvidos! Isso é *chato*!

EXATAMENTE 3H31, SEXTA-FEIRA, 5 DE NOVEMBRO

Fui suspensa da escola, por isso hoje fiquei em casa. Agora estou falando com Patrice.

— Seus Pais Para Sempre me contaram que você brigou na escola. Pode me dizer o que aconteceu?

— Michelle Whipple me deixou brava — digo.

— Ah, é?

— Ela disse que eu fazia barulho de gato.

— E você *estava* fazendo barulho de gato? — Patrice pergunta. — Lembro que você costumava fazer barulhos de gato há alguns anos, quando estava com Carla e Mike.

Carla e Mike foram meus dois primeiros Pais Para Sempre. Fugi deles quando eu tinha nove anos. Falei para eles que ia brincar lá fora e, a caminho da porta, peguei a bolsa de Carla, porque tinha dinheiro e um cartão de débito nela. Andei pela cidade procurando um mapa que me ajudaria a voltar ao apartamento de Gloria, mas fiquei confusa com todos os carros, e não sabia em que cidade ela morava. A polícia me encontrou, me levou ao hospital, depois me levaram de volta para Carla e Mike. Agora sei que Gloria mora em Harrington Falls, mas não posso ir lá porque a polícia vai me encontrar. Como a Crystal com C disse.

Então, em vez disso, preciso pedir ao Rick para participar do meu plano secreto.

— Ginny?

— O que é?

— Disse que estava fazendo barulho de gato?

Respondo que sim com a cabeça.

— Parece que estamos voltando a um dos nossos antigos padrões. Vamos ter que falar melhor sobre isso mais tarde. Por enquanto, me conta o que está acontecendo com a Bebê Wendy? Está conseguindo vê-la mais vezes?

Balanço a cabeça para dizer que não.

— Quero ver, mas ela está sempre lá em cima com minha Mãe Para Sempre.

— Sente falta da sua Mãe Para Sempre?

Balanço a cabeça para dizer que sim.

— Ela está preocupada, Ginny. Sua mãe tem medo de que você machuque a bebê.

Arranho os dedos. Lembro do bebê eletrônico de plástico. Das coisas que fiz com ele. Falo com a boca:

— Não vou machucar a bebê.

— Eu sei disso. E o que fez antes, deu seu endereço a Gloria para ser sequestrada. Os repórteres complicaram muito a vida de seus pais enquanto você estava fora. Eles tinham acabado de levar um bebê para casa e estavam aprendendo a ser pai e mãe, mas a polícia e as vans da imprensa...

Patrice para de falar. Dou uma mordida no biscoito de chocolate. Dou mais duas mordidas depressa e enfio o restante na boca.

— Olha — diz Patrice —, você discute com sua Mãe Para Sempre o tempo inteiro, se mete em brigas na escola e fica tentando subir escondida para alimentar a Bebê Wendy, e não vamos esquecer o processo no tribunal. Eles vão ter que depor. Isso tudo é demais. Muita coisa é totalmente compreensível, considerando o que você passou. Mas, para ela, é demais. Você entende?

Não entendo, então não falo nada.

Patrice olha para baixo. Olha para mim e olha para baixo de novo.

— Estamos torcendo para você gostar muito do Rick — ela diz. — Estamos torcendo mesmo, de verdade. Trouxe a carta que ele mandou para você hoje de manhã? A que seus pais imprimiram?

Eram duas perguntas, mas mesmo assim eu respondo que sim com a cabeça.

— Podemos ler a carta juntas?

Pego a carta. Está no meu bolso de trás dobrada em oito retângulos. Abro e entrego a folha a Patrice. Ela lê em voz alta.

Querida Ginny,

Sim, acho que seria bom se nos encontrássemos em breve. Se tudo der certo, talvez você possa vir me visitar por alguns dias e passar um tempo com seu velho pai. Ver como ele é e dar um tempo para todo mundo. Não moro muito longe. Estou na estrada agora e só volto daqui a duas semanas. É uma viagem longa. Depois vou ter alguns dias de folga até viajar de novo no domingo. Talvez possamos reservar um tempo antes disso para um encontro no parque, como seu novo pai disse.

Gosta de futebol? Aposto que não, mas, se gostar, queria saber para que time torce. Sei que gosta muito do Michael Jackson. Faz algum esporte na escola?

Seu Velho Pai,
Rick

— Ele não mora muito longe — eu falo.

— Isso mesmo — diz Patrice.

— Posso ir vê-lo e dar um tempo para todo mundo quando ele voltar.

— Sei que isso tudo é muito excitante — diz Patrice —, mas vai ter que encontrar Rick algumas vezes antes de ir à casa dele.

Olho para o chão. Estou pensando.

— Ginny, sabe o que significa a palavra *temporada*? — Patrice pergunta.

Respondo que não com a cabeça.

— Significa *um intervalo*. Sei que é muito cedo, mas como eu disse... Enfim, seus pais estão torcendo para que, depois de conhecer Rick um pouco melhor, você vá passar uma *temporada* com ele. Assim eles podem passar um tempo juntos só com a Wendy, e você pode conhecer seu Pai Biológico. Ele está muito, muito feliz por finalmente ter encontrado você. E depois disso... bom, aí vamos ver. O que acha?

Balanço a cabeça três vezes.

— Sim — eu digo. — Acho que é uma ótima ideia. — Mas Rick só vai voltar para casa em *aproximadamente* duas semanas. Não sei se minha Boneca Bebê vai estar segura com Gloria até lá.

— Francamente, eu acho que é um pouco cedo, mas é muito melhor que a outra possibilidade em que seu pai e sua mãe estão pensando. Então, você vai conhecer o Rick no sábado, dia 20.

Sento com as costas retas.

— Onde vou encontrar com ele?

— No parque, como ele disse. Mais ou menos na hora do almoço. Você vai lá com seus Pais Para Sempre no dia 20, e sua avó vai ficar com a Wendy.

— Começo o basquete na semana que vem — conto para Patrice.

— Isso mesmo — ela diz. — A Olimpíada Especial começa esse mês. Talvez você possa contar isso para o Rick na próxima carta. Talvez possa convidá-lo para vir ver alguns dos seus jogos.

No meu cérebro, imagino Rick. Meu Pai Biológico. Ele está sentando na arquibancada da escola, me vendo fazer cestas de gancho, enterradas e de bandeja. Rick não é um homem grande. Ele vai ser um homem pequeno com ombros magros e cabelos longos e negros e nariz pequeno. Vai sorrir o tempo todo e usar meias brancas, brancas com sapatos pretos. E grandes óculos de sol.

Ele vai ser meu maior fã.

— E talvez tenhamos que falar sobre a entrevista — diz Patrice.

Saio do meu cérebro e fico com a boca bem fechada olhando para o teto, como se não tivesse ouvido. Porque não quero ir à *entrevista*. Pensar na *entrevista* me faz querer entrar em uma mala e me fechar lá dentro. Porque na *entrevista* tenho que falar com um *detetive* e contar para ele todas as coisas que Crystal com C fez e falou. Em vez de ir ao julgamento. Mas não quero falar com um *detetive*, nem mesmo com um bando de assistentes sociais por perto. Porque *detetive* é outra palavra para *policial*.

— Falta pouco tempo — fala Patrice. — Mas a gente pode falar sobre isso por telefone daqui a um ou dois dias. Tudo bem?

Saio depressa do meu cérebro.

— Sim, tudo bem — digo.

EXATAMENTE 8H24 DA MANHÃ, SEGUNDA-FEIRA, 8 DE NOVEMBRO

O pessoal da secretaria da escola está sorrindo para minha Irmã Para Sempre. E ela dorme em cima do balcão, na cadeira do carro. Minha Mãe Para Sempre está parada junto do balcão, sorrindo enquanto as funcionárias fazem biquinho e falam "oh!" e "que fooofa" e "liiiin-da". É como se só lembrassem de longos sons de vogais.

Estou sentada na beirada de um banco ao lado de uma lata de lixo. Tem muito papel amassado lá dentro e algumas aparas de um apontador de lápis. Uma embalagem de barra de granola, aveia e canela e um miolo escuro de maçã com *exatamente* duas mordidas do lado que consigo ver.

— E como vai seu marido? — pergunta uma das secretárias. A mais velha. Sei que ela não gosta nada de mim. Está ali sempre que vou à secretaria falar com a diretora. Ela sempre diz para eu sentar no mesmo lugar. Na ponta do banco de madeira na frente da janela de vidro virada para o corredor. É como se o lugar na ponta do banco fosse só para mim.

— Fiquei sabendo que foi difícil encontrar um substituto para ele no colégio. E dizem que tirou licença médica até o fim do ano. Ele está certo, é claro. Quero dizer, ninguém jamais questionaria esse tipo de coisa. É que um ano letivo inteiro é muita coisa. E você? Sua sócia conseguiu assumir todos os pacientes? *Tão bom* que *você* veio com a bebê!

Ela me dá uma olhada de relance. Como se eu fosse um cachorro que tivesse mastigado o sapato de alguém. Faço uma cara feia para ela.

— Ele está bem — diz minha Mãe Para Sempre. — Hoje foi ao médico, pressão alta, e é por isso que vim com a Ginny. E sim, a dra. Win está atendendo meus pacientes, por enquanto. Não sei o que teria feito sem ela.

A outra secretária diz:

— Acho que alguém acordou!

Minha Irmã Para Sempre mexe um pé. As duas secretárias prendem a respiração. Olhos e bocas ficam maiores e paralisados.

Minha Irmã Para Sempre volta a dormir.

As secretárias recomeçam a falar.

— Ela está comendo cereal de arroz? E dorme a noite toda? Eu dava cereal de arroz para minhas filhas na mamadeira antes de...

No meu cérebro, lembro da minha Boneca Bebê. Ela nunca teve cereal de arroz nem pessoas sorrindo para ela. Ou uma cadeirinha no carro, ou uma mãe que a envolvesse em cobertores legais.

Minha perna começa a chutar o pé do banco com o calcanhar.

— Ginny, quer parar com isso? — diz minha Mãe Para Sempre sem olhar para mim, porque está olhando para minha Irmã Para Sempre, que dorme como uma boneca ou um gato morto, ou sei lá. Como um bebê eletrônico de plástico que nem se mexe. Eles não entendem que quando um bebê dorme é hora de deixá-lo em paz e ir procurar comida. Achar alguma coisa que você possa mastigar para deixar bem molinho, colocar na boca da minha Boneca Bebê e ajudá-la a engolir. Achar alguma coisa para comer para minha barriga não ficar tão apertada. E esticar os braços para a frente e movimentar os ombros, porque fiquei segurando minha Boneca Bebê por tanto tempo para ela ficar feliz que todo meu corpo dói, dói, dói.

— Ginny, para! — diz minha Mãe Para Sempre.

Chuto com força mais uma vez e empurro a perna na direção da lata de lixo. Ela faz um barulho alto e cai. Fico feliz. Minha Irmã Para Sempre levanta as mãozinhas fechadas. As secretárias e minha Mãe Para Sempre fazem barulho de respiração e olham para ela. Depois para mim. Estão bravas.

— Ginny — diz minha Mãe Para Sempre —, você pode, por favor, ficar aí sentada e ter paciência? E pega aquela lata de lixo. Você quase acordou a Wendy.

Levanto do banco, abaixo e ponho a lata de lixo em pé. Jogo os papéis amassados dentro dela. Pego o miolo de maçã. Do outro lado tem uma mordida inteira que eu não tinha visto. Quero esconder o miolo de maçã atrás das costas, mas não vou, porque todo mundo está olhando. Patrice me explicou como minha Mãe Para Sempre amamenta a Bebê Wendy, mas ainda acho que tenho que procurar comida para ela e mastigar para ajudá-la a comer.

Olho para o miolo de maçã na minha mão. Faço um grande esforço para me obrigar a jogá-lo na lata de lixo.

— O que está achando de ser irmã mais velha pela primeira vez, Ginny? — pergunta a secretária mais nova.

É uma pergunta que ela não devia ter feito. Porque não sei como responder. Para responder eu teria que ter nove anos de novo e estar no outro lado do Para Sempre. Teria que sair deste lado para voltar lá.

— Ginny?

— O que é?

— Gosta de ser a irmã mais velha?

Suspiro. E respondo que sim com a cabeça.

EXATAMENTE 5H53 DA NOITE, QUARTA-FEIRA, 10 DE NOVEMBRO

Estou no carro a caminho da Olímpiada Especial com meu Pai Para Sempre. Estou usando minha camiseta azul e calça curta de moletom, a que mostra meus tênis e as meias. Os cadarços estão bem justos e amarrados. Estou *pronta para qualquer coisa*.

Quando chegamos ao estacionamento da escola já tem muitos carros. Está escuro e é difícil enxergar alguma coisa. Meu Pai Para Sempre diz para eu não abrir a porta e descer. Tenho que esperar ele vir abrir. Não é uma boa ideia correr em um estacionamento, porque você pode ser atropelado por um carro ou van, ou talvez uma motocicleta. Motocicletas são *extremamente perigosas* se você não estiver usando um capacete.

Enquanto ando, penso em Gloria. Se ela soubesse que meu treino é às seis da tarde toda quarta-feira, talvez viesse ver. Talvez até tentasse me sequestrar. Ela é *impulsiva* o bastante para tentar. E depois ela teria problema com a polícia. Olho em volta. Não vejo o Carro Verde em lugar nenhum, mas vejo um carro de polícia. Fico perto do meu Pai Para Sempre. Ele acena para o policial no carro, e o policial acena de volta.

Faço uma cara feia e cruzo os braços.

Entramos na escola e vamos para o ginásio. Quando chegamos lá, vejo Brenda Richardson, a mãe e o pai dela. Brenda Richardson é uma aluna nova que vai para a Sala Cinco. Vejo Larry e Kayla Zadambidge e mais um monte de crianças. Algumas são da escola, mas uma boa parte veio de outras cidades. Não sei o nome deles. Vejo uma grande quantidade de cabeças diferentes e todas se movem muito depressa, tanto que não consigo contá-las. Larry me vê e acena com uma das muletas.

A sra. Dana é uma das treinadoras. Ela mostra como se perfilar com os parceiros e passar a bola de basquete para a frente e para trás. Mostra como arremessar de bandeja e fazer arremessos livres. Mostra como levantar os braços para as pessoas no outro time não conseguirem passar a bola. Tem muita coisa para aprender, mas sou boa em aprender, então eu gosto disso.

O outro é o Treinador Dan. Ele é legal, mas também é homem, por isso não falo com ele. Só falo com a sra. Dana.

Todo mundo na Olimpíada Especial se abraça quando erra, mas eu não gosto de abraços, então só bato a mão na deles. Adoro a Olimpíada Especial. É como Bubbles encontrando muitos outros chimpanzés ou o Pequeno Michael Jackson encontrando os irmãos ou Michelle Whipple encontrando várias outras Michelle Whipple, embora Michelle Whipple seja uma *verdadeira bunda mole*, o que é basicamente uma expressão. Porque uma pessoa não pode ser uma bunda mole de verdade. Mas a Olimpíada Especial é a melhor coisa. É *a bomba*, que é como Larry fala e mal posso esperar para voltar à Olimpíada Especial na próxima semana, na quarta-feira depois do jantar, *exatamente* às seis horas.

Alison Hill joga a bola para mim. Ela quica lá longe na quadra. Só treinei um pouco, mas preciso de uma bebida.

Vejo meu Pai Para Sempre e ando na direção dele. São *exatamente* 6h13. Ele está sentado na arquibancada com os outros Pais Para Sempre, falando com um homem vestido com uma jaqueta de couro do Patriots e um boné de couro do Patriots. Peço minha garrafa de água ao meu Pai Para Sempre. Ele me dá e eu bebo um gole.

— Está se divertindo lá? — ele pergunta.

— Sim, estou — respondo quando acabo de beber, porque, se você fala enquanto bebe água, a água cai da sua boca. Suco também. E leite. Quando o leite cai da sua boca, você tem que limpar depressa com um pano molhado e depois chupar. No meu cérebro, vejo minha Boneca Bebê deitada no meu cobertorzinho.

Então eu lembro. Lembro o que devia estar fazendo. Devia ter voltado ao apartamento para cuidar da minha Boneca Bebê. Ou devia estar cuidando dela no Canadá. Não devia estar jogando.

Alguém grita meu nome. Não sei quem é e não me interessa. Porque estou mergulhando no meu cérebro.

— A sra. Dana te ensinou um passe novo hoje — diz meu Pai Para Sempre.

Não o vejo.

— Preciso voltar — falo.

— Tudo bem — ele diz.

Viro e dou dois passos.

— Ginny?

Saio do meu cérebro e olho em volta. Vejo as arquibancadas e as luzes e o ginásio à minha volta. Estou confusa.

— Não está esquecendo uma coisa? — diz meu Pai Para Sempre.

Olho para minhas mãos. Ainda estou segurando a garrafa de água. Devolvo a garrafa. Ele ri. O som me faz sorrir um pouco.

Então ouço outra voz. O homem de jaqueta de couro do Patriots está rindo com a gente, mas ele ri mais do que eu queria que ele risse. Mais do que devia rir. Não é uma risada cruel, mas ele está rindo demais.

Olho para o homem de um jeito duro. Ele para de rir e eu olho para outro lugar.

— Oh — diz meu Pai Para Sempre —, quase esqueci. Estava falando com a Vovó e o Vovô. Eles perguntaram se você não quer passar algumas horas na casa deles no sábado, enquanto sua mãe e eu saímos. O que acha?

— Não posso dormir fora no sábado, 20 de novembro — respondo. O homem de jaqueta de couro do Patriots olha para o teto. — Ou na sexta-feira, 19 de novembro. Porque no sábado vou ao parque encontrar Rick e na sexta preciso me preparar.

— Você tem uma ótima memória — diz meu Pai Para Sempre. — Mas estou falando do próximo sábado, dia 13. E como está se sentindo sobre o encontro com Rick, já que falou nisso?

— Acho que é uma ótima ideia — falo.

— Que bom. Agora volte para a quadra! Você tem uns movimentos de basquete excelentes.

Volto para a quadra e, quando chego lá, a sra. Dana me entrega uma bola e fala para eu passar para Alison Hill. Olho para a arquibancada. Meu Pai Para Sempre está conversando de novo com o homem de jaqueta de couro do Patriots. Ainda não sei quem ele é, mas me sinto diferente quando olho para ele. Ele me faz querer silvar.

EXATAMENTE 6H44 DA MANHÃ, SEXTA-FEIRA, 12 DE NOVEMBRO

Estou na Casa Azul, embora devesse estar na escola. Hoje tive que faltar para poder ir à *entrevista*. Com meu Pai Para Sempre. Vamos sair logo depois do café da manhã.

Vou ao banheiro escovar os dentes e fazer xixi, depois olho o quadro branco. Está na parede ao lado da cozinha, a caminho da sala de estar. Meu Pai Para Sempre montou o quadro branco quando parou de trabalhar na escola pelo resto do ano para cuidar de mim. Ele disse que o quadro branco me ajuda a *organizar meu dia* e *não ser tão ansiosa*. Todos os dias ele escreve nele o que vamos fazer. Hoje o quadro branco diz *Ir a Wagon Hill* e depois *Ir à entrevista* e depois *Sair para almoçar* e *Para casa de novo, casa de novo, jiggety-jig*.

É um trecho de uma canção de ninar.

Vamos a Wagon Hill fazer um pouco de exercício. Exercício faz a gente se sentir melhor, ele sempre diz.

— E hoje preciso de você se sentindo ótima para aguentarmos a entrevista.

Eu me aproximo da mesa e sento no meu lugar. Ao lado do leite tem duas fatias de torrada, um pouco de iogurte de baunilha e uma tigela com nove uvas.

— Aonde vamos em Wagon Hill? — pergunto. Não gosto de ir a Wagon Hill porque sempre vamos lá para caminhar. Tem muitos e muitos caminhos diferentes por onde andar e todos se juntam, por isso a caminhada não termina até que alguém diga *é hora de ir para casa*, mas nunca sei quando isso vai acontecer.

— Ah, provavelmente vamos andar só um pouco. Não se preocupe... temos que voltar ao carro às nove e meia para chegar na hora da entrevista; então, nesse horário, vamos estar por perto do estacionamento.

Gosto que meu Pai Para Sempre me ajude a saber quando vamos fazer as coisas. Ele me deixa calma e segura. Quase como Michael Jackson.

Quando chegamos a Wagon Hill, paramos o carro e saímos a pé do estacionamento. Tem grandes campos abertos em todos os lugares, com um rio ao longe no meio das árvores e uma velha carroça no alto. Tem caminhos que atravessam os campos. No verão, a grama fica tão alta que os caminhos parecem um labirinto. Alguém apara a grama com um cortador gigante.

— Quer ir até o rio, ou ver a carroça? — meu Pai Para Sempre pergunta. Ele está usando a jaqueta verde de outono e respirando ofegante, porque estamos caminhando.

— Se a gente for até o rio, vamos poder nadar?

— Ginny, o dia está quente para novembro — ele diz —, mas ainda está muito frio para nadar.

E eu falo:

— Se formos até a carroça, vamos poder andar nela?

Ele fala não de novo, porque a carroça é uma antiguidade e não tem cavalos.

Então eu digo:

— Bom, como eu posso saber aonde quero ir, se não tem nada divertido para fazer em nenhum dos dois lugares?

— Hoje não viemos pela diversão, Garota Para Sempre. Viemos para fazer um pouco de exercício. — Ele para e se apoia em uma grande rocha. — Espera um minuto.

Olho para o relógio. Ele faz um barulho de respiração.

— Isso é muito *chato* — reclamo.

Meu Pai Para Sempre ri. E se afasta da pedra.

— Não, não é — diz. — Gosto de sair com você, sabe? Não ficamos juntos assim desde o verão. Vamos até a carroça. É mais perto.

O vento vai ficando mais forte quando subimos a colina. Estou com meu blusão vermelho e me sinto contente. Vamos até a carroça. Ela é verde. Tem mais três pessoas lá. Todas estão de jaqueta aberta, e consigo ver o que usam por baixo. Nenhum deles usa camiseta do Michael Jackson.

Meu Pai Para Sempre está sentado em um banco e se inclina para a frente com os braços em cima dos joelhos. Pergunto se posso subir na carroça. Ele diz que sim. Subo na parte de trás. O chão da carroça é feito de seis tábuas longas. Parece um lugar onde Michael Jackson poderia se apresentar, então começo a estalar os dedos da mão direita ao lado da perna direita. *Um, dois, três, quatro.* Depois dobro o joelho esquerdo e começo a mover o queixo para cima e para baixo.

Eu canto.

Canto "Billie Jean" em voz baixa e suave, e, quando chego ao refrão, vou cantando mais alto, mais alto. O vento sopra e empurra meu cabelo para trás. Olho para os campos e para o céu e canto como Michael Jackson. Falo "*urrú!*" e "*Áu!*" nos lugares certos.

Depois canto "Bad".

E "Beat It".

Faço todos os giros e paro na ponta dos pés. Quando termino, vejo as três pessoas que não usam camiseta do Michael Jackson. Elas estão no chão olhando para cima, para mim. E estão de boca aberta. A cara delas é estranha, mas uma delas começa a aplaudir e as outras também aplaudem.

Também vejo meu Pai Para Sempre. Ele está em pé ao lado de uma das rodas da carroça. Não lembro de ter visto ele ir até ali.

— Isso foi ótimo, Ginny, mas é hora de descer. Temos que ir — ele diz.

Bato o pé e faço uma cara séria.

— Não quero ir — digo. — Quero cantar mais uma.

— Ginny, está na hora. Desce daí *agora* — ele diz.

— Não *quero!* — falo mais alto.

Estou me *alterando*. Patrice diz que faço isso porque assim me sinto no controle da situação. Viro o rosto para o vento e deixo ele soprar meu cabelo para trás de novo. Levanto a mão como Michael Jackson faz e o aliso para trás.

As três pessoas sorriem para meu Pai Para Sempre e viram. É como se minha plateia estivesse indo embora, e eu bato o pé com mais força nas tábuas do chão. Uma mulher olha para trás, mas vira para a frente em seguida e continua andando.

— Ginny, por favor — diz meu Pai Para Sempre. Ele põe a mão no peito, desvia o olhar e respira fundo. — Não posso ficar aborrecido com isso. Não posso gritar ou ficar muito agitado. Desce daí. Desce e vamos andar um pouco. Depois vamos para a entrevista e almoçar. Você pode escolher onde quer comer.

Eu desço.

Gosto muito do meu Pai Para Sempre porque ele é legal. Não é tão legal quanto Michael Jackson. E ele não sabe dançar. Ou cantar. Mas ainda é bem legal.

EXATAMENTE 10H37 DA NOITE, TERÇA-FEIRA, 16 DE NOVEMBRO

Estou apoiada nas mãos e nos joelhos em cima do tapete. Minha Boneca Bebê está chorando em algum lugar, mas não sei onde. Não sei se ela está no meu quarto. Não sei se *eu estou* no meu quarto. Estou acordada, mas está escuro lá fora e está escuro dentro do meu cérebro. Quando estou lá, bem no fundo, tudo é o mesmo lugar. Todas as casas em que já estive ainda estão na minha cabeça e, quando acordo à noite com os olhos abertos, ainda posso cair em uma delas por acidente.

O choro está ficando mais forte. Não posso acender a luz, porque Gloria vai me ver. Ou Donald. Tenho que encontrar e esconder minha Boneca Bebê antes que eles apareçam. Vou pôr meu cobertorzinho em cima dela e esconder no armário. Ou na janela, talvez.

Encontro uma cama. Sinto o colchão e os lençóis. Olho atrás dela e embaixo das cobertas. Minha mão toca em uma grade de ventilação. Engatinho pelo quarto inteiro, procurando e procurando. Minha Boneca Bebê não está em lugar nenhum, mas ainda consigo escutá-la. Quero acender a luz, mas estou com medo, medo, medo.

Ouço passos lá em cima e mais choro. É minha Boneca Bebê lá em cima? Porque acho que não consigo ir lá ver sem ser pega. Os passos estão chegando mais perto. Quero me esconder, mas não posso deixá-la sozinha onde ela está. Seja onde for. Não posso pular a janela sozinha, porque

Gloria ou Donald vão encontrá-la, em vez de me encontrar. Então engatinho até o meio do quarto e fico em pé. Estou pronta para *perder a cabeça* e me transformar em um problema maior que o choro. Tenho que fazer os dois pensarem em mim. Só em mim e não na Boneca Bebê.

Respiro fundo. De olhos ainda fechados, começo a gritar. O mais alto que posso.

A porta se abre depressa. Sinto a luz acender. Continuo gritando com os olhos bem fechados. Tenho que fazer muito barulho para...

— Ginny! Acorda! Você precisa acordar! Está tudo bem!

Abro os olhos, mas não paro. Ouço uma voz de homem diferente, mas vejo Donald. Grito ainda mais alto para Gloria também descer.

— Ginny, acorda. Acorda! Ninguém vai te machucar!

E então...

— Para de gritar! — Agora é uma voz de mulher. Ela parece assustada.
— Ginny, por favor! Está assustando a bebê!

Paro e escuto.

— A bebê está tentando dormir de novo lá em cima. É só isso. É só isso.
— Minha Boneca Bebê está chor...

Estou saindo do meu cérebro. Vejo meu Pai Para Sempre. Ele está em pé na minha frente.

— Não — ele diz. — É a Bebê Wendy. A Bebê Wendy está lá em cima, tentando voltar a dormir.

O que significa que estou na Casa Azul. Estou com meus Pais Para Sempre. Estou segura.

Sinto meus joelhos e minhas pernas. Caio. Alguém me pega antes que eu chegue no tapete.

— Consegue voltar para a cama? — diz minha Mãe Para Sempre.

Respondo que sim com a cabeça. Meu Pai Para Sempre me ajuda a voltar à cama. Minha Mãe Para Sempre faz um barulho de respiração e arruma meus cobertores. Sua boca é uma linha bem, bem reta. Ela levanta o corpo e cruza os braços. Depois meu Pai Para Sempre traz uma toalhinha molhada. E põe a mão no meu ombro. Não me *encolho*, apesar de ele ser um homem. Fico deitada quieta e deixo ele limpar meu rosto.

— Foi só um pesadelo — ele diz. — Quer ir sentar com a gente na sala? Quer um pouco de companhia?

Balanço a cabeça para dizer que não.

— Tudo bem. Quer voltar a dormir?

Confirmo com a cabeça.

— Tudo bem — ele diz de novo. — Se precisar de alguma coisa, vai falar com a gente. Vamos ficar na sala um pouco até a bebê dormir. Certo?

Fecho os olhos e balanço a cabeça de novo, concordando. Sinto a luz apagar e eles saem.

Ouço os dois conversando em voz baixa do outro lado da porta. Abro os ouvidos para escutar.

— Por que tem que ser tão mole? — diz minha Mãe Para Sempre. — Não sei mais como vamos continuar com isso. Quando éramos só nós até que ia bem, mas agora é diferente. Ela não é confiável!

— Assumimos um compromisso...

— Bobagem! — ela diz. — Isso é bobagem! Nós não...

— Shh! E sim, ela é confiável! As circunstâncias...

— Agora está falando como Patrice! As coisas eram diferentes antes do sequestro! Antes da bebê *e* do sequestro. Antes de tudo... Ela era mais fácil de lidar! Era mais fácil de lidar com a *situação*! Mas você esqueceu o que ela fez com aquele boneco? E depois deu nosso endereço para a lunática da mãe dela, e a mulher veio aqui e ameaçou... e todos os repórteres e a polícia? E você teve que levá-la àquela maldita entrevista e lidar com todos os advogados! E depois teve que ir ao julgamento! Pensa na sua saúde! Seu médico disse... O que eu faria se... Orientador do colégio ou não, você mal está se aguentando em pé! Sei que tirou licença médica, mas eu já estou em casa há muito tempo. Alguns dos meus pacientes estão me deixando! Não podemos expor a bebê a tudo isso! Eu não vou!

As vozes ficam mais baixas. Sei que eles estão indo embora para conversar em outro lugar. Sei que, quando minha Mãe Para Sempre disse *ela não é confiável*, não estava falando da minha Boneca Bebê. Mas minha Boneca Bebê também não está segura, e eu sou a única que pode fazer alguma coisa sobre isso.

EXATAMENTE 6H22 DA NOITE, QUARTA-FEIRA, 17 DE NOVEMBRO

Meu Pai Para Sempre está sentado ao lado do homem de jaqueta de couro e boné do Patriots. Acho que ele gosta de azul e vermelho. Eles conversam muito. É como se fossem melhores amigos desde sempre.

Tem uma garota aqui que levanta as meias o tempo todo. Ela abaixa, puxa a meia esquerda, depois a direita, e depois fecha as duas mãos e grita *Yes!* quando é a vez dela de dar um drible, entrar no jogo ou fazer um arremesso. Ela diz que seu nome é Katie *MacDougall*. Não é Katie *McDonalds*. Ela diz que é de outra escola e está visitando Larry. Larry é primo dela. E Larry também diz que é primo *dela*. Não perguntei de qual escola ela veio e não perguntei onde ela mora ou quando faz aniversário ou qual é sua cor favorita, mas acho que é preto e cinza, porque as meias dela são dessa cor. Meus Pais Para Sempre falam que, quando conheço alguém, não devo perguntar onde a pessoa mora, quando faz aniversário e quantos gatos ela tem, porque isso é *um pouco invasivo*.

Do outro lado da quadra, Katie MacDougall está levantando as meias de novo. Eu também levanto as minhas. Com as meias esticadas me sinto *pronta para fazer qualquer coisa* além de amarrar os cadarços dos tênis bem apertados. Larry se aproxima de mim com as muletas e solta os braços para poder fazer uns arremessos para a cesta. Katie MacDougall se aproxima de nós. Ela tem a boca um pouco aberta e faz um barulho de respiração.

— Katie MacDougall — eu falo quando ela chega perto —, eu te conheço desde *aproximadamente 5h42*.

— É — ela diz.

— Vai me dizer quando faz aniversário?

— No dia 20 de setembro — ela responde.

— Vinte de setembro — eu falo. — *Exatamente* dois dias depois do meu aniversário. Ninguém me disse que eu era mais velha que você!

— Gostei das suas meias — Katie MacDougall fala, e levanta as dela mais uma vez.

Pego as minhas e as puxo para cima o máximo que consigo. Mais alto que as dela.

— É — falo. — Elas são a bomba.

Começo a jogar bola com Katie MacDougall, uma para a outra. Ela joga a bola com força demais e não consigo pegar. Ela passa por mim quicando e rola até a arquibancada. O homem de jaqueta de couro do Patriots pega a bola. Ele fica em pé, e vejo que meu Pai Para Sempre não está mais com ele. Meu Pai Para Sempre não está em lugar nenhum.

O homem está na minha frente segurando a bola. Ando na direção dele.

— Aqui está, Ginny — ele diz. E segura a bola com os braços estendidos. Eu a pego.

— Obrigada — falo. Não sei se ele é um estranho ou não, porque um estranho é alguém que você não conhece, e eu já o vi aqui.

— Está fazendo um bom trabalho — ele elogia. — Você é muito boa.

Falo obrigada de novo, mesmo sabendo que *Nós não falamos com estranhos*.

Ele continua olhando para mim como se estivéssemos conversando há muito tempo.

— Seu pai vai voltar já — ele diz.

E eu falo:

— Ele deve estar no banheiro.

O homem de jaqueta de couro do Patriots devia ir sentar de novo ou dizer: *Bem, é melhor você voltar lá*. Ele devia se comportar como um estranho comum. Mas não é o que faz. Ele só fica ali olhando para mim, e, quando olho em seus olhos, ele olha para o chão. Como fez no outro dia. Olho para onde ele está olhando, mas não vejo nada interessante ou diferente lá. Continuo olhando.

Depois, no ginásio, ouço Katie MacDougall falando sobre como quer tentar ser uma Harlem Globetrotters. Olho para o lado e vejo meu Pai Para Sempre saindo do banheiro, mas quero saber o que o homem de jaqueta de couro do Patriots está olhando, por isso levanto a cabeça e pergunto para ele.

— O que está olhando?

Ele engole e não levanta a cabeça.

— Só uma menina muito bonita que ficou legal — ele diz.

Seus olhos estão molhados. É como se ele fosse chorar, o que não faz sentido, porque ele é homem. Então, acho que tem alguma coisa nos olhos dele. Olho para o chão de novo. Vejo meus tênis e as botas dele. Quando olho para cima de novo, meu Pai Para Sempre está ali.

— Com licença — ele diz. — O que está acontecendo?

Eu digo:

— Esse homem está com os olhos molhados.

O homem de jaqueta de couro do Patriots limpa os olhos.

— Estávamos só conversando — diz.

— Não, não estão mais — meu Pai Para Sempre fala com a voz brava. — Não foi isso que combinamos.

— A bola rolou até a arquibancada — diz o homem de jaqueta de couro do Patriots. — Eu a peguei e devolvi para ela.

Meu Pai Para Sempre olha para mim. Mostro a bola. Nas minhas mãos, ela parece grande como o mundo inteiro.

— Ela não pode falar com estranhos — diz meu Pai Para Sempre.

— Eu sou um estranho?

— Estamos tentando ajudá-la a construir bons hábitos. Portanto, até ser apresentado no momento combinado, um estranho é *exatamente* o que você é. Certo, Ginny?

Balanço a cabeça para dizer que sim.

— Exatamente — falo.

O homem de jaqueta de couro do Patriots dá um passo para trás. Ele levanta as mãos.

— Tudo bem. Entendi. Foi mal — diz. E fala para mim: — Foi legal conversar com você, Ginny. — E se afasta.

— Vá jogar mais um pouco — meu Pai Para Sempre me fala.

E eu vou. Mas, quando passo a bola para Katie MacDougall, vejo meu Pai Para Sempre e o homem de jaqueta de couro do Patriots conversando de novo na arquibancada. Meu Pai Para Sempre está balançando a cabeça e apontando o queixo para a frente. Ele está falando alto e apontando, mas não está gritando. Eu me sinto mal pelo homem de jaqueta de couro do Patriots. Ele parece estar encrencado.

Fico feliz por não ter silvado para ele na semana passada.

EXATAMENTE 10H55 DA MANHÃ, SÁBADO, 20 DE NOVEMBRO

Estamos no carro indo ao parque para encontrar o Rick. Meus Pais Para Sempre vão ficar comigo o tempo inteiro, por isso não vou poder falar todas as coisas que quero falar. Ou pedir para ele me levar ao Canadá para encontrar Gloria e minha Boneca Bebê. Tenho que tomar cuidado como fiz na carta. Vou ter que esperar.

Levantei as meias nove vezes quando saímos de casa. Vou levantar as meias mais uma vez para dar sorte quando chegarmos lá. Não está muito frio, embora seja novembro, mas estou de capa de chuva de inverno e de chapéu.

Quando chegamos ao parque, espero meus Pais Para Sempre saírem primeiro do carro. Eles sempre me fazem esperar, porque gosto de sair depressa. Eles abrem a porta. Eu pulo do carro e levanto as meias mais uma vez, depois começo a procurar Rick. Não o vejo. Vejo só o estacionamento e algumas árvores sem folhas, o trepa-trepa e as balanças se movendo com o vento.

Então vejo um homem parado ao lado da gangorra. Ele está usando uma jaqueta azul e vermelha do Patriots e um boné azul e vermelho do Patriots. Minha Mãe Para Sempre se inclina para mim e diz:

— Ali. Está vendo ele?

E eu falo.

— Aquele é o homem da Olimpíada Especial.

— Na verdade, é seu Pai Biológico — explica meu Pai Para Sempre. — É o Rick.

E eu digo:

— Acho que ele gosta de azul e vermelho.

Rick se aproxima de nós. Ele e meu Pai Para Sempre trocam um aperto de mãos. Depois ele estende a mão para mim.

— Oi, Ginny — diz.

Aperto a mão dele. Não consigo ver seus olhos, porque ele está de óculos escuros. Mas vejo meus dois olhos refletidos nos óculos dele. Um em cada olho.

Não falo "Olá, Rick", ou "Oi", ou alguma coisa assim. Só aperto a mão dele e fico ali parada.

— Foi legal ter ido te ver na Olimpíada Especial — ele diz.

Não era uma pergunta, por isso não falo nada. Não quero falar, porque estou tentando entender o motivo de ele não ter me contado lá no ginásio quem era.

— Queríamos conhecer o Rick antes de ele vir te encontrar — diz meu Pai Para Sempre. — Queríamos que ele visse como você se relaciona com outras pessoas.

— Ouvi falar muito sobre você — diz Rick. — E, honestamente, foi difícil não poder vir te conhecer tão rápido quanto eu queria. Não te vejo desde que era um bebezinho. Só tivemos um dia juntos no hospital. Ver você no treino foi... foi incrível.

Ainda estou pensando, por isso não falo nada. Penso e penso.

Rick continua falando.

— Você entende, não é? — ele diz. — Não consegui ficar afastado. Mas seus novos pais queriam ser cuidadosos, depois de tudo que aconteceu. E não dá para dizer que estejam errados.

Quando fala *seus novos pais* ele baixa um pouco a cabeça.

Rick parece ser um homem quieto e legal. Acho que ele vai me levar direto para o Canadá se eu pedir. Ele vai *fazer tudo que puder* para tentar me ajudar. Só preciso dar um jeito de fazer meus Pais Para Sempre irem embora, então pergunto a ele:

— Onde está seu caminhão?

— Não tenho um. Dirijo um Honda velhinho.

— Na carta você disse que *dirige caminhão*.

Ele sorri e balança a cabeça.

— É verdade, mas os caminhões não são meus. Dirijo para várias empresas diferentes. Tenho até uma licença especial para poder transportar cargas realmente importantes. É. — Quando fala *é*, ele sorri com a boca um pouco de lado e puxa a jaqueta com as duas mãos.

— E onde está seu Honda velhinho? — Vejo minha imagem dançando nos óculos dele. Fico pensando em qual delas é Ginny e qual é (-Ginny). Queria saber qual delas é a verdadeira eu.

Ele aponta para o estacionamento. Eu vejo um carro cinza lá.

— Gloria tem um carro verde. A janela está quebrada — conto. — Mas já foi consertada.

— Você se lembra do carro da sua mãe? Caramba, eu também lembro daquele carro.

— Vi o carro no dia 14 de setembro no estacionamento da escola.

— Acho que é hora de ir brincar na balança — diz meu Pai Para Sempre.

— Podem ir vocês dois — eu respondo. — Vou ficar aqui conversando com meu Velho Pai Rick.

Minha Mãe Para Sempre ri.

— Desculpa, mas temos que ficar juntos.

Aponto para os balanços.

— Podem ficar juntos lá se quiserem, e nós ficamos juntos aqui.

— Ginny, não vai sair do alcance dos nossos olhos — meu Pai Para Sempre fala. — Não depois do que aconteceu.

Ele está falando do sequestro.

— Sabe, ir no balanço é uma ótima ideia — diz Rick. — Estou com vontade de balançar.

Vamos para os balanços. Todos juntos. Estou brava porque meus Pais Para Sempre *não vão me deixar sair do alcance dos olhos deles*. Estou pensando se *eles já perceberam minha jogada* também.

Escolho um dos balanços e começo a balançar. Rick senta no que está ao meu lado. As correntes são frias. Meus Pais Para Sempre ficam na nossa frente observando. Acho que não vou conseguir perguntar o que quero perguntar, por isso digo:

— Sabe se alguém vai olhar minha Boneca Bebê?

E ele fala:

— Olhar sua Boneca Bebê? Não, não sei nada sobre isso.

E eu digo:

— Preciso encontrar a Boneca Bebê porque ela pode estar com fome. Você acha que Gloria está *se comportando de um jeito bem razoável*?

Rick olha para meus Pais Para Sempre. Eles levantam os ombros e olham para ele. Rick dá impulso e começa a balançar.

— Então, sobre o que vamos conversar? — ele pergunta.

— Você não respondeu.

— Caramba, não sei — ele diz. — É só uma boneca, certo? Não tem outra coisa sobre a qual queira conversar?

— Sim — eu digo.

— O quê?

Olho para meus Pais Para Sempre e baixo a cabeça. Sei que eles estão me ouvindo, por isso não posso perguntar o que realmente quero perguntar. Faço a segunda melhor pergunta então.

— Quero saber se pode ir ao apartamento da Gloria para ver se ela está cuidando bem da minha Boneca Bebê.

Rick arrasta as botas na areia. Ele olha para meus Pais Para Sempre. Os dois olham para ele.

— É o mesmo assunto, não é? Seus pais me contaram que você pensa na velha Boneca Bebê o tempo todo. Deve sentir muita falta dela.

Balanço a cabeça.

— Sim, eu sinto — falo.

— Talvez a gente possa comprar uma nova para você então — ele diz. — Nunca consegui te dar um presente, então talvez...

— *Não*. Não quero uma nova. Quero que vá ver se a velha está segura. Gloria não sabe cuidar dela.

— Tudo bem, tudo bem — concorda Rick.

Minha Mãe Para Sempre fala:

— Não, Rick, não fala *tudo bem*. Ela vai levar a sério.

— O quê? Ah, entendi — diz Rick.

— Ginny, ele falou *tudo bem, não vai comprar uma Boneca Bebê nova para você*. Não se preocupe. Não vamos deixar ele fazer isso com você. — E ela explica para Rick: — Era disso que estávamos falando. Ela não desiste da ideia. Não adianta tentar.

— Sempre pensei que não custa tentar — Rick diz em voz baixa. E olha para mim. — Você tem uma cor favorita?

Tento não me distrair, mas preciso responder.

— Gosto de vermelho — respondo.

— Eu também gosto de vermelho. Vermelho e azul.

— São as cores do Patriots — eu falo.

Ele ri.

— Adoro os Pats — diz.

— Quando a gente pode ter uma *temporada*? — falo. — Quando a gente pode *dar um tempo para todo mundo*?

— É muito cedo para isso — meu Pai Para Sempre fala em seguida. — Não é, Rick?

Rick fica quieto por *exatamente* três segundos.

— É — diz. — É muito cedo. Mas podemos marcar outro encontro talvez. — Ele vira a cabeça e olha para o meu Pai Para Sempre. — *Isso* é possível?

As sobrancelhas do meu Pai Para Sempre formam um V.

— É claro que sim — diz minha Mãe Para Sempre. — Afinal, queremos que vocês dois passem muito tempo juntos. Tanto quanto for possível.

— Mas sem temporada ainda — diz Rick.

— Isso. Sem temporada ainda — responde meu Pai Para Sempre.

EXATAMENTE 12H41 DA TARDE, SEGUNDA-FEIRA, 22 DE NOVEMBRO

Somos só eu e Larry na mesa. Alison Hill, Brenda Richardson e Kayla Zadambidge estão na fila pegando o almoço. A sra. Carol está em pé ao lado do bebedouro conversando com outra professora. Ela está olhando para mim, mas não está perto o bastante para eu ouvir.

— Como foram as coisas com o tal do Rick no fim de semana? Ele é legal? — pergunta Larry.

Eram duas perguntas, mas sei que as duas significam a mesma coisa, então digo:

— Ele é o homem da Olimpíada Especial.

— Aquele com quem seu outro pai sempre conversa?

Respondo que sim balançando a cabeça. Larry também balança a cabeça.

— Uau — ele diz. — Quem podia saber?

— Ninguém sabia — eu falo. — Só meu Pai Para Sempre.

Larry faz uma cara engraçada.

— Por que chama ele de Pai Para Sempre o tempo inteiro? Sei que é adotada, mas não pode chamar o cara só de pai? Você não vai morar com mais ninguém.

Eu penso.

— Vou ter uma *temporada* com o Rick — falo. — Meus Pais Para Sempre precisam de um tempinho.

— Um tempo da própria filha? Isso é esquisito — diz Larry. — Fala aí, você não está pensando em ir morar com o tal do Rick, está? Porque, baby, se você for embora...

Ele para de falar. Depois, com voz trêmula, começa a cantar uma música sobre como só Deus sabe o que ele faria sem mim. Às vezes para de cantar e fala *dum-dum, dum, dum*, começa baixinho e vai subindo o tom.

— Saca? — ele diz quando termina a canção.

Ele quer dizer *Você entende?*, por isso respondo:

— Não, Larry, não saco.

— Não quer ser minha... você não quer que a gente seja namorado e namorada? Um dia, quero dizer.

— Não, Larry — falo de novo.

— Cara, isso é uma droga — ele diz. E joga uma das muletas no chão. Ela faz barulho quando cai. Seu rosto está tensionado e tem lágrimas saindo do canto dos olhos. Depois ele fala: — Estou dizendo que nós, os especiais... nós temos que nos unir, sabe? Nenhum de nós tem chance com uma garota normal. Com uma pessoa normal. Mas tudo bem, eu entendi. Você não está interessada. Podemos ser só amigos. Mas ainda não quero que você vá embora. Vai ficar sempre aqui em Greensborough, não vai?

Não falo nada. Uso o garfo para virar o espaguete no prato na minha bandeja. Tenho que responder à pergunta, a menos que eu demore muito pensando em uma resposta e Larry fale outra coisa.

E é *exatamente* o que acontece.

— Bom, espero que você fique. No ano que vem, vamos para o ensino médio. O ensino médio dura quatro anos inteiros. Vai ser um arraso. Não quer fazer o ensino médio em outro lugar, quer?

— Não — eu falo. Porque não quero ir para nenhum colégio. Quero ir para o Canadá cuidar da minha Boneca Bebê. Ou ficar em outro lugar com ela. Qualquer lugar. Cinco anos é muito tempo, e, agora que Crystal com C está na cadeia, tenho que manter a Boneca Bebê a salvo de Gloria.

— Ah, que bom. Às vezes, acho que você não suporta isso aqui. Parece que nunca está feliz. Tem coisas boas para você, sabe? Como eu. Faço qualquer coisa por você. Não sabe disso?

— Sei — eu digo. E vou sempre me lembrar.

EXATAMENTE 11H41, SEXTA-FEIRA, 26 DE NOVEMBRO

Rick está no meu quarto agora. Comigo e com os meus Pais Para Sempre. Minha Mãe Para Sempre está na porta, e meu Pai Para Sempre está sentado na cama. Ontem foi Dia de Ação de Graças, por isso hoje ele veio fazer uma visita. Vai ficar para almoçar. Meus Pais Para Sempre disseram que queriam que ele visse como eu sou em casa. Querem que ele veja como arrumo meu quarto para ele poder se preparar para a nossa *temporada*. Eles estão com a gente agora, mas, quando saírem, vou pedir para ele me levar para o Canadá e falar para a Gloria ir me encontrar lá.

— O que você gosta de comer no café da manhã? — Rick pergunta. Ele está olhando para os meus pôsteres do Michael Jackson e para a minha agenda. — Você realmente gosta de acompanhar todos os aniversários.

— Ovos, cereal, panqueca e torrada francesa — eu falo. — E torrada com manteiga, bacon e aveia. E nove uvas. Com um copo de leite humano.

Ele se inclina para a frente para olhar os livros na minha estante. Depois olha para minhas fotos. Todas as molduras são vermelhas.

— Sabe cozinhar? Não tem problema se não souber.

Balanço a cabeça para dizer que sim.

— Crystal com C me ensinou a fazer ovos mexidos — falo.

Rick endireita o corpo.

— Você sempre a chama de *Crystal com C* — ele diz. — De que outro jeito as pessoas escrevem *Crystal*? Com C-H, talvez?

Respondo que não com a cabeça.

— Com K — falo.

— Com K? Acho que nunca vi ninguém escrever *Krystal* com K.

— É como escrevemos o nome da minha Boneca Bebê — digo.

Os olhos da minha Mãe Para Sempre ficam tão grandes quanto os da sra. Carol.

— Ginny, você acabou de dizer que sua Boneca Bebê tem um nome? — meu Pai Para Sempre pergunta.

Respondo que sim mexendo a cabeça.

— E o nome dela é Krystal com K?

Repito o movimento.

— Quem disse isso?

— Gloria.

— Mas você sempre a chama de *minha Boneca Bebê* — diz minha Mãe Para Sempre.

— Krystal com K é minha Boneca Bebê. — Eu me escuto falar.

Krystal com K. As palavras são estranhas quando falo, porque nunca tinha pronunciado nenhuma delas. Porque no meu cérebro minha Boneca Bebê *vai ser sempre meu bebezinho*, como Crystal com C falou. É Gloria quem mente, e Crystal com C fala a verdade.

— Espera — fala meu Pai Para Sempre. — Sua Boneca Bebê tem um nome de verdade. Quem escolheu o nome da Krystal com K? — Um de seus olhos fica mais estreito e a boca entorta um pouco para o lado.

— Gloria escolheu Krystal com K para ficar diferente de Crystal com C — respondo.

— Ginny, está dizendo que... que sua Boneca Bebê é um *bebê de verdade*? — minha Mãe Para Sempre pergunta.

Tudo para. Tudo congela. Porque eles *entenderam*. Eles finalmente, finalmente entenderam.

Balanço a cabeça e tento dizer *sim* com a boca, mas a palavra está presa. Não consigo fazê-la sair. Meu cérebro não consegue soltá-la, porque ele chamou minha Boneca Bebê de Krystal com K, embora seja esse o nome dela. Então, de repente, a palavra sai sozinha e ouço minha voz dizer:

— Sim. — E depois: — Sim! — De novo.

Porque é isso que estou tentando falar para as pessoas há cinco anos inteiros.

— Puta merda — diz meu Pai Para Sempre.

— Tem um *bebê de verdade* e Gloria deu a ela o nome da sua tia? Da Crystal *com* C? — minha Mãe Para Sempre pergunta.

— Sim!

Rick está balançando a cabeça e movendo as mãos no ar.

— Não sei nada sobre isso — ele fala —, mas Gloria sempre admirou Crystal. Elas eram muito próximas. Crystal cuidava dela quando as duas eram mais novas. Eu não me surpreenderia se ela tivesse escolhido o nome de um bebê por causa dela.

Confirmo tudo balançando a cabeça.

— Então, porque a chamava de minha Boneca Bebê?

Penso.

— Porque era meu trabalho *cuidar muito bem dela*. Além do mais, eu não sabia escrever o nome. Além do mais…

— Preciso dar um telefonema — minha Mãe Para Sempre me interrompe. — Preciso fazer uma ligação agora. Rick, vamos ter que abreviar a visita. — Ela sai da sala apressada.

— Mas eu acabei de chegar — ele diz. — Se é para fazer isso dar certo, vocês têm que…

A voz do meu Pai Para Sempre fica mais alta.

— Rick — ele diz.

— Tudo bem, tudo bem. Ginny, eu mando um e-mail para você hoje à noite, pode ser?

— Rick, por favor, vá embora. Você precisa ir! — Minha Mãe Para Sempre berra.

Rick balança a cabeça.

— Que gente — ele diz. Depois pega o casaco e sai.

EXATAMENTE 4H17 DA TARDE, SEGUNDA-FEIRA, 29 DE NOVEMBRO

— Tem acontecido muita coisa na sua vida — diz Patrice. — De novo. — Ela está sentada na cadeira de estampas de flor.

— Ãrrã — eu falo, porque estou com a boca cheia de bolacha graham cracker.

— Está gostando de passar um tempo com seu Pai Biológico? Com o Rick?

— Ãrrã.

— Que bom. Logo vai poder ir visitá-lo na casa dele. O plano é que você vá passar um fim de semana lá depois do Natal. Todo mundo está torcendo para você se sentir confortável com ele. Para querer ficar com ele. Talvez até ir morar com ele, se gostar de Rick o suficiente para isso. Ele parece gostar de você de verdade, embora não se dê muito bem com seus Pais Para Sempre.

Balanço a cabeça concordando com ela e dou mais uma mordida na bolacha.

— Sabe, liguei para o pessoal do Serviço Social depois que sua mãe telefonou para mim — diz Patrice. — Pedi para irem fazer uma visita ao apartamento da Gloria. Ela era a principal suspeita quando a investigação do sequestro estava em andamento, por isso se acostumou com a polícia e outras pessoas fazendo perguntas. Mas ela não estava esperando o Serviço

Social de novo. E eles foram com a polícia. Pode imaginar o que encontraram quando chegaram no apartamento?

— Um gato maine coon?

— Não. Sua irmãzinha. Encontraram sua Boneca Bebê.

Paro de mastigar e escuto.

Patrice faz um barulho baixo de respiração e fica quieta, mas ouço um apito nos meus ouvidos que vai ficando cada vez mais alto. Sinto cada fio de cabelo na minha cabeça se eletrizar.

— As assistentes sociais bateram na porta, e, quando Gloria abriu, o policial entrou e ela estava lá. Sua irmã. E sim, foi uma cena e tanto, mas o que importa é que estávamos errados, Ginny. E eu sinto muito. Faz cinco anos que você está dizendo que sua Boneca Bebê é um bebê de verdade, e você estava certa. Krystal com K não tem nenhum documento. Por isso ninguém sabia. Gloria conseguiu mantê-la bem escondida. Devia estar com muito medo de que a polícia tirasse a criança dela.

Balanço a cabeça.

— Gloria não gosta da polícia — falo. — E ela é *uma espertinha.*

— Ninguém vai negar — diz Patrice. — Mas estamos começando a juntar as peças agora. É quase como se houvesse um grande quebra-cabeça bem embaixo do nosso nariz, e, agora que o vemos, conseguimos finalmente montá-lo. Então, de novo, sinto muito, eu peço desculpas. Mas também me sinto animada, porque estou começando a entender. Entendo por que você sabe tanto sobre cuidar de bebês.

Quero falar para a Patrice que estou feliz. Quero dizer a ela que estou muito, muito feliz, muito feliz, mas mergulho cada vez mais fundo no meu cérebro e só posso falar o que vejo. O que lembro.

— Era meu trabalho cuidar dela — digo. — Gloria disse que eu tinha que cuidar muito bem da minha Boneca Bebê e fazer ela ficar quieta.

— Ela disse isso? — Patrice pergunta.

Mas não escuto nada do que Patrice diz. Só escuto Gloria. *Cuida muito bem da sua Boneca Bebê, Gin. Não deixe ninguém ver ou ouvir a bebê. Donald vem hoje à noite e quero que seja mágico.* Foi quando aprendi a pôr o dedo na boca da minha Boneca Bebê para ela chupar e ficar quieta.

E quando aprendi a pegá-la no colo e falar *sh, sh, sh*. Para ela ficar quieta. E a colocar leite ou maionese em uma colher para alimentá-la, porque depois de um tempo não tinha mais mamadeira, mas eu ainda tinha que fazer ela ficar quieta.

O silêncio é o que mais me causa medo, embora ele me mantenha segura. Vejo Gloria sair para ir encontrar o traficante. A porta fechar quando ela sai.

— Gloria deixava você com a Krystal com K o tempo todo — escuto Patrice dizer. — Ela costumava sair por horas e horas para ir a festas ou usar drogas. Você mantinha Krystal com K escondida para não ser vista pelos vizinhos. E a pior parte é que, quando ficava em casa, Gloria estava sempre furiosa demais para cuidar da bebê, ou muito louca.

— Eu fiz um bom trabalho cuidando da minha Boneca Bebê — digo. — Posso voltar a cuidar dela, por favor?

Patrice olha para mim de um jeito engraçado.

— Sabe, estava pensando em quantos anos Krystal com K tem agora. Você sabe? Não sei nem quando ela faz aniversário.

— Dezesseis de novembro.

— Dezesseis de novembro? Queria saber quantos anos ela tem. Vamos ver.

Patrice olha para o teto e começa a contar nos dedos. Sei que ela está tentando fazer uma conta.

Engulo o que tenho na boca e bebo um gole de leite.

— Minha Boneca Bebê tem *aproximadamente* um ano.

Patrice não mexe a boca. É como se o sorriso estivesse congelado.

— Só um ano? — diz. — Isso significa que ainda não tem idade para ir à escola.

Balanço a cabeça concordando com ela.

— Você precisa ter cinco anos para ir para o jardim de infância.

— E quantos anos faz que você saiu do apartamento da Gloria?

— Qua... — Começo, mas paro, porque lembro que meu aniversário é no dia 18 de setembro. Eu falava *quatro anos* o tempo todo quando as pessoas me perguntavam há quanto tempo eu tinha saído do apartamento da

Gloria, mas agora são *cinco*. Porque passou mais um ano. — *Cinco anos* — falo.

— Exatamente — diz Patrice.

— Exatamente — eu falo, mas não sei porque digo isso. Estou ocupada demais pensando.

— Foi uma grande surpresa quando você falou o nome dela para todo mundo no fim de semana passado. Ninguém sabia que ela tinha um nome.

— Eu chamava de *minha Boneca Bebê* — respondo.

— Isso. Porque ela era realmente como sua Boneca Bebê. Você carregava e cuidava dela o tempo inteiro. Mas faz... quanto tempo mesmo? Ah, lembrei. Cinco anos. Cinco anos inteiros... e por isso você quer tanto ir vê-la. Muita coisa pode ter acontecido nesse tempo. Quer ter certeza de que ela está segura.

— Sim. Preciso ver se Gloria está trocando a fralda e se ela tem comida para comer. Além disso, se não tem ninguém lá para fazer ela ficar quieta quando Gloria recebe um amigo homem para... — Paro de falar e olho para baixo. Tem muitas migalhas no meu colo. — Preciso ter certeza que ninguém vai machucar a minha Boneca Bebê.

— Acho que podemos ajudar com isso — diz Patrice.

Levanto a cabeça.

— O Serviço Social vai voltar ao apartamento — ela diz. — Vão mandar algumas pessoas lá para verificar os fatos e esclarecer algumas coisas. E também vão visitar a cadeia para conversar com a Crystal com C.

— O que significa *verificar os fatos*?

— Significa que algumas assistentes sociais vão visitar o apartamento para entender por que não tem nenhum registro do nascimento da Krystal com K. Hoje, na verdade. Temos nossas suspeitas, mas precisamos ouvir o que Gloria tem a dizer. E essas pessoas vão garantir a segurança da pequena Krystal.

— Pequena Krystal.

— Cinco anos é muito tempo para Gloria cuidar dela, não acha?

Eu penso. E penso e penso um pouco mais.

— Sim — falo. — Cinco anos é muito tempo.

EXATAMENTE 12H41 DA TARDE, TERÇA-FEIRA, 30 DE NOVEMBRO

— O nome da minha Boneca Bebê é Krystal com K e ela nasceu no dia 16 de novembro — digo. — É minha irmã. Ela ainda mora com a Gloria, mas *você precisa acreditar que ela está segura*. Porque *ela está bem, certo?*

Respiro fundo e abro os olhos. Estou na mesa da cantina com todas as crianças da Sala Cinco, é hora do almoço.

— Mas eu não moro mais com a Gloria. Moro com meus Pais Para Sempre na Casa Azul. E ontem à noite Patrice telefonou para me contar que as assistentes sociais foram ao apartamento e descobriram que Gloria teve um *parto não documentado*. Porque Gloria *deu à luz* minha Boneca Bebê no apartamento da Crystal com C. Ela não tem nem *número do seguro social* nem *vacinas*, mas agora vai ter. Acho que preciso beber alguma coisa.

Puxo minhas meias para cima até onde elas chegam. A sra. Carol está sentada ao meu lado, ouvindo por trás dos óculos.

— Vai com calma, Ginny — ela diz.

Brenda Richardson olha para mim por cima da mesa. Ela está com a testa enrugada e a boca aberta.

— Espera. Você tem uma irmã? — ela diz.

— Isso mesmo. O nome dela é Krystal com K e ela nasceu em novembro. É minha Boneca Bebê. Não esqueceu o aniversário dela, esqueceu?

— Pensei que o nome da sua irmã fosse Wendy — diz Brenda Richardson.

— Essa é minha Irmã Para Sempre.

— Mas ela é bebê, não é?

— Sim. As duas são bebês. Bebês *de verdade* com pés. E bocas que abrem muito. Mas estou falando da Krystal com K.

— Onde ela mora? — pergunta Larry.

— Com a Gloria.

— E onde a Gloria mora? — Kayla Zadambidge quer saber.

— No apartamento onde o Carro Verde fica estacionado. Em Harrington Falls.

— Na Califórnia? — Larry levanta, estende os braços e começa a cantar uma música sobre encerar pranchas de surfe.

— Ginny precisa beber alguma coisa! — grita Kayla Zadambidge.

Alguém me dá um achocolatado já com o canudinho.

— A polícia me tirou da Gloria porque ela não cuidava bem de mim. Mas Krystal com K ficou no apartamento porque eu tinha escondido ela na...

Paro de falar. No meu cérebro, vejo novamente tudo que aconteceu. Depois lembro que Crystal com C encontrou minha Boneca Bebê.

Todo mundo parece confuso.

— Talvez deva falar com a sra. Lomos — diz Kayla Zadambidge.

— A sra. Lomos já falou comigo. Ela diz que minha Boneca Bebê ser um bebê de verdade explica muita coisa — eu falo. — Ela nasceu no dia 16 de novembro. Todo mundo anotou?

Larry e Kayla Zadambidge começam a procurar papel e lápis na bolsa. Brenda Richardson dá uma mordida no biscoito.

— Eu também tenho irmã — ela conta. — O nome dela é Peg.

— Você carregava ela no colo e cuidava dela pequena? Era o que eu fazia com a minha — digo.

— Peg é mais velha que eu — diz Brenda Richardson.

— Quero cuidar muito bem da Krystal com K. Quero enrolar meu cobertorzinho nela de novo e dar muito leite humano. Nada de leite do peito. Isso é diferente. Ela pode dormir na minha cama como antes, embaixo do meu braço.

— Baby, sei que ama sua irmã, mas acho que devia ficar aqui com a gente. Não quer ir embora, quer?

Pego o achocolatado de novo e bebo um gole. Depois deixo a caixa em cima da mesa.

— Não sei por que as assistentes sociais deixam ela ficar com a Gloria. Gloria não sabe cuidar de bebês. Ela fica brava e...

Paro de falar de novo.

— Gloria é sua mãe? — Brenda Richardson pergunta.

Meu cérebro me empurra de volta para a conversa.

— Não sabe que eu já te contei isso? Gloria é minha Mãe Biológica. Ela é a única Mãe Biológica que eu vou ter. — Arranho meus dedos. — E Rick é meu Pai Biológico. Ele quer que eu vá passar um fim de semana na casa dele depois do Natal. Diz que vai ser bom para *dar um tempo para todo mundo*. Além do mais, minha Mãe Para Sempre não gosta mais de mim porque acha que eu sou uma menina maluca. Ontem à noite ouvi quando ela disse para o meu Pai Para Sempre que não vê a hora de eu ir embora. Que eles vão poder *respirar de novo*.

Tento pensar, mas não sei mais o que pensar. A sra. Carol escreve alguma coisa em um caderno.

— Ginny precisa de outra bebida! — Kayla Zadambidge fala de novo.

Larry põe a mão no meu ombro. Eu me *encolho*, mas ele tira os braços das muletas, se ajoelha e canta para mim sobre um surfista que está observando o mar. Alison Hill dá uma risadinha. Mas eu não consigo prestar atenção no Larry. Mergulho de novo no meu cérebro. As assistentes sociais não entendem que Gloria não pode cuidar da minha Boneca Bebê. Não entendem que ela fica brava e bate. Não entendem que Crystal com C *passava algumas horas com elas todos os dias*.

O que significa que preciso falar para a Patrice avisar para que não deixem Gloria sozinha com ela. Gloria precisa de alguém por perto o tempo todo, ou minha Boneca Bebê vai *sofrer grave abuso e negligência*, que foi o que aconteceu comigo.

Alguém empurra um litro de leite na minha direção por cima da mesa. Dessa vez é leite puro. Pego o canudinho do achocolatado e bebo tudo.

EXATAMENTE 2H48 DA TARDE, QUARTA-FEIRA, 1º DE DEZEMBRO

Meu Pai Para Sempre não está em casa. Ele tem que estar lá quando desço do ônibus, mas não vejo o carro dele na entrada da garagem. Ele parou de trabalhar depois do sequestro para poder cuidar de mim. Talvez tenha ido a outra consulta com o médico. Ele agora vai ao médico o tempo todo.

Quero dizer a ele que preciso falar com a Patrice de novo. Só pelo telefone. Preciso falar com Patrice agora para ela contar às assistentes sociais que Gloria fica brava e bate. Preciso avisar que não podem deixar ela sozinha com a minha Boneca Bebê.

O ônibus vai embora. Eu entro em casa. Deixo a mochila no meu quarto e vou até a escada. E escuto.

Ouço a porta do quarto da minha Mãe Para Sempre fechar.

Não quero ir lá em cima, mas tenho que ir. Meu Pai Para Sempre disse que *é melhor* eu deixar minha Mãe Para Sempre em paz. Mas tenho que pedir para alguém ligar para a Patrice. Minha Boneca Bebê não está segura.

Subo a escada sem fazer barulho. Paro na frente do quarto. Bato na porta.

Ela não fala *entra*, ou *espera um minuto*, não fala nada. Não escuto nenhum ruído.

Então eu abro a porta.

Ela está na cama segurando a Bebê Wendy. Seus olhos são frestas finas.

— Ginny, sai daqui! — ela rosna.

— Mas eu preciso...

— Agora!

Respiro fundo. Tento ficar calma.

— Eu preciso... — falo de novo, mas ela me interrompe.

Com um berro.

— Ginny, sai daqui, droga! Fique longe de mim e da minha bebê!

Fecho os olhos e grito de volta.

— Preciso falar com Patrice!

Ouço a Bebê Wendy chorar. Bem ali na minha frente.

Dou um passo à frente. Sei como ajudar um bebê que está chorando.

Minha Mãe Para Sempre levanta depressa.

Eu recuo.

Mas o bebê está chorando mais alto, e eu falo *sh, sh, sh*. Estendo os braços para pegar o bebê.

Alguma coisa atinge meu rosto. E me derruba no chão.

O choro fica mais baixo. Mais distante. Minha cabeça dói e eu ouço passos. Ouço a porta da frente bater. Levanto, fico de joelhos. Minha Mãe Para Sempre sumiu, e a Bebê Wendy sumiu, e não ouço mais o choro, mas escuto o barulho do carro. Quando fico em pé e olho pela janela, vejo o carro saindo de ré. Ele chega na rua e vai embora.

EXATAMENTE 1H58 DA TARDE, SÁBADO, 4 DE DEZEMBRO

Nevou na noite passada. Estamos em Wagon Hill e eu vou andar de trenó com meu Pai Para Sempre. Não sei que horas são *exatamente* porque estou de luvas e não consigo ver o relógio. Estou usando meus óculos escuros grandes sobre os óculos comuns, e quando saio do carro eu falo:

— Sei o que está pensando. Estou a cara do Michael Jackson.

E ele diz:

— Tem razão. Era exatamente isso que eu estava pensando.

Wagon Hill é muito divertido no inverno, porque é um ótimo lugar para andar de trenó. Viemos andar de trenó no inverno passado, antes da minha Mãe Para Sempre saber que estava grávida. É a melhor montanha de trenó do mundo. É mais comprida que o campo de futebol do colégio, e é inclinada. Dá para ir bem depressa nela. É uma excelente distração, o que é ótimo, porque as coisas foram *um pouco intensas* ontem na Casa Azul. Foi isso que meu Pai Para Sempre falou quando avisou que íamos andar de trenó. Depois eu disse que precisava falar com Patrice, e ele falou que ia ligar para ela imediatamente. E ligou. Ele até me deixou falar com ela pelo telefone, e ela disse para eu não me preocupar, porque as assistentes sociais já estavam visitando Gloria todos os dias. Mesmo nos fins de semana. E eu fiquei feliz. Patrice falou que me daria uma atualização quando eu fosse visitá-la na quarta-feira, e para eu tentar não ficar muito *obcecada* com isso.

Já havíamos descido a montanha uma vez e foi ótimo, mas, quando você chega no fim da descida, tem que subir de novo. Não tem ninguém para te levar de ônibus ou te puxar de volta ao topo. Pergunto ao meu Pai Para Sempre se ele pode me puxar de volta, e ele diz que não. Tem outros pais puxando seus filhos, e eu pergunto:

— Bom, por que não?

A respiração dele é barulhenta. O rosto dele está vermelho.

— Porque você pesa cinquenta e sete quilos, e aquelas crianças têm só quatro ou cinco anos de idade — ele diz.

Mas ainda vejo muitas crianças sendo puxadas.

— Isso não é justo — falo. — Olha todas aquelas crianças. Não precisam andar. Isso é *chato*.

Meu Pai Para Sempre continua andando. O topo da colina está muito longe. Às vezes, ele faz uma pausa para descansar e respirar e eu vejo muitas nuvens saindo da boca dele. Eu preferia estar em casa vendo um vídeo ou ouvindo Michael Jackson, ou lendo um livro por *exatamente* trinta minutos. Ou organizando minha mochila para a *temporada*. Subir a colina não é nada divertido.

— Não pode me levar de carro, ou alguma coisa assim? — falo. — Não estou me divertindo nada.

Ele vira.

— Compramos chocolate quente no caminho para cá?

— Sim. Na Dunkin' Donuts — eu falo. — Estava muito quente, e falamos que a gente provavelmente devia deixar no carro para esfriar um pouco, para não queimar a língua.

— E você não estava esperando desde o verão para vir andar de trenó?

— Sim.

— Então, será que pode, talvez, tentar ser um pouco mais grata?

Sei que às vezes a gente tem que fingir que está agradecida, ou apanha. Mas meus Pais Para Sempre não batem. Dizem que *não acreditam nisso*, o que significa que não preciso fingir. Mas, na quarta-feira, que foi há três dias, minha Mãe Para Sempre me bateu quando tentei pegar a bebê. Então, talvez agora ela bata, mas meu Pai Para Sempre ainda não me bateu.

Além do mais, *grata* significa que você está feliz com alguma coisa, ou que gosta dela, ou que talvez não se importa. Mas eu me importo por ter que subir a montanha.

— Isso é muito, muito *chato* — digo.

Meu Pai Para Sempre levanta as mãos e as deixa cair contra as pernas.

— Vamos — ele diz. — A gente chega lá em cima mais depressa se continuar andando.

Vou atrás dele.

— Não tem nada mais divertido que a gente possa fazer? — falo.

Ele vira de novo.

— Você é doida? Estamos aqui porque você queria andar de trenó, e agora não quer nem ir? Tem ideia de quanta titica aguentamos por sua causa? Tem ideia de como minha pressão está alta? Sua mãe não sai do quarto e eu estou perdendo muito tempo de trabalho. Isso não é rotina, Ginny. Isso é insuportável. Estou tentando ser o mais atencioso e generoso possível, mas não sei quanto tempo ainda vamos aguentar.

Titica é cocô que sai da galinha, mas às vezes é uma expressão.

— Está brincando comigo, não é? — falo. Olho para ele através dos óculos.

Mas meu Pai Para Sempre não ri nem sorri como costuma fazer.

— Vamos para casa — ele diz. — Chega de trenó por hoje. Eu não aguento isso.

— Mas eu quero descer mais uma vez! — digo. E bato o pé.

— O carro está logo ali — ele diz, e aponta para uma área ao lado da montanha. — Vamos chegar mais depressa se cortarmos caminho pelas trilhas. Presta atenção nos trenós, está bem?

Ele começa a andar pelas trilhas de trenó. Uma menininha desce bem na frente dele em um trenó inflável que tem o formato de uma rosquinha. Ele espera a menina passar, depois atravessa. Mas eu não quero ir para casa e fico onde estou. Ele vê que não me mexi e volta. Mais dois trenós passam depressa. Quando chega perto de mim, ele está respirando com muito, muito esforço.

— Ginny, você tem que voltar para o carro comigo. Se não for, não vai poder assistir aos vídeos nem ouvir Michael Jackson por uma semana.

Cruzo os braços e começo a andar ao lado dele.

— Isso não tem graça! — falo. — Vou batendo os pés na neve. — Não vou aceitar esse tratamento! Quero ir morar com o Rick!

— Ginny! — meu Pai Para Sempre grita. — Cuidado!

Mas não estou ouvindo, porque tenho mais para falar.

— Eu vou...

Meu Pai Para Sempre segura meu braço e me puxa para ao chão. Algumas crianças pequenas começam a gritar e rir. As vozes estão bem perto da minha orelha, depois elas deslizam para longe. De onde estou deitada na neve, vejo um grande e comprido trenó de madeira com quatro crianças nele. O trenó desce a encosta depressa.

Sento. Depois fico em pé. Tem neve na minha calça e no casaco.

— Estou brava! — falo. Algumas pessoas param de subir a encosta. Olham para mim.

Meu Pai Para Sempre também levanta.

— Ginny, aquele trenó quase te atropelou! E está reclamando porque te tirei da frente? Vamos para o carro — ele diz, e segura meu braço.

Eu me *encolho*.

— Não tem permissão para me tocar — falo quando me estico de novo. — Este é *meu* corpo! Patrice disse isso! Ninguém tem permissão para tocar meu corpo, a menos que eu diga que pode! E não estou dizendo que pode!

Porque não gosto nem um pouco quando homens tocam em mim. Todos eles deviam ficar lá em cima, com a Gloria no quarto dela, e me deixar em paz.

Ele põe a mão no peito e respira mais forte.

— Se não começar a andar para o carro, pode usar essa droga desse seu corpo para ir a pé para casa — diz. — E, se eu chegar no carro antes de você, vou beber seu chocolate quente.

— Ah, não, não vai! — digo. Começo a andar depressa. Passo por ele e saio do caminho quando mais três trenós descem a encosta. Continuo andando e andando, e chego ao lugar onde os carros estão estacionados. Fico parada ao lado do nosso até meu Pai Para Sempre chegar. Ele destrava a porta, e eu entro. Ponho o cinto de segurança e pego meu chocolate quente. Está morno, em vez de quente, e eu fico feliz.

EXATAMENTE 3H55 DA TARDE, QUARTA-FEIRA, 8 DE DEZEMBRO

— Então a data vai ser sexta-feira, sete de janeiro — diz Patrice. Quero perguntar a ela sobre a *atualização*, mas ela deu uma data *real* e datas são importantes. Quando escuto uma data, tenho que colocá-la no meu cérebro e pensar nela. Muito.

Além do mais, estou animada. Dia 7 de janeiro é quando vou para a casa do Rick. Para uma *temporada*. Ele vai ter um quarto todo arrumado para mim, mas espero nem ter que ir vê-lo. Espero que ele me leve diretamente para o Canadá. Vou falar com ele sobre isso assim que entrarmos no carro. As assistentes sociais vão visitar Gloria todos os dias para manter minha Boneca Bebê segura, e depois Gloria vai com ela de carro até o Canadá para encontrar a gente. Então, eu assumo e *cuido muito bem dela* de novo.

— Ele vai te buscar na escola — diz Patrice. — Suas coisas estarão prontas no banco de trás.

— Meu cobertorzinho vai estar lá? — pergunto. Porque, se meu plano secreto der certo, não vou voltar para a Casa Azul. Não me importo de deixar todo o resto, mas não meu cobertorzinho, porque minha Boneca Bebê gosta dele e vou precisar de alguma coisa para enrolar nela à noite.

— É claro — diz Patrice. — Você vai ajudar seu pai a arrumar tudo na noite anterior.

— Na noite de quinta-feira — eu falo.

Patrice assente.

— Na noite de quinta-feira. Só vai precisar de roupas para dois dias, mas é claro que pode levar seu cobertor. Agora, vamos falar sobre sua Mãe Para Sempre. Fiquei sabendo que aconteceu alguma coisa entre vocês duas na semana passada. Maura ligou para contar.

— Ela me bateu.

— Por que ela fez isso?

— Porque eu ia pegar a bebê.

— Ela falou para você *não* pegar a bebê?

— Não.

— O que ela disse?

— Ela disse *sai daqui, droga*.

— É errado bater nas pessoas, Ginny. É completamente inaceitável e nunca, nunca é permitido. E sei que você sabe disso. O que sua Mãe Para Sempre fez foi errado, e já conversei com seus pais sobre isso. Mas ainda preciso te pedir uma coisa. Você tem que lembrar que temos que ficar longe de quem está gritando com a gente. Essas pessoas não são confiáveis. Não foi seguro se aproximar da sua Mãe Para Sempre quando ela estava brava. Vai lembrar disso? Consegue manter uma distância segura da sua mãe se ela ficar brava e gritar de novo?

— Não.

— Por que não?

— Porque ela pode estar segurando um bebê, e o bebê pode estar chorando. Sei como ajudar bebês que estão chorando.

— Eu acredito em você. Mas um bebê chorando não está necessariamente em perigo. A Bebê Wendy estava em perigo quando você tentou pegá-la?

— Não.

— O que estava pensando quando tentou pegá-la?

— Eu estava pensando na minha Boneca Bebê.

— Foi o que eu imaginei. Então, talvez a gente deva falar sobre como perceber a diferença entre o que é real e o que existe na nossa mente. — Ela para e lambe os lábios. — Ginny, quero saber como se sente com sua

Mãe Para Sempre. Ela mudou muito desde que você voltou para casa e ela teve bebê. Como se sente com ela?

Eu penso. Não me sinto feliz ou triste com minha Mãe Para Sempre. Só me sinto animada e ansiosa sobre ir para o Canadá.

Patrice continua falando.

— Ginny, parte do meu trabalho é te ajudar a *criar vínculos. Criar vínculo é formar um relacionamento forte* entre você e outra pessoa. Sei que tem problemas com as emoções por causa do autismo, mas algumas coisas aconteceram e tornaram extremamente difícil o vínculo entre você e sua mãe, a proximidade entre vocês duas. Seu pai está fazendo um ótimo trabalho ao cuidar e passar um tempo com você. Ele está se esforçando muito para manter todo mundo junto, mas isso está provocando um estresse enorme para ele. Odeio dizer isso, mas não sei nem se o vínculo entre você e sua mãe é possível agora. É preciso *querer* o vínculo. Eu sei que *você* está disposta, mas se ela não...

Ela para. Eu espero.

— Tem a ver com a Bebê Wendy — Patrice diz finalmente. — Você precisa mostrar para ela que é confiável para a bebê. Que ter você na casa é seguro para a bebê.

E eu digo:

— Não tenho permissão para tocar nela *de jeito nenhum*. Essa é a regra mais importante.

Patrice desvia o olhar.

— Isso mesmo — diz. Seus olhos estão molhados. — Nem quando ela chora. Nem quando você pensa que ela precisa comer alguma coisa. Nem que tocar a bebê seja, provavelmente, a coisa que mais ajudaria nesse momento.

EXATAMENTE 2H51 DA TARDE, QUINTA-FEIRA, 16 DE DEZEMBRO

Estamos sentados na sala de reunião em torno de uma mesa grande. Todas as cadeiras estão ocupadas.

— Parte do objetivo da reunião de hoje é apresentar Rick para os professores da Ginny — diz a sra. Lomos. — Rick?

— É um prazer conhecer todos vocês — diz Rick. Ele se levanta e sua cadeira bate na estante de livros atrás dele. Ele balança, tira o boné da cabeça o amassa entre as duas mãos e senta de novo.

— Oi, Rick — meus professores falam. Todos estão ali. A sra. Winkleman e a sra. Dana, a sra. Carter e a sra. Henkel. Sra. Carol, sra. Merton e sr. Crew. Até a sra. Devon, a diretora. E meus Pais Para Sempre.

— Precisamos informar a todos aqui que Rick é o Pai Biológico de Ginny, e pode acontecer de ele vir buscá-la na escola — diz a sra. Lomos. — No momento, Ginny usa o ônibus, mas vai haver dias em que seus Pais Para Sempre vão telefonar para avisar que Rick virá buscá-la.

— Ele tem nossa permissão — diz minha Mãe Para Sempre. — Toda a papelada está assinada na secretaria. E vocês também estão autorizados a conversar com ele sobre as notas e o histórico de Ginny. Rick está se tornando uma parte importante da vida dela.

— Vou para a casa dele para uma *temporada* no dia sete de janeiro — eu falo.

Todo mundo sorri e assente, menos meu Pai Para Sempre. Ele olha para o chão e tem rugas na testa.

— Tenho certeza de que vão se divertir — diz a sra. Lomos.

— Minha Mãe Para Sempre diz que precisa de um tempo — falo.

Todo mundo fica *exatamente* quieto.

— As coisas têm sido bem difíceis em casa e na escola — a sra. Lomos fala bem depressa. Ela olha para todo mundo. — Todos nós fazemos de tudo para manter nossas crianças seguras, mas todo mundo precisa de um tempo de vez em quando. Ginny não é exceção.

Rick move a cadeira e faz um barulho com a boca.

— Quer falar alguma coisa? — pergunta a sra. Lomos.

— Só queria que alguém falasse sobre como ela é uma mocinha encantadora — diz Rick. — E sobre como ela pode ser inteligente e divertida. Com toda essa história de cuidar da segurança e dar um tempo, parece que estamos tentando colocá-la dentro de uma caixa. Estamos tentando mantê-la longe de tudo. Não sou psicólogo, mas acho que ela precisa ficar mais próxima das pessoas.

Estou confusa e minha Mãe Para Sempre sabe disso. Ela estende a mão para tocar a minha, mas a puxa de volta embaixo da mesa.

— É uma expressão, Ginny — ela diz. — Ninguém vai pôr ninguém em uma caixa. — E para Rick: — Sim, Rick. Todo mundo sabe que ela é uma solucionadora de problemas bem criativa. E cheia de recursos. Estamos muito felizes por você poder fazer parte da vida dela e ver pessoalmente quanto ela pode ser encantadora.

Rick olha para baixo e para o lado. Depois para ela de novo.

— Eu só...

Mas minha Mãe Para Sempre o interrompe.

— Obrigada, Rick — ela diz. — *Muito* obrigada.

EXATAMENTE 3H03 DA TARDE, QUARTA-FEIRA, 22 DE DEZEMBRO

Hoje à noite vai ter um Concerto de Inverno, e Rick e meu Pai Para Sempre vão me ver tocar flauta. Minha Mãe Para Sempre vai ficar em casa com minha Irmã Para Sempre. Rick vem comer com a gente antes de sairmos. Vamos fazer um lanche *exatamente* às quatro e meia. Depois vou vestir meu *traje de concerto*, e saímos.

Rick está entrando agora.

— Patrice diz que as assistentes sociais foram no apartamento — falo para ele. — Ela diz que estão fazendo uma investigação. Vão fazer uma visita todos os dias.

— Aposto que Gloria não gosta disso — diz Rick. Ele tira o casaco. Meu Pai Para Sempre o pega e pendura no armário. Vamos sentar na sala. Sento no sofá, e meu Pai Para Sempre senta ao meu lado. Rick senta na poltrona ao lado da janela. Minha Mãe Para Sempre fica na porta. Seu cabelo está mais comprido do que eu lembrava.

— O relatório que elas escreveram dizia que *no momento em que chegaram* minha Boneca Bebê *não exibia sinais incomuns de estresse* — eu falo. Porque Patrice leu o relatório para mim por telefone ontem à noite.

— Ah, isso é bom — diz Rick.

— Elas vão fazer uma visita todos os dias — eu digo —, porque Crystal com C não está mais lá. Elas vão *ficar de olho nas coisas* por um tempo.

Rick bebe um gole de café.

— Nunca pensou que Gloria pode ter mudado?

— A camiseta dela é diferente.

— Sim, mas estou dizendo que *quem ela é* pode ter mudado. As mães também são pessoas, você sabe. Elas mudam, como todo mundo. Pelo que entendi, as coisas eram bem difíceis para a Gloria quando você estava com ela no apartamento. Você é uma garota muito especial, Ginny. Além do mais, havia um bebê, e ela era uma viciada.

No meu cérebro, entendo que ele está certo. As pessoas mudam. Eu mudei e ninguém sabe disso. Mudei para (-Ginny).

— Acha que ela não fica mais brava nem bate? — eu falo.

— Eu não disse isso — Rick responde. — Mas, honestamente, a gente não sabe se ainda é assim. Como eu disse, as mães mudam.

— Minha Mãe Para Sempre mudou.

Meu Pai Para Sempre endireita as costas do outro lado do sofá. Minha Mãe Para Sempre também estica o corpo.

— É mesmo? — diz Rick.

Balanço a cabeça para dizer que sim.

— Ela...

— Ginny — meu Pai Para Sempre fala —, Rick está certo. Gloria provavelmente mudou muito desde que você saiu do apartamento. Mas temos que deixar as assistentes sociais terminarem a investigação. Ninguém percebeu que sua tia ia lá todos os dias para ajudar Gloria a cuidar da sua Boneca Bebê.

— Quem sabe? — diz Rick. — Se Gloria tiver a ajuda de que precisa, talvez ela possa vir te ver.

Todo mundo olha para Rick.

— Acho que isso não vai acontecer — diz minha Mãe Para Sempre.

— Por que não? — Rick pergunta.

— É, por que não? — eu falo.

— Porque eu não vou permitir — ela diz.

— Estamos falando de alguém que participou de um sequestro — meu Pai Para Sempre fala.

— Crystal está presa — diz Rick.

— Crystal *com* C — eu falo.

— Sim, mas não acha que ela agiu sozinha, acha? — pergunta meu Pai Para Sempre. — Não sabemos o que a polícia descobriu, mas não acredito que as duas não tenham trabalhado juntas. O caso está longe de ser encerrado, mas, fala sério, Gloria não é alguém que queremos perto de Ginny. Ela é muito instável.

— Como eu disse antes, as pessoas mudam — insiste Rick. — Vocês nunca tiveram uma fase difícil? Eu tive. E olhem para nós agora.

Eu olho, mas não vejo nada diferente. Espero que ninguém olhe para mim.

— Gloria jamais virá a esta casa para fazer uma visita — diz minha Mãe Para Sempre. — Nem passando por cima do meu cadáver.

— Tudo bem — diz Rick. — Sei como é. Sou um pouco mais aberto que você, só isso. Talvez um pouco mais inclinado a perdoar.

— Só queremos garantir a segurança de todo mundo — fala meu Pai Para Sempre.

— Eu sei, eu sei — responde Rick. — Mas às vezes é mais seguro reunir as pessoas do que mantê-las separadas. Mas reconheço o que estão fazendo aqui. Comigo e com Ginny. Poder vê-la e falar com ela depois de todos esses anos tem me preenchido. E se tudo der certo...

Ele para de falar e sorri para mim. Não sei por que, mas sorrio de volta.

EXATAMENTE 11H56 DA NOITE, SEXTA-FEIRA, 24 DE DEZEMBRO, VÉSPERA DE NATAL

Exatamente às sete da noite, eu tomei banho na casa da Vovó e pus o pijama, embora não estivesse no meu quarto na Casa Azul. Todo mundo sabe que o verdadeiro significado do Natal é *Jesus Cristo Salvador do Mundo*, mas o que interessa são os presentes. Tinha muita gente na casa da Vovó e todos tinham presentes para mim. Ganhei uma camiseta nova do Michael Jackson e um livro sobre Michael Jackson, e também algumas roupas e livros de colorir. E um quebra-cabeça do Michael Jackson e uma caneca do Michael Jackson.

Depois de abrir os presentes, comi peixe, brócolis e chucrute e uma coisa chamada pierogi, que tem carne e queijo, purê de batatas e salada, e depois do jantar, *exatamente* às 9h07, comemos pequenas salsichas no palito e *kielbasas*, e eu vomitei na pia. Queria comer mais, porém minha Mãe Para Sempre disse não, porque já era o suficiente.

Agora estou sentada no carro e estamos voltando para casa. O relógio do carro diz que são 11h56. Já passou da minha hora de dormir, mas durante a semana inteira falamos sobre como não tem problema em ficar acordada até tarde na véspera de Natal, porque essa data é uma ocasião especial. Minha Irmã Para Sempre está dormindo na cadeirinha do carro e meu Pai Para Sempre está dirigindo.

Subimos pela entrada da garagem da Casa Azul. Tudo está coberto de neve, porque nevou hoje à tarde, *aproximadamente* quatro horas, quando estávamos na casa da Vovó, mas agora tem marcas novas de pneus no chão. Do carro, vejo que tem um grande presente na varanda, perto da porta.

Todos nós saímos do carro. Meus presentes estão em uma sacola com duas alças. Olho para o presente grande na varanda. Acho que é para mim, porque gosto de presentes. Queria abrir aquele. Vejo um envelope preso na porta. Meu Pai Para Sempre diz:

— Ginny, volta para o carro com sua mãe e sua irmã.

Todo mundo entra no carro. Meu Pai Para Sempre vai até a varanda e cutuca o presente com o pé, abre o envelope, tira um papel de dentro dele e lê.

Está escuro e está ficando frio no banco de trás.

Meu pai termina de ler o papel e abre a porta de casa. Ele abre a porta depressa. Então entra e acende todas as luzes. Depois sai, volta para o carro, abre a porta e diz:

— Tudo bem. Vamos entrar, vou dar uns telefonemas rápidos.

Ele abre a porta do carro para todo mundo descer e me fala para não tocar no presente, para entrar e esperar.

Paro e olho para o presente. Tem doces no papel.

— O que diz a carta? — pergunto.

— Desculpa, não posso contar. Entra o mais depressa que puder. Isso é importante, Ginny.

Dentro de casa, guardo todos os outros presentes que trouxe da casa da Vovó no meu quarto, e minha Mãe Para Sempre fala para eu subir com ela enquanto ela arruma minha Irmã Para Sempre para dormir. Ela diz para eu entrar no banheiro e me lavar. Lá embaixo, escuto meu Pai Para Sempre no telefone. Ele fala alguma coisa sobre uma carta e sobre ter sido ofendido, já que invadiram sua casa. Pensei na palavra ofendido, que é uma palavra do *Pai Nosso*, que é uma oração, que é uma coisa que falamos na igreja. Mas não acho que ele esteja falando com um padre. Escovo os dentes e lavo o rosto. Quero descer para pegar a escova de cabelo no meu quarto, de onde posso olhar pela janela, mas minha Mãe Para Sempre diz para eu ficar onde estou até meu Pai Para Sempre desligar o telefone.

Quando termino de passar fio dental, meu Pai Para Sempre já subiu e está no quarto. Ele fala com minha Mãe Para Sempre e depois dá boa noite para a Bebê Wendy. Eles dizem para eu descer e me arrumar para dormir.

— Agora posso perguntar sobre o presente na varanda? — falo.

— Desculpa, não — responde meu Pai Para Sempre. — Podemos conversar sobre isso amanhã, quando você acordar. Lembra que horas tem que acordar amanhã?

— Às nove — falo, porque gosto de acordar às nove horas. Isso me ajuda a lembrar quantos anos tenho.

Vou para a cama. Estou pronta para a chegada do Papai Noel, mas ainda quero saber o que é o presente grande na varanda. Imagino que meu Pai Para Sempre sabe, porque ele leu a carta. Queria que ele me contasse o que está escrito lá.

Estou imaginando que o presente é de Gloria, porque eles tentam não falar sobre ela. Acho que Gloria trouxe um presente de Natal para mim e o deixou na varanda. O que significa que, se estivéssemos em casa quando ela veio, meus Pais Para Sempre teriam chamado a polícia.

Começo a arranhar os dedos.

Escuto meus Pais Para Sempre conversando na sala, mas não consigo ouvir o que dizem. Quero ir lá falar com eles sobre o presente e sobre Gloria, mas sei que eles vão ficar bravos. Então fico na cama. Vou dormir até *exatamente* nove horas da manhã, como devo fazer, e depois vou levantar. Vai ter muitos presentes para abrir, mas não vou me importar, porque vai estar claro e eu vou poder olhar pela janela. Vou pedir de novo para o meu Pai Para Sempre falar sobre o presente. Espero que ele fale *abertamente* como Patrice.

EXATAMENTE 6H16 DA MANHÃ, SÁBADO, 25 DE DEZEMBRO, NATAL

Vamos abrir os presentes quando eu acordar, *exatamente* às nove horas, mas ainda são só 6h16 e minha Mãe Para Sempre está no meu quarto. Ela diz que preciso acordar cedo porque temos que ir de novo para a casa da Vovó. Vamos abrir meus presentes lá.

— Mas ainda não são nove — eu falo. Olho para o relógio e agora são 6h17. Minhas cortinas continuam fechadas e as luzes estão acesas no meu quarto.

— Houve uma mudança nos planos — diz minha Mãe Para Sempre. — Vá no banheiro e se vista. Use o banheiro lá em cima, está bem? Já pusemos as coisas no carro, vamos voltar para a casa da Vovó assim que você estiver pronta.

Agora estou escovando o cabelo na frente do espelho. Ainda está escuro lá fora. Encosto a cabeça na janela preta e fria. Minha respiração embaça o vidro. O grande presente da Gloria está lá na varanda. Crystal com C disse que Gloria *me ama loucamente*. Mas ela não sabe como cuidar de crianças pequenas ou bebês. Também não sabe cuidar dela mesma, ou não teria trazido o presente até aqui. Porque foi muito, muito perigoso, embora eu queira saber o que tem na caixa. É como se Para Sempre fosse uma coisa que ela tem que invadir, e está usando o presente para isso. Como se estivesse lá fora tentando passar pela escuridão. A escuridão dentro do presente. Ou como se estivesse abrindo caminho para sair de lá. Ela está se esforçando muito, muito, muito. Primeiro abriu uma brecha na Casa Azul, depois tentou passar pelas portas da escola, e agora está tentando atravessar a escuridão dentro do presente que deixou para mim na varanda.

Eu me afasto da janela e termino de escovar o cabelo. No espelho, vejo meus óculos e o que estou vestindo. Meu lindo pijama de corujinhas. O elástico prendendo meu cabelo. Agora tenho muitas coisas legais. Não tinha coisas legais quando estava no apartamento. E meu corpo parece diferente. Ainda sou muito magra, mas não como antes. Espero que minha Boneca Bebê lembre de mim quando todos nós nos reunirmos no Canadá. Espero que ela não veja que sou (~~Ginny~~).

Eu desço. Minha Mãe Para Sempre está saindo do outro banheiro. Olho para fora pela janela da sala.

A luz da varanda está acesa e vejo que o presente desapareceu.

Onde ele está? Olho e olho, mas não o vejo em lugar nenhum.

— Hora de ir — diz meu Pai Para Sempre. Ele segura uma bolsa de fraldas. Minha Mãe Para Sempre está carregando minha Irmã Para Sempre na cadeirinha do carro.

Vamos para o carro. Procuro o presente gigante, mas ainda não o vejo. Quando chegamos ao carro, vejo que o assento atrás de mim está abaixado e tem muitas bolsas lá. Todas cheias de presentes do Papai Noel e dos meus Pais Para Sempre. Estou ansiosa, porque quero saber o que Gloria mandou para mim. Quero saber o que dizia a carta, por isso mexo os joelhos para a frente e para trás, levanto as meias e falo, tomando cuidado para não falar nada errado. Minha Irmã Para Sempre está atrás de mim, e meus Pais Para Sempre estão prendendo o cinto de segurança.

— Quero abrir meus presentes assim que chegarmos na Vovó — falo. — Quero entrar, tirar as botas, pendurar o casaco e ir direto para a árvore de Natal. Quero abrir primeiro o presente grande da Gloria.

Está muito frio, e dá para ver minha respiração dentro do carro.

— Por que acha que o presente grande é da Gloria? — pergunta meu Pai Para Sempre.

Antes que eu possa responder, minha Mãe Para Sempre fala:

— Não estamos levando o presente grande.

Não sei se devo responder à pergunta ou dizer à minha Mãe Para Sempre que estou brava. Porque ela me interrompeu antes mesmo de eu começar a falar, e *Nós não interrompemos*. Mas, se eu disser que estou brava, vamos começar uma discussão, e eu nunca vou descobrir onde está o presente. Então eu digo:

— Quero ir direto para a árvore e abrir os meus presentes. Os do Papai Noel e os de vocês.

— Não vamos abrir os presentes assim que chegarmos lá — meu Pai Para Sempre fala. — É muito, muito cedo, e seremos convidados na casa da Vovó. Temos que lembrar que não vamos para lá só para abrir presentes. Vamos para lá porque a Vovó e o Vovô nos convidaram para voltar.

— Por que eles convidaram a gente para voltar tão cedo? — pergunto.

— Não acha isso divertido? — minha Mãe Para Sempre pergunta com uma voz esquisita. — Eu adoro acordar antes do nascer do sol no dia de Natal, depois de termos passado a noite inteira vigiando as janelas porque alguém divulgou nossos dados no Facebook e agora a rainha dos pobres coitados sabe onde moramos. Principalmente quando faz doze graus negativos aqui fora e temos uma bebê de dois meses. Você não acha divertido?

Ela fez uma pergunta, mas eu sei que não tenho que responder. Ela quer que eu fale alguma coisa para poder gritar comigo. Fico sentada quieta no meu lugar, com as mãos juntas entre os joelhos, e imagino que estou em uma caixa.

EXATAMENTE 4 DA TARDE, SÁBADO, 25 DE DEZEMBRO, NATAL

Ainda estamos na casa da Vovó e do Vovô. Passamos o dia inteiro aqui. O Policial Joel veio nos visitar. Fiz um grande esforço para não silvar para ele. O policial conversou com meus Pais Para Sempre por muito tempo na cozinha, enquanto eu ficava em outro cômodo e me divertia com meus presentes. Ganhei uma caixinha de balas do Michael Jackson, uma agenda do Michael Jackson, um chaveiro do Michael Jackson e um livro sobre o Michael Jackson. Agora são mais quatro coisas do Michael Jackson. E eu tenho uma mochila nova com dois bolsos nas laterais e um bolso secreto especial do lado de dentro que fecha com um zíper.

Vai ser muito útil quando chegar a hora de ir para o Canadá com o Rick.

Quando o Policial Joel vai embora, meus Pais Para Sempre voltam para a sala. Minha Mãe Para Sempre pega minha Irmã Para Sempre do colo da Vovó e dá um abraço nela. Todo mundo sempre diz que ela é muito fofinha.

Meu Pai Para Sempre senta no sofá. Ele olha para mim, eu olho para ele e digo:

— Feliz Natal! Posso abrir o presente grande agora?

E ele responde:

— Ginny, o presente grande não está aqui, lembra? Além do mais, não era para nós. Quem deixou o pacote na nossa casa deve ter se enganado.

Não falo nada. Ele não está *falando abertamente*. Está mentindo. Ele nunca mentiu para mim antes. Essa é a primeira vez. Ele está tentando me manter segura, acho, mas agora sei que não posso acreditar no que ele diz.

— Podemos abrir alguns presentes, então? — pergunto.

— Sim, é claro que podemos — ele diz. E me entrega uma caixa grande embrulhada com papel azul, fita branca e flocos de neve brancos. Ponho um grande sorriso no rosto e abro o pacote.

EXATAMENTE 11H05 DA MANHÃ, DOMINGO, 26 DE DEZEMBRO

Eu estava certa. O presente grande era para mim. Era da Gloria. Sei porque estava em silêncio, sem fazer nenhum barulho enquanto minha Irmã Para Sempre dormia, e minha Mãe Para Sempre falava ao telefone, mesmo que *Nós não ouvimos a conversa de outras pessoas ao telefone*. Ouvi quando ela parou de falar e vi quando olhou para o meu quarto, mas ela não sabia que eu estava na sala de estar, por isso pôs a mão perto da boca e disse: "Era um bicho de pelúcia, um gato gigante. Dá para acreditar? Um gato bizarro! Depois de tudo que aconteceu... que falta de bom senso!"

Depois ela parou de falar. Às vezes, quando você fala pelo telefone, tem que esperar a outra pessoa dizer alguma coisa. Depois ela disse: "É claro que não. Brian guardou no galpão naquela mesma noite, e no dia seguinte levou a coisa para o depósito de lixo. Não quisemos levar para a Legião da Boa Vontade, porque a mãe pode ver aquela coisa lá. Quem sabe? Ela faz compras em lugares assim".

E minha Mãe Para Sempre está certa. Gloria faz compras em lugares assim. Uma vez ela me levou à loja da Legião da Boa Vontade para comprar botas novas. E encontramos por *exatamente* dois dólares e noventa e cinco centavos. Gloria não tinha dinheiro suficiente para comprar as botas, então me fez pedir para uma velhinha, e a velhinha comprou a bota para mim. Fiquei tão animada que as pus nos pés ali mesmo e dei um abraço na velhinha. E Gloria chorou um pouco, o que me deixou confusa, porque eu gostei das botas. Eram botas pretas com franjas cor de rosa em cima. Eu era muito pequena. É difícil lembrar agora.

Mas eu quero aquele gato gigante bizarro. Porque ele é uma mensagem da Gloria. E tem a carta. Ela está tentando me dizer que não vai desistir. Quero ler a mensagem dela e mandar outra de volta dizendo: *Você precisa tomar cuidado ou vai ser pega. Espera eu falar com o Rick na temporada, e depois podemos cuidar do nosso plano de fugir para o Canadá.*

Estou brava porque não posso contar ao meu Pai Para Sempre sobre todas essas coisas. Quero conversar com ele e falar como me sinto, mas não posso, porque ele quer me manter segura. Quero gritar, reclamar e dizer *Que droga!* Mas não posso. Porque, se ele soubesse o que tem no meu cérebro, saberia que ando me esgueirando e ouvindo conversas pelo telefone, o que não devo fazer. Agora vou ter que fazer muitas coisas que não devo fazer, e elas vão me deixar muito ansiosa, mas tenho que fazer essas coisas assim mesmo, porque minha Boneca Bebê provavelmente está sofrendo *abuso e negligência* como eu sofri, e tenho que fazer isso parar.

EXATAMENTE 8H23 DA NOITE, SEXTA-FEIRA, 31 DE DEZEMBRO, VÉSPERA DE ANO-NOVO

É véspera de Ano-Novo. A Vovó, o Vovô, o tio Will e a tia Jillian, e tio John e a tia Megan estão aqui na Casa Azul. E o Rick. Todos usam chapéus engraçados, e eu também tenho um. Meu chapéu parece uma casquinha de sorvete de cabeça para baixo. É vermelho com letras prateadas dizendo *Feliz Ano-Novo*.

O jantar foi comida chinesa. Tio Bill trouxe duas sacolas grandes e marrons, como as do supermercado, e dentro delas tinha *exatamente* seis embalagens retangulares e grandes de plástico com tampa, e cinco embalagens brancas com alcinhas de metal. Comi frango no espeto, carne no espeto e costelinhas vermelhas, e alguma coisa que parecia espaguete marrom, uma trouxinha de caranguejo e palitinhos de frango. Depois minha Mãe Para Sempre me fez comer brócolis e vagens. Não gosto de vegetais. E depois disso tive que parar de comer um pouco, ela pediu. Porque "Não queremos repetir o que aconteceu na véspera de Natal, certo?"

Todas as embalagens de comida, muitos guardanapos e garfos de plástico ainda estão em cima da mesa. Meu Pai Para Sempre olha pela janela a cada cinco minutos, mais ou menos. É como se ele estivesse esperando o Papai Noel, ou alguma coisa assim, então falo para ele:

— Não sabe que o Papai Noel já veio? Agora é véspera de Ano-Novo.
Ele não responde, então sei que está procurando Gloria.

Agora estou sentada no chão, na frente da mesinha da sala, de pijama, com tia Megan, tia Jillian e Rick. Rick tem uma bebida cheia de gelo. Estamos jogando um jogo chamado General. Gosto dele, porque a gente joga os dados e tem que olhar os números e contá-los. O jogo vem com um bloquinho especial com lugares para você anotar seus pontos. E às vezes você tem que gritar "General!" bem alto, e um dos meus Pais Para Sempre tem que responder "shh".

Vejo luzes na entrada da garagem, o que significa que tem alguém chegando.

Fico com medo, porque, se for Gloria, ela pode ser pega. Mas ela pode ter trazido minha Boneca Bebê, então eu pulo, olho e vejo um carro, mas não consigo ver quem está dentro dele por causa da luz dos faróis nos meus olhos. Desvio os olhos depressa, fecho a boca e ponho a mão em cima dela para ninguém conseguir enxergar lá dentro.

Então ouço tia Jillian dizer:

— Ginny, por que está cobrindo a boca?

E tia Megan fala:

— Brian?

Mas estou sentada de novo com a boca fechada. Desvio os olhos da janela e tiro a mão de cima da boca. Vejo minha Mãe Para Sempre segurando o celular, e meu Pai Para Sempre na frente da janela de novo, e Rick, tio Will, tio John e o Vovô estão em outra janela, e as luzes brilhantes lá fora iluminam a casa. É como o Para Sempre brilhando para nós. Tentando atravessar as paredes com grandes raios laser.

— É um carro — diz tio Will.

— De que cor?

— Como eu vou saber? Está escuro, e a luz está batendo no meu rosto.

Tio Will olha pela janela de novo.

— É branco, acho.

Alguém bate na porta.

Meu Pai Para Sempre abre. É um homem da pizzaria. Eu sei porque ele está carregando uma pizza. E sei *exatamente* do que é, porque sinto o cheiro.

— Pois não? — meu Pai Para Sempre fala.

— Vim entregar uma pizza — o homem da pizzaria responde.

— Desculpa, mas não pedimos nada.

— É para a Ginny — diz o entregador. — E já foi paga.

— Como é que é? — pergunta meu Pai Para Sempre.

— A pizza é para alguém chamada Ginny — o entregador explica. Ele pega um pedaço de papel e entrega ao meu Pai Para Sempre. Meu Pai Para Sempre pega o papel, olha para ele, amassa e guarda no bolso. — Até a gorjeta já foi incluída. — O entregador dá a pizza para o meu Pai Para Sempre e diz: — Feliz Ano-Novo. — E vai embora.

E eu falo:

— Posso comer, por favor?

E minha Mãe Para Sempre responde:

— Ginny, seu pai e eu precisamos conversar.

— Tudo bem. Eu vou comendo a pizza enquanto vocês conversam.

— Não — meu Pai Para Sempre fala.

E eu pergunto:

— Por que não? — Mesmo que a voz dele seja zangada.

Rick também pergunta:

— É, por que não?

Mas ninguém escuta o que ele diz.

Meu Pai Para Sempre olha para minha Mãe Para Sempre. Minha Mãe Para Sempre olha para ele.

— Bom, não sei o que fazer — ela diz.

— É comida — ele fala. — Não podemos jogar fora.

— Também não podemos aceitar.

— *Por que não?* — Rick repete mais alto.

Dessa vez, todo mundo olha para ele.

— Porque Gloria não tem permissão para ver Ginny — respondeu meu Pai Para Sempre.

Rick deixa o copo em cima da mesa. O copo faz um barulho alto.

— Ela não está vendo a menina — diz. — Só está tentando fazer alguma coisa legal pela filha. O que tem de errado nisso?

— Se der uma pequena abertura a essa mulher... — diz minha Mãe Para Sempre.

— O que acontece? — Rick pergunta. — Ela vai desrespeitar uma ordem de afastamento e ser presa? Fala sério.

— Ela é completamente imprevisível — diz meu Pai Para Sempre.

— Não *confiável* — eu falo. — Posso comer minha pizza?

— Olha, só acho que vocês são rígidos demais com algumas coisas — diz Rick.

— Acho que meu amigo Rick está bebendo demais — diz o Vovô. E passa um braço sobre os ombros de Rick.

Rick balança. E sorri para o Vovô.

— Talvez, talvez — responde. — Mesmo assim...

— Rick — meu Pai Para Sempre chama.

— ... não pode manter as pessoas separadas. Em algum momento, a situação vai explodir bem na sua cara. Sabe, *ca-bum*.

Parece que minha Mãe Para Sempre vai gritar. Meu Pai Para Sempre fala:

— Rick, por favor, deixa a gente cuidar disso. — E vira para minha Mãe Para Sempre. — O estrago está feito. A pizza está aqui.

E eu pergunto:

— Posso, por favor, comer? — Porque é uma regra que você tem que falar *por favor* quando pede alguma coisa.

— Agora não, Ginny — minha Mãe Para Sempre responde.

— Mas tem meu nome nela. — Aponto para a caixa. Todo mundo olha. Está escrito G-I-N-N-Y em letras maiúsculas na lateral. Com caneta permanente preta.

— Filha da puta — meu Pai Para Sempre diz, e põe a caixa de pizza em cima da mesa. A caixa faz um barulho alto. — Vai. Pode comer.

Eu abro a pizza. Estou tão animada que minhas mãos tremem. Conto os pedaços.

— Um, dois, três, quatro...

— Tem oito pedaços! — minha Mãe Para Sempre fala. — Toda pizza tem *exatamente* oito pedaços. Não precisa contar!

Mas preciso ter certeza, por isso começo a contar de novo.

— Conta na sua cabeça! — ela diz, e eu termino de contar no meu cérebro.

Ela está certa. E sei que Gloria mandou a pizza. Estou pensando que ela é a maior espertinha do mundo. Ainda está tentando atravessar as paredes do Para Sempre. Está me dizendo de novo que não vai desistir, embora todo mundo diga que ela não vai voltar. *Vocês estão errados, errados, errados*, ela está dizendo a eles, *e essa pizza de bacon e cebola é a prova disso*. Mas sei que, se ela conseguir atravessar e me sequestrar, vai ser presa. A polícia vai pegá-la e levá-la para a cadeia.

Olho para Rick. Ele está apoiado na estante de livros, segurando o copo de novo. Tenho que falar com ele sobre ir para o Canadá. Se Gloria continua tentando invadir o Para Sempre, não posso esperar a *temporada*. Tenho que falar com ele hoje.

— Isso não é uma violação da ordem de afastamento, é? — diz minha Mãe Para Sempre.

— Acho que não.

— E isso? Não podemos deixá-la comer essa coisa inteira. São oito pedaços inteiros da porra da pizza. Ela já se entupiu de comida chinesa.

Não falo nada, porque estou com a boca cheia. Além do mais, parece que eles vão levar a pizza. Começo a comer mais depressa.

— Ginny, devagar — diz meu Pai Para Sempre. — Ninguém vai pegar sua comida. Come só um pedaço agora. Pode comer mais no café da manhã.

Pizza não é comida de café da manhã, mas não quero que eles digam que não posso comer a pizza no café da manhã, então falo:

— E no almoço?

— E no almoço.

— E no jantar?

— É claro. No jantar também.

— Que droga nós vamos fazer? — minha Mãe Para Sempre fala. — Chamar a polícia para denunciar uma pizza?

— É uma forma de assédio — o tio Will diz.

— Isso é discutível — diz o Vovô.

— Exatamente, é discutível — concorda Rick. — Se fosse eu...

— *Não* é você — meu Pai Para Sempre fala.

— Certo. Mas *vou ser* um dia. Foi o que vocês dois disseram, não foi? E vou dizer o que vou fazer quando isso acontecer. Vou marcar visitas.

Paro de mastigar. Ninguém fala nada.

— É isso mesmo — Rick continua. — *As-por-ras-das-vi-si-tas*. Tentem soletrar agora.

— Rick, você precisa parar — diz meu Pai Para Sempre. — Não podemos falar essas coisas na frente da Ginny. Se não consegue acatar as...

— *Acatar?* Onde acha que estamos, em uma sala de aula da faculdade?

— Só estou tentando dizer que Ginny precisa de um ambiente estável, descomplicado, e o que estamos fazendo agora não é exatamente...

— Não gosto de como vocês a tratam! — diz Rick. — Não gosto de como me tratam. Sei que entraram nessa porque não podiam ter filhos, mas agora vocês têm uma, e estão perdidos. Muito perdidos. E...

— Ginny, hora de ir para a cama — diz tia Megan. Ela estende a mão para mim. Quando a seguro, ela me leva para o corredor. Ouço Rick e meu Pai Para Sempre discutindo, mas estou pensando no meu cérebro. Preciso falar com Rick, mas ele está muito bravo, e minha Mãe Para Sempre está berrando com ele. Talvez eu possa conversar com ele na Olimpíada Especial então. Espero que Gloria não tente invadir o Para Sempre de novo antes disso, mas ela me mandou um gato gigante bizarro e uma pizza de cebola e bacon. Se não parar, ela vai acabar na cadeia com a Crystal com C. E aí, quem vai cuidar da minha Boneca Bebê? Ela também vai ter que ir para a cadeia?

Os gritos ficam mais altos na sala.

— Alguém pode *por favor* levar esse babaca para casa? — Minha Mãe Para Sempre fala. E depois: — Ele não é mais bem-vindo na minha casa, mas também não quero me sentir culpada se ele morrer em uma porra de um banco de neve.

Lá em cima, minha Irmã Para Sempre começa a chorar.

Umedeço os lábios.

— Acho que preciso...

— De uma bebida? — pergunta tia Megan. — Vou buscar um copo de água enquanto você se veste. Acho que um bom copo de água é do que todo mundo está precisando agora.

EXATAMENTE 7H07 DA NOITE, QUARTA-FEIRA, 5 DE JANEIRO

Estou indo para a Olimpíada Especial com meu Pai Para Sempre. Está frio e escuro.

Quando entramos, vejo Rick imediatamente. Ele está sentado sozinho na arquibancada. Nós andamos até lá, e ele fica em pé. Vejo Katie MacDougall e Brenda Richardson fazendo arremessos, mas vou falar com o Rick.

— Podemos conversar sobre uma coisa, por favor?

E Rick responde:

— Desculpa, Ginny, mas estou aqui para me despedir.

Estou confusa. *Despedir* é uma coisa que você faz quando vai embora. Quando encontra alguém, você deve dizer *Olá* ou *Oi, como vai*. Não sei por que ele disse que *está aqui para se despedir*. Espero ele explicar.

— Vou ter que viajar — diz Rick. — Tenho uma entrega grande para fazer no sul.

— Vai *dirigir caminhão*?

Rick faz um barulho de respiração e sorri.

— Sim, vou dirigir caminhão. Mas vou ficar longe por muito, muito tempo. Então, queria te dar uma coisa.

E eu falo:

— É um presente com um gato gigante bizarro dentro?

Rick parece surpreso. Ele olha para o meu Pai Para Sempre, depois olha para mim.

— Não exatamente — diz. — É isto aqui.

E ele me entrega o presente. Não está embrulhado em papel de presente. Está dentro de uma sacola branca e verde com uma inscrição, *Barnes & Noble*. Pego a sacola nas mãos e olho para ela de perto. Sacudo. Ela não faz barulho nenhum. Não consigo imaginar o que é. Mas sei que tenho que parecer animada, então abro um pouco a boca e sorrio, e abro bem os olhos.

— O que é isso? — pergunto.

Tem crianças especiais batendo bola e correndo por todo o ginásio.

— Vai ter que abrir para descobrir — diz Rick.

Meu Pai Para Sempre olha para o teto.

Eu abro o presente. Dentro da sacola tem um box com os filmes *Star Wars*, Partes Quatro, Cinco e Seis. Não sei onde estão as Partes Um, Dois e Três. Começo a perguntar se ele vai me dar os três primeiros filmes também, quando ele diz:

— Achei que devia ter a coleção completa.

Quero dizer que não é a coleção completa, porque estão faltando os primeiros três filmes, mas ele continua falando.

— Ginny, agora tenho que ir. Pode mandar e-mails. Vou responder cada um deles. Prometo.

Então ele estende a mão para apertar a minha, e eu olho para baixo, aperto a mão dele, e ele me abraça. Não me *encolho*, mas não abraço de volta. Porque abraçar de volta é como dizer adeus. Rick me solta e dá um passo para trás.

— Merda, isso é difícil — ele diz. E limpa os olhos. Depois acena com a cabeça para o meu Pai Para Sempre, vira e sai do ginásio.

Quando ele vai embora, olho para o lugar onde ele estava há apenas sete segundos. Quero vê-lo ali de novo, mas sei que ele não vai voltar. Vai viajar para o sul para *dirigir caminhão*.

Quero perguntar a ele sobre a *temporada*. Quero perguntar se ele ainda vai me buscar na escola no dia 7 de janeiro e me levar para a casa dele.

— Pai? — falo em voz baixa. Tão baixa que quase não escuto.

— O quê? — diz meu Pai Para Sempre.

Mas não estou falando com ele. Estou falando com a única pessoa que poderia me levar para o outro lado do Para Sempre. Para o outro lado do sinal de igual. Ele foi embora.

EXATAMENTE 11H33 DA MANHÃ, SEXTA-FEIRA, 7 DE JANEIRO

O ônibus não chegou para me pegar *aproximadamente* às 6h45, porque hoje não tem aula. Houve uma tempestade de neve e a escola suspendeu as aulas, o que significa que ninguém vai para lá, nem mesmo o diretor. Não sei se o sinal toca quando não tem aula. Não gosto quando a aula é cancelada. Não gosto de *tempo desestruturado*. É como Patrice fala quando não tem sinal nem horários.

Quero sair para brincar na neve, mas meu Pai Para Sempre ainda não pode me levar. Ele tem que terminar a limpeza, porque minha Mãe Para Sempre está lá em cima com minha Irmã Para Sempre. Ele agora faz limpeza o tempo todo. Minha Mãe Para Sempre fica lá em cima o tempo todo. É como se ela morasse lá.

Estou tentando escolher um filme. Só posso assistir a um por dia, porque passaria o tempo inteiro vendo filmes se ninguém me fizesse parar. Meu Pai Para Sempre quer que eu *socialize* mais. Ele quer que eu converse com eles para poder me *vincular*, embora a única pessoa a quem me vincular agora seja ele. Patrice diz que eu ainda tenho dificuldade para criar *vínculo*.

Mas no momento estou com dificuldade para escolher um filme. É difícil escolher um porque tenho muitos. Vi *Baby — O segredo da lenda perdida* na segunda-feira. Vi *A princesa prometida* na terça-feira. Vi *Madagascar* na quarta-feira. Vi *Procurando Nemo* na quinta-feira.

Então lembro que Rick foi embora. Ele não vai me buscar na escola hoje. Mesmo que as aulas não tivessem sido canceladas, ele não iria. Meu Pai Para Sempre me ajudou a entender. Disse que não temos planos agora para remarcar a *temporada*. O que significa que não vou para o Canadá no fim de semana e minha Boneca Bebê está sozinha com Gloria.

É muita coisa para pensar de repente. Quero gritar. Mas alguém vai me ouvir.

Em vez disso, arranho os dedos. Depois pego meu cobertorzinho da cama e seguro perto da boca e do nariz. Meu cérebro precisa de um descanso, por isso viro depressa e pego o primeiro filme que vejo. *O retorno de jedi*. Estava em cima da minha cômoda, ao lado do meu bloquinho do Snoopy e da agenda de bolso do Michael Jackson.

Seguro a caixa do DVD e fecho os olhos. Lembro que Samantha e Bill tinham *O retorno de jedi*, mas não estou na casa deles agora. Quando estava lá, eu tinha uma Irmã Para Sempre chamada Morgan que me empurrava e me beliscava muito quando ninguém estava olhando, então fiz cocô no tapete dela e escrevi *Por favor para de me machucar Morgan* na parede do quarto dela, e tampei a saída do aquecedor dela. Lidar com Morgan era muito *chato*. Fiquei lá só por três meses antes de aquilo acontecer. E então a polícia foi me buscar.

Sento na cama, abro *O retorno de jedi* e pego o disco. Um pedaço de papel cai na minha cama. As beiradas estão rasgadas e tem três linhas azuis no papel, o que significa que foi tirado de um caderno. Pego e olho para ele com cuidado. Não vejo nada. Viro, e do outro lado tem alguma coisa escrita.

É um número de telefone.

O número é *555-730-9952* e embaixo dele tem a letra *G*.

Olho atentamente. Aproximo o papel dos meus olhos. Então entendo.

Estou segurando o número do telefone da Gloria.

O que significa que Rick ainda está me ajudando, mesmo que eu não consiga falar com ele sobre ir para o Canadá. Porque agora eu mesma posso ligar para a Gloria. Posso falar para ela que seu plano secreto *não é nada mau*. Posso dizer a ela que podemos ir para Quebec, onde é *bem fácil de-*

saparecer. Ela só precisa encontrar outra pessoa para me dar uma carona e ela não ser pega, porque isso estragaria tudo. E tenho que falar para ela não mandar mais presentes, ou pizzas, ou outras coisas. E para aguentar só mais um pouco e não bater na minha Boneca Bebê. E tudo de que preciso é de um telefone e um lugar tranquilo para poder dizer isso a ela.

555-730-9952

Memorizo o número do telefone no meu cérebro.

Ponho o pedaço de papel na boca, mastigo e engulo. Ninguém nunca vai encontrá-lo. Se eu ficar com a boca fechada, ninguém nunca vai saber que o número está no meu cérebro ou que Rick me ajudou. Ele é o melhor pai que eu já tive.

EXATAMENTE 9H08 DA MANHÃ, SÁBADO, 8 DE JANEIRO

Quando acordo às nove da manhã, sento na cama, desligo o alarme e bocejo como o Chewbacca. Quero criar uma lista de coisas para fazer. Nela vou escrever *Encontrar um lugar para ligar para a Gloria,* mas depois decido que escrever isso seria uma má ideia. Além do mais, ainda não tenho um telefone. Então levanto, ponho os óculos, ando até o corredor e vou ao banheiro. Saio, vou até a mesa da sala de jantar, tomo meu comprimido e sento para beber meu leite. Olho o copo com bastante atenção e vejo que não tem uvas ao lado dele.

Por isso digo:

— Não tem uvas.

E de outro cômodo minha Mãe Para Sempre grita:

— Ginny, as uvas têm que esperar.

Espero *exatamente* nove segundos, mas ninguém me traz uva nenhuma, então eu digo:

— Ontem tinha uvas aqui. — E depois: — Sempre tem uvas aqui. Tenho que comer uvas todos os dias para *manter a regularidade.*

Mas minha Mãe Para Sempre não responde. Então levanto os olhos de onde minhas uvas deveriam estar para ver onde ela está. Ela está na sala, ajoelhada na frente do meu Pai Para Sempre, que está deitado. Minha Mãe Para Sempre está apertando o peito dele e soprando sua boca e aproximando a cabeça de seu peito como se ouvisse alguma coisa. Depois ela empurra de novo, empurra outra vez, sopra mais um pouco e puxa o cabelo, puxa e puxa. Minha Irmã Para Sempre está sentada perto do sofá na cadeirinha que balança, mordendo o coelho de pelúcia.

Eu falo:

— Quando *aproximadamente* vou ter minhas uvas?

Minha Mãe Para Sempre não responde. Ela pega o celular. O telefone cai das mãos dela. Ela o pega de novo e aperta uns botões. Depois levanta.

— Ginny, a Vovó e o Vovô estão vindo para cá. Eles vão cuidar de você. Uma ambulância vem pegar seu pai.

— Vovó vai pegar minhas uvas?

Minha Mãe Para Sempre vira e pega minha Irmã Para Sempre e a abraça.

— Tenho que pôr sua irmã no berço — ela me diz. — Fica aí na mesa, está bem, Ginny? — E ela sobe a escada.

Agora são 9h09. Ainda estou sentada aqui sem uvas. Não tenho nove uvas, nem catorze. Tenho zero. Minha Irmã Para Sempre é pequena demais para pegar minhas uvas. Meu Pai Para Sempre não levanta para ir pegá-las. Ainda está deitado no chão sem se mexer.

Começo a roer as unhas. Quanto tempo vou ter que esperar? Sei onde estão as uvas, mas não posso abrir a geladeira sem permissão. Foi diferente quando peguei o leite na noite do Concerto da Colheita, porque precisava dele para minha Boneca Bebê. Não gosto de desrespeitar regras ou contar mentiras. Só faço essas coisas se estiver tentando cuidar da minha Boneca Bebê. Só faço essas coisas se tiver que fazer. Então eu falo:

— Caramba, eu queria muito, muito mesmo que alguém me ajudasse.

Ninguém responde.

Sento bem reta e alta para conseguir enxergar o rosto do meu Pai Para Sempre. Os olhos dele estão fechados, então acho que as orelhas também estão fechadas.

— Vou ficar aqui sentada esperando — falo para ele.

Mas ele não responde.

Agora tem luzes piscando na entrada da garagem, mas não são como as luzes dos carros da polícia. Vejo uma ambulância parada lá fora. Dois homens correm para a porta. Minha Mãe Para Sempre entra na sala sem minha Irmã Para Sempre. Ela não fala comigo. Corre para a porta, que abre para deixar dois homens entrarem. Eles carregam bolsas pretas com alças. Ajoelham ao lado do meu Pai Para Sempre e agora não consigo vê-lo. Só vejo as costas dos dois homens.

Depois vejo o Vovô parado na minha frente. Ele fala:

— Ginny, vai para o seu quarto e troca de roupa. Depois disso vamos fazer o seu café. Sua mãe e seu pai vão ter que passar um tempinho no hospital.

Levanto, empurro a cadeira e vou para o meu quarto. Quando termino de me vestir, saio e sento de novo na minha cadeira. Ninguém me disse ontem que a Vovó e o Vovô viriam hoje. Estou surpresa e confusa.

Vovó entra na sala de jantar segurando minha Irmã Para Sempre. Ela a entrega para o Vovô, e o Vovô a leva para a sala de estar. Ele senta no sofá e começa a olhar um livro com ela. Depois Vovó sai da cozinha com um rolo de papel toalha.

— Quero recolher a neve do tapete — ela diz.

Vejo a neve.

— De onde veio a neve? — pergunto.

— Das botas dos paramédicos — ela diz. — Ginny, vai ficar tudo bem. Vamos fazer o que você costuma fazer de manhã, e vamos esperar sua mãe telefonar.

— Onde ela está? — quero saber. Porque não a vejo. Também não vejo meu Pai Para Sempre.

— Está a caminho do hospital com seu pai na ambulância.

Olho para o chão. Meu Pai Para Sempre não está mais onde estava.

— Posso comer minhas uvas agora? — falo. — Preciso comer *exatamente* nove. — Porque, se eu comer minhas uvas, vai ser como se nada estivesse acontecendo. Vai ser como se tudo fosse *exatamente* como tem que ser.

EXATAMENTE 4H08, SEGUNDA-FEIRA, 10 DE JANEIRO

— Quer um abraço? — pergunta Patrice.
— Não — eu falo.
— Vamos sentar então.

Sento na cadeira florida e olho em volta. Estou pensando em como vou encontrar um telefone para falar com a Gloria. Os adultos ficam com seus celulares por perto o tempo todo, é difícil usar um sem pedir emprestado. E na escola as crianças não podem ter celular. Mas as crianças têm, às vezes no armário, às vezes na mochila. Talvez a escola seja o melhor lugar para procurar.

— Foi legal sua avó trazer você aqui — diz Patrice. — É ótimo que seus avós morem tão perto.

Não falo nada.

— Gosta quando eles ficam com você?

— Não.

— Ginny, seu pai vai ficar no hospital por uma semana, pelo menos — ela diz. — Você sabe por quê?

— Ele teve um ataque cardíaco.

— Sim. Ele tem pressão alta há anos, mas o estresse em casa tem sido enorme ultimamente. Os médicos dizem que ele precisa de um estilo de vida diferente. Não é sua culpa. Ele só precisa que as coisas sejam mais simples. Teria sido ótimo se você pudesse ir morar com o Rick, mas as coisas não funcionaram como todo mundo estava planejando. Fico feliz por ele manter contato por e-mail. — E ela continua: — Lamento que as coisas não tenham dado certo. Rick e seu Pai Para Sempre não se entendem. Ele queria criar você de um jeito bem diferente do deles, de um jeito mais... aberto. Mas tem um lugar bem especial em Connecticut que seus pais Pai Para Sempre estão analisando. Eu queria que você desse uma olhada também.

Patrice pega uns papéis com fotos. Vejo um prédio de tijolos e casinhas brancas perto de um lago, e muitas meninas em um grande grupo. Todas elas estão de camiseta cor-de-rosa e sorrindo.

Patrice põe os papéis na minha mão.

— Eu vou para esse lugar? — pergunto.

— Ainda não sabemos — diz Patrice. — Mas seus pais vão dar uma olhada assim que seu pai estiver bem. Eles querem que você também olhe.

Ir dar uma olhada é basicamente uma expressão. Significa *ir lá*.

— Quando nós vamos?

— Provavelmente, uma semana depois do seu pai voltar para casa. Foi só um infarto moderado, os médicos esperam uma recuperação rápida. Ele volta para casa em uma semana.

— Uma semana depois de ele voltar para casa — falo. Uma semana é tempo o bastante para achar um celular e um lugar tranquilo para telefonar para a Gloria.

— Sabe — diz Patrice —, ontem sua mãe mandou para mim uma carta que você escreveu para o Rick. Parece que você ainda está chamando a Krystal com K de sua Boneca Bebê.

Eu escuto, mas não estou ouvindo.

— Meu trabalho é cuidar muito bem dela — falo.

— Sim, eu sei — diz Patrice. — Puxa, faz muito tempo que não consegue cuidar dela. Quanto tempo?

— Cinco anos.

— Sim. Agora eu lembro. Muita coisa aconteceu desde então. Você está muito maior! Sabe quantos centímetros cresceu?

Não sei, então balanço a cabeça.

— Vinte e cinco centímetros. Quanto será que sua Boneca Bebê cresceu? Afinal, a Bebê Wendy já está um pouco maior do que era quando chegou em casa do hospital. Ela chegou em casa com cinquenta e cinco centímetros. Sua mãe me contou que ela está com quase sessenta.

— Minha Boneca Bebê é muito pequena.

— É claro que é. Mas ela vai ser sempre pequena?

Começo a sair do meu cérebro. Patrice está olhando para mim. Olho para ela, mas não a vejo de verdade. Só vejo minha Boneca Bebê enrolada no meu cobertorzinho. Vejo seus olhinhos e o nariz. Ela sorri quando me aproximo e balança os braços para cima e para baixo. *Muito animada! Muito animada!*

— Sim — eu falo. — Sempre.

EXATAMENTE 6H32 DA MANHÃ, TERÇA-FEIRA, 11 DE JANEIRO

Estamos na cozinha. Olhando uma para a outra. Tem uma sacola de plástico branco atrás dela na bancada. Não sei o que tem dentro.

— Preciso passar muito tempo no hospital — diz minha Mãe Para Sempre —, mas a maior parte desse tempo vai ser durante o dia, enquanto você estiver na escola. Vovó e Vovô vão vir muitas vezes para ajudar. Preciso de você para...

Ela interrompe a fala e respira fundo. Sua boca desenha uma linha reta.

— Só preciso que você aguente tudo isso. Sem nenhum *incidente*.

— O que é um *incidente*?

— É alguma coisa que você faz e é inesperada — ela diz. — Alguma coisa que causa problema. Você sabe, como... — E para no meio da frase. — Na verdade, se você não se importar, não quero dar nenhum exemplo. Não quero colocar ideias brilhantes na sua cabeça.

Não sei o que significa *ideias brilhantes*, mas acho que é basicamente uma expressão.

— Sei que tem passado muito tempo com seu pai ultimamente. Sei que se acostumou com ele, e que ele se acostumou com você. E isso é ótimo. De verdade. Mas você precisa ter paciência comigo, Ginny. Agora sou eu quem tem que cuidar de você. Por um tempinho, pelo menos.

— Até ele voltar?

Ela desvia os olhos e olha para mim de novo.

— Isso. Até ele voltar. Depois a gente vê. Patrice vai nos ajudar com isso. Vamos cumprir as regras esta semana, está bem?

Respondo que sim balançando a cabeça.

— A regra mais importante você já conhece. Lembra qual é?

— *Não tenho motivo para tocar a Bebê Wendy de jeito nenhum* — falo.

— Certo. Muito bom. A regra seguinte é que *você tem que fazer uma lista a cada dia e segui-la*. Porque é importante que a gente se mantenha ocupado, não é?

Balanço a cabeça de novo para dizer que sim.

— Muito bom. E, quando fizer sua lista, você deve mostrá-la para mim, e eu vou acrescentar algumas coisas nela para você. Tem muito trabalho para fazer em casa, agora que seu pai não está aqui para ajudar. As coisas que vou acrescentar são mais algumas tarefas, como esvaziar o lixo ou tirar as coisas da mesa. Talvez ajudar a trazer as compras para dentro quando eu chegar do mercado, ou limpar os carros quando nevar. Nada muito difícil ou complicado. Você entende?

— Sim.

— Ótimo. E a próxima regra é que, *quando o choro da Bebê Wendy se tornar muito insuportável, você deve sair e ir dar uma volta*. É só pôr o chapéu e as botas e sair.

— E o meu casaco.

— E o seu casaco. E as luvas também, é claro. O ponto é que, quando a Wendy chorar, você deve sair e respirar um pouco de ar fresco. Não pode ficar no quarto surtando e gritando como você faz, nem sair pela janela. Essas coisas são demais. Se ouvir a Wendy chorar e ainda houver luz do dia, você deve sair e ficar lá fora até ela parar. E se for no meio da noite…

Ela vira e tira uma coisa da sacola. Uma coisa branca com botões, como um rádio.

— E, se for no meio da noite — ela continua —, você vai ligar isto aqui e aumentar o volume. É para fazer barulho. Patrice recomendou. Faz barulho de chuva ou do mar, assim você não consegue ouvir o que acontece fora do seu quarto. Aposto que vai descobrir como ligar.

Ela põe o aparelho em cima da bancada, perto de mim. Eu o pego.

— O aparelho que faz barulho vai te ajudar a dormir à noite — ela diz. — É muito relaxante. E mais uma regra é *não esconder comida*. Você tem muito o que comer aqui na Casa Azul, não precisa esconder nada nas gavetas ou no armário. Certo?

— Certo.

— E a última regra é, *se você sabe que estou lá em cima, tem que ficar aqui embaixo*. Wendy precisa comer a cada três horas, e eu tenho que subir várias vezes para alimentá-la. Quando eu subir, você vai ter que ser uma mocinha e cuidar de si mesma aqui embaixo, certo?

— Certo.

Ela engole.

— E eu também quero pedir desculpa por ter batido em você naquele dia em que entrou no quarto. Pensei que ia tentar pegar a bebê. Sou muito territorial com a Bebê Wendy. As mães se comportam assim com o primeiro filho. Ela é muito pequena. Tenho que mantê-la segura.

Mas isso não é verdade, e eu digo:

— Mas, Maura, a Bebê Wendy não é sua primeira filha.

Ela põe as mãos na cintura.

— O que foi que disse?

— *Eu* sou sua primeira filha — digo.

— Certo. É claro que é... mas você me chamou de *Maura*?

Respondo que sim balançando a cabeça.

— Por quê? Não chama nenhum de nós pelo primeiro nome desde o dia em que veio morar aqui.

Não sei por quê. O nome só saiu da minha boca, e eu não falo nada.

Os olhos dela estão molhados.

— Alguém falou para você não me chamar mais de *mãe*?

Balanço a cabeça de um lado para o outro. Não.

— Esta não é uma Casa Para Sempre — falo.

Cubro a boca com as mãos. Depressa. Quero recolher as palavras, porque agora Maura vai adivinhar meu plano secreto. Ela pode deduzir que sei o número do telefone da Gloria e que vou ligar para ela para falar que está na hora de irmos para o Canadá. Só preciso de um telefone. Hoje procurei na escola, mas não encontrei nenhum.

— Ah. Parece que está começando a somar dois e dois então. Acabou o segredo. Posso me conformar com isso também. Com falar sobre isso, quero dizer. Afinal… enfim, Patrice mostrou para você as fotos de Saint Genevieve, então acho que tudo bem. Quer falar sobre isso agora? Porque podemos conversar, se quiser. Você vai ter que sair logo para pegar o ônibus, mas podemos falar sobre o assunto por alguns minutos.

Ela olha para o relógio do fogão.

Não entendo. Faço um esforço para pensar.

— Ginny?

— O que é? — falo. E cubro a boca de novo.

Maura dá um sorrisinho.

— Tudo bem — ela diz. — Vou avisar todo mundo que você vai voltar a chamar a gente pelo nome. Isso me deixa um pouco triste. Muito mais triste do que imaginei. Tivemos bons momentos por um tempo, quando éramos só nós três. Mas você parece bem confortável com a ideia. Está mesmo tão confortável quanto parece?

Baixo as mãos.

— Não estou realmente confortável — digo.

— Ah. Tudo bem, então. É compreensível. Não temos que falar sobre tudo hoje. Só precisamos desse entendimento entre nós. Podemos voltar ao assunto outra hora. Por enquanto, vamos só enfrentar o restante dessa semana.

EXATAMENTE 8H58 DA MANHÃ, QUARTA-FEIRA, 12 DE JANEIRO

Às vezes, a sra. Carol também ajuda o Larry. Como agora. Estamos fazendo o trabalho de ciências em um laboratório. Larry precisa acender um bico de Bunsen com uma ferramenta de metal chamada *acendedor*. Tem pedra e aço nele. Depois temos que ver de que cor algumas substâncias químicas ficam nos tubos de ensaio quando os colocamos no fogo. O sr. Crew, professor de ciências, disse que temos que *registrar os dados*, o que significa que temos que escrever as cores e ver quanto tempo demoram para mudar. No momento, todos estão brancos.

O sr. Crew escolheu os grupos para o experimento. Ele pôs Larry e eu em um grupo com Michelle Whipple. Michelle Whipple pediu para mudar de grupo, porque eu a ataquei uma vez, mas o sr. Crew disse que temos que aprender a conviver.

— Põe suas muletas aqui — a sra. Carol fala para o Larry. Ela toca o aquecedor perto da parede. — Depois pode se apoiar na bancada e acender a chama. Vou abrir o gás para você.

Michelle Whipple foi encarregada de anotar os dados. Ela tem uma prancheta e um lápis. Está olhando para Larry.

Eu estou olhando para ela.

Tenho meu bloco do Snoopy na mão esquerda e meu lápis do Snoopy na mão direita. E estou usando meu moletom vermelho com bolso na frente. É perfeito para hoje, por isso o vesti.

— Vamos lá — diz a sra. Carol.

Ela abre o gás. Larry começa a apertar o acendedor. Ele faz um barulho meio estalo, meio alguma coisa sendo raspada.

Michelle Whipple olha para o relógio e anota que horas são.

Dou um passo para trás e derrubo meu lápis do Snoopy dentro da mochila dela.

Abaixo para pegar o lápis. Apalpo as coisas na mochila e pego uma coisa plana e retangular. Ponho no bolso e levanto.

— Bom trabalho — a sra. Carol fala para o Larry.

Larry começa a cantar sobre boas vibrações. Ele balança a cabeça para a frente e para trás como uma galinha, e sua voz vai ficando mais alta. Larry pisca para mim, fecha os olhos e continua cantando.

— Estabiliza esse tubo, Larry — diz a sra. Carol. — E mantenha os olhos abertos.

Paro atrás de Michelle Whipple e espio dentro do meu bolso. O objeto plano e retangular é uma barra de chocolate.

No meu cérebro eu falo: *Que droga!*

Abaixo para tentar de novo. Ponho a mão dentro da mochila. Meus dedos encontram meu lápis do Snoopy.

— Ginny? — diz Michelle Whipple.

Levanto depressa.

— Derrubei meu lápis — falo. E mostro o lápis para ela.

Michelle Whipple se abaixa e olha para mim com uma cara feia. A mochila está entre nós. Ela fecha o zíper e diz:

— Da próxima vez, me avisa que eu pego para você.

Terminamos o experimento. Quando o sinal toca, vou buscar minha flauta no armário para o ensaio da banda. Também pego minha partitura e minha garrafa de água. Depois vou para a sala da banda e sento na minha cadeira para comer a barra de chocolate. Vou dividir com o Larry quando ele chegar aqui.

EXATAMENTE 3H02 DA TARDE, QUINTA-FEIRA, 13 DE JANEIRO

Os olhos de Maura são frestas finas como cortes. Ela se inclina para a frente.

— Já sei o que aconteceu — diz. — Só estou perguntando para saber se vai mentir para mim ou não. Você roubou o chocolate de alguém ontem na escola?

Não gosto quando as pessoas chegam perto do meu rosto. Não gosto de sentir a respiração das pessoas na minha boca e no nariz.

Lembro o que Patrice falou sobre pessoas que estão gritando comigo. Viro a cabeça e fecho os olhos. Não me movo para a frente.

— Sim! — falo. E abro um olho para espiar.

Maura se inclina para trás. Seus olhos voltam ao normal. Eu solto o ar.

— Muito bem — ela diz. — Essa foi a coisa mais inteligente que você poderia ter dito. Mas outro dia eu disse *chega de incidentes*, e isso é um incidente. Um grande incidente, Ginny. Nesta família nós não roubamos.

Quero falar alguma coisa, mas decido ficar quieta. Quero dizer muitas coisas, mas não vou falar.

— A Vovó vem vindo para cá cuidar da Wendy. Você e eu vamos ao mercado.

— Por quê?

— Você vai comprar uma barra de chocolate para a Michelle. Com o seu dinheiro.

— Por que tenho que usar meu dinheiro?

— Porque você roubou. Quando rouba alguma coisa, tem que devolver ou substituir essa coisa. Agora vá se arrumar para sair.

Ela faz um barulho alto de respiração e bate com a mão na bancada. Eu dou um pulo.

— Por que tem que fazer esse tipo de coisa? Não consegue se controlar? Não sabe distinguir o certo e o errado? Nós te ensinamos bons hábitos e te ensinamos a respeitar as pessoas. Ensinamos como... ah, Ginny, não tenho tempo para mais absurdos! Não tenho tempo para falar com orientadores ou pais furiosos pelo telefone. Tenho uma bebê para cuidar e um marido no hospital. E você apronta uma dessas?

A Bebê Wendy ainda está dormindo quando a Vovó chega. Ponho meu cachecol, as luvas, o chapéu e o casaco. Depois entramos no carro e saímos dali. Maura me dá meu dinheiro. Ela o deixa guardado em uma caixa no armário do banheiro dela. Ela e Brian não deixam eu guardar o dinheiro no meu quarto, porque acham que vou levar para a escola e posso perder. Ou alguém vai tirar de mim.

No mercado, olhamos o corredor dos doces. Encontro uma barra igual àquela que eu comi. Ela custa noventa e oito centavos. Eu queria comer o chocolate, por isso perguntei a Maura se podia levar duas, uma para mim e uma para Michelle Whipple, e ela diz não, porque isso iria contra o propósito de tudo. Então pergunto se posso dividir o chocolate com ela, e ela também diz não. Pego a barra de chocolate e nós a levamos ao caixa. Não quero pôr o chocolate no balcão. Quero segurar e ficar segurando e abrir e pôr na minha boca. Vai ser delicioso. Mas Maura olha para mim e diz:

— Ginny, é hora de pôr a barra no balcão.

E eu ponho.

A mulher atrás do balcão pega o chocolate e passa na frente de uma luz vermelha. Depois diz:

— Noventa e oito centavos.

Pego uma nota de vinte dólares do meu bolso e digo:

— Pronto.

Ponho a nota em cima do balcão.

— Ginny, não é assim que entregamos alguma coisa a alguém — diz Maura. Depois diz à mulher: — Desculpa, minha... Ginny é *especial*.

A mulher assente e dá um meio sorriso.

— Ela é *adotada* — diz Maura.

— É mesmo? Há quanto tempo ela está com vocês?

— Dois anos, mais ou menos.

— Uau! — diz a mulher. — Tenho uma prima que acabou de adotar um bebê da Coreia. Adoção é uma coisa muito bonita. É a coisa mais altruísta que uma pessoa pode fazer. E você adotou uma adolescente! Acho que ninguém conseguiria resistir a adotar um bebê se estivesse em condições de fazer alguma coisa, mas é preciso ser realmente altruísta para adotar um adolescente. Ainda mais *especial*.

A mulher olha para mim.

— Sua mãe é realmente incrível — diz. E depois: — É assim que você a chama? De mãe?

Maura olha para mim.

— Não — eu falo.

E pego meu dinheiro. Belisco um cantinho e levanto a nota. E ofereço a ela.

— Pronto — falo de novo.

A mulher pega o dinheiro e põe na gaveta do caixa. Ela me dá uma nota de dez dólares, uma de cinco dólares e quatro notas de um dólar, mais dois centavos.

E eu falo:

— Sério?

— Algum problema? — pergunta a mulher.

— O que foi, Ginny? — Maura quer saber.

— Essa mulher me deu uma nota de dez dólares, uma nota de cinco dólares, quatro notas de um dólar e dois centavos — respondo.

— É o seu troco — diz Maura. — Guarda no bolso para podermos ir para casa.

Ponho o dinheiro no meu bolso e nós voltamos para o carro. Agora tenho muito mais dinheiro do que tinha antes. Gloria vai ficar animada. Estou pensando que ela nunca soube ganhar dinheiro comprando coisas. Meu novo truque vai ajudar a gente a ganhar dinheiro quando formos para o Canadá. Ganhar dinheiro sempre foi difícil para ela. Por isso ela gostava tanto de coisas gratuitas. Quando morávamos no Carro Verde antes de a minha Boneca Bebê chegar, íamos ao mercado quando chegava a hora de comer. Ganhávamos amostras grátis de biscoitos na padaria. Ou fatias de carne na lanchonete. Presunto defumado da Virgínia era o meu favorito. *Pode me dar mais um pedaço desse presunto defumado da Virgínia?* Gloria costumava dizer. *Minha filha é difícil para comer. Quero ver se ela gosta disso.*

Mas depois de um tempo as pessoas no mercado pararam de dar amostras grátis. Um homem de casaco azul saiu de trás de uma porta e pediu para Gloria ir comprar em outro lugar, e ela ficou brava e gritou com ele, e saiu do estacionamento cantando pneus.

Vamos ter que ampliar nosso território, ela me disse quando estávamos saindo do estacionamento.

— Ginny?

Saí do meu cérebro. Não estou no Carro Verde.

— O que é?

— Você entende que é errado pegar coisas que não são suas?

Respondo que sim com a cabeça, embora saiba que às vezes a gente precise pegar.

— Temos muita comida na Casa Azul. Não precisa mais pegar ou esconder comida. Se quer levar mais lanche para a escola, é só me dizer — ela fala. — Não podemos ter mais incidentes. Tudo isso é demais. Certo?

— Certo — digo.

EXATAMENTE 3H12 DA TARDE, SEXTA-FEIRA, 14 DE JANEIRO

Eu costumava brincar de *Sacode, Sacode, Sacode, Tenda!* com minha Boneca Bebê. Era uma brincadeira bem simples. Você segura a barra de uma camiseta com as duas mãos, sacode três vezes para fazer vento no rosto do bebê, e na terceira vez você deixa a camiseta cair na cabeça dele. Mas continua segurando a camiseta para formar uma tenda, e depois olha embaixo dela para ficar com o bebê do lado de dentro. E o bebê ri. E você faz tudo de novo.

Mas não preciso usar uma camiseta agora, porque a Bebê Wendy tem uma família e coisas legais. Ela tem mãe e pai que cuidam bem dela. Tem até uma cama só dela.

Estou brincando de *Sacode, Sacode, Sacode, Tenda!* com a Bebê Wendy agora. Estamos usando uma toalhinha branca.

Maura está no sofá. Dormindo. Ela estava sentada ao lado da Bebê Wendy enquanto eu fazia minha lição de casa na mesa da cozinha, e depois fechou os olhos. A Bebê Wendy estava ao lado dela na cadeirinha que balança. Ela começou a resmungar, e eu peguei a toalhinha e comecei a brincar de *Sacode, Sacode, Sacode, Tenda!* com ela.

Agora a Bebê Wendy está rindo e rindo. Estou ajoelhada na frente dela. Ela faz uma cara surpresa quando faço círculos com minha boca e com os olhos, e balança os braços enquanto estou sacudindo o pano, e cada vez que falo *Tenda!* uma risada brota de sua barriga. A risada a faz sorrir e olhar nos meus olhos.

Brinco de *Sacode, Sacode, Sacode, Tenda!* nove vezes com a Bebê Wendy. Tenho cuidado para não tocar nela, porque lembro da regra mais importante. Ela ri, ri e ri. Olho para Maura. Ela ainda está dormindo. Quando olho de novo para a Bebê Wendy, Maura mexe os braços. Se espreguiça. Os olhos dela abrem.

Ponho o pano branco no meu colo e espero.

Ela não se mexe.

— Qual é a regra mais importante? — pergunta.

— *Não vou tocar a Bebê Wendy de jeito nenhum* — respondo.

Ela senta com as costas retas. Olha para o relógio.

— Você tocou nela?

Balanço a cabeça para dizer que não.

— Então, o que está fazendo com a toalhinha?

— Brincando de *Sacode, Sacode, Sacode, Tenda!* — falo.

— O que é isso?

— Uma brincadeira que eu fazia com minha Boneca Bebê. Você sacode o pano e faz vento.

Maura fica ainda mais ereta.

— Vamos esclarecer uma coisa — ela diz. — *Tocar significa tocar com as mãos* ou *com um objeto*. O que tem na sua mão?

— Um pano branco.

— E um pano branco é *um objeto*. Então, você pode fazer essa brincadeira com a Wendy?

Penso. Balanço a cabeça para responder não. Deixo o pano branco no chão.

— Muito bem — diz Maura.

Fico em pé. A Bebê Wendy ri quando passo por ela.

Maura parece surpresa.

— Você riu? — ela fala para a Bebê Wendy.

Bebê Wendy não responde, então balanço a cabeça por ela para dizer que sim.

Maura vai para o chão, para a frente da cadeirinha. No lugar onde eu estava. É como se ela quisesse tomar meu lugar. Ela beija a cabeça da Bebê Wendy e diz:

— Pode rir de novo para a mamãe?

Mas a Bebê Wendy não ri. Fico feliz.

Sei que ela não vai rir, porque não estou mais brincando de *Sacode, Sacode, Sacode, Tenda!* com ela. Sei que ela riu quando fiquei em pé porque pensou que eu ainda estivesse brincando. Então falo:

— Ela quer brincar mais.

Maura olha para mim, depois para a Bebê Wendy.

— Mostra como é — ela diz.

Ajoelho na frente dela e pego o pano. Faço os grandes círculos com minha boca e os olhos. A Bebê Wendy aperta as mãos. Levanto e abaixo o pano devagar. O vento faz o cabelo da bebê se mexer. Ela fecha os olhos e a boca, depois os abre de novo. Os pés e as mãos começam a balançar. Depois da terceira sacudida, falo *Tenda!* E me inclino para a frente, e deixo o pano cobrir minha cabeça e a dela.

Quando tiro o pano, a bebê ri e ri de novo.

Olho para Maura. Ela não fala nada. Seus olhos estão molhados.

— Por quanto tempo cuidou da sua irmã? — pergunta.

Estou confusa.

— Está falando da Bebê Wendy?

— Estou falando da sua Boneca Bebê.

— Por *aproximadamente* um ano — respondo.

— Um ano inteiro. Enquanto sua mãe usava drogas, vendia gatos e fugia da polícia.

Não era uma pergunta, por isso não falo nada.

— E você gritava quando a bebê não parava de chorar?

Olho para a Bebê Wendy. Ela está mastigando a mão. Não quero responder, mas tenho que responder.

— Sim — falo. Porque é verdade, cem por cento. Era assim que eu conseguia fazer Gloria e Donald deixarem minha Boneca Bebê em paz.

Maura balança a cabeça.

— É demais — ela diz. — É muita coisa ao mesmo tempo.

EXATAMENTE 9H18 DA MANHÃ, SÁBADO, 15 DE JANEIRO

— Ginny, preciso alimentar a bebê — diz Maura.

Estou na sala de jantar tomando café da manhã. Tenho meu cereal, minhas uvas e meu leite.

— Então, vamos experimentar desse jeito, tudo bem? Vamos ver se conseguimos. Não posso subir cada vez que Wendy precisar comer e ainda ficar de olho em você ao mesmo tempo. Continue comendo. Continue comendo e não pare até acabar. E, quando acabar, leve as tigelas e a colher para a cozinha e ponha tudo na pia. Enxágue as tigelas e ponha na lava-louça. Daí pode começar a limpar seu quarto.

Como a uva número seis.

— E a xícara também. Não esquece a xícara.

Como a uva número sete.

Agora Maura está no sofá segurando a Bebê Wendy. Não olho para elas, mas sei que estão lá. Porque vi quando ela sentou. Eu sempre sei onde a Bebê Wendy está.

Escuto os movimentos de Maura. Olho com meus olhos. O pano branco está em cima da cabeça da bebê. É amamentação.

— Pronto — diz Maura. — Agora, como eu falei, continua comendo. Aliás, viu o coelhinho da Wendy? Aquele pequeno com o laço?

Abro a boca para responder. O cereal cai. Pego o guardanapo depressa.

— Deixa para lá — diz Maura. — Só continua comendo. E, quando terminar, vai limpar seu quarto.

Termino às 9h21 e levanto. Levo minhas tigelas, a colher e a xícara para a cozinha. Depois vou até a sala de estar e paro na frente dela.

— Você d...

— Falei para ir limpar seu quarto — diz Maura.

— Mas v...

— Ginny, agora.

Viro e saio da sala de estar. Quando chego ao corredor, ela diz:

— Espera. Desculpa. Fica aí. Fala o que você queria falar.

Paro de andar.

— Você deixou sua bolsa no carro.

— No carro? O que a bolsa está fazendo no carro?

— Você deixou lá.

— Minha bolsa? Espera... está dizendo que o coelhinho ficou na bolsa?

Respondo que sim balançando a cabeça.

— Quando eu deixei lá? A bolsa no carro, não o coelho.

— Ontem, quando foi me buscar na escola.

— Ginny, vem cá.

Volto à sala de estar. Maura vira a cabeça e olha para mim. As mãos dela continuam embaixo do cobertor.

— Tem certeza que minha bolsa está no carro?

Repito o movimento com a cabeça.

— É claro que tem. Você presta atenção em tudo. Mas por que não me falou ontem? Por que esperou até agora?

Eram duas perguntas, por isso não falo nada.

— Desculpa. Por que esperou?

Tomo o cuidado de manter minha boca bem fechada. Penso bem. Depois balanço os ombros.

Porque, depois que ela deixou a bolsa no carro, saí para ver se o carregador de celular estava dentro dela. Às vezes ela leva na bolsa. O telefone que peguei na escola ontem não liga. É igual ao da Maura. Eu olhei.

Então, no momento em que ela foi banheiro eu saí para ir ver se o carregador estava no carro, mas lembrei que Maura ia ouvir, se eu abrisse e fechasse a porta. Mas, enquanto estava parada ao lado do carro olhando pela janela, vi as orelhas do coelho para fora da bolsa.

Maura fica quieta. Depois fala:

—Tudo bem. Já entendi. Quando falei que estava procurando o coelho, você lembrou que eu o guardei na bolsa. E daí lembrou que eu deixei a bolsa no carro.

Fico feliz por ela não ter feito uma pergunta.

— Bom, isso faz sentido. Acha que pode ir lá fora e trazer a bolsa para mim?

Respondo que sim com a cabeça. Estou animada, porque agora posso olhar dentro da bolsa. Vou buscar meu casaco no armário.

EXATAMENTE 9H44 DA MANHÃ, DOMINGO, 16 DE JANEIRO

Não tinha nenhum carregador na bolsa da Maura. Preciso encontrá-lo depressa. Ou encontrar outro carregador.

Não fomos à igreja hoje, porque Brian está voltando para casa. Vovó vai ficar comigo enquanto Maura vai buscá-lo. Quando a Vovó falou que eles chegariam mais ou menos na hora do almoço, fiquei contente. Tenho a manhã inteira para encontrar um novo esconderijo para as coisas que estão na minha mochila. Falei para a Vovó que ia fazer minha lista.

Quando cheguei no meu quarto, fiz a lista depressa e tirei o celular da Kayla Zadambidge de dentro da minha mochila. A carteira dela também. Não queria pegar as coisas de Kayla Zadambidge, mas tive que pegar. Porque Michelle Whipple segura a mochila cada vez que eu passo por ela. Peguei o celular e a carteira de Kayla Zadambidge na sexta-feira na Sala Cinco, quando ela estava conversando com Larry, porque estou pensando que vou precisar de algum dinheiro quando for para o Canadá. Mesmo sabendo que *é errado roubar*. O telefone e a carteira dela estavam juntos no bolso frontal da mochila onde ela carrega os livros. Preciso encontrar um esconderijo melhor para os dois, porque Brian sempre me ajuda a limpar o quarto. Maura não entra mais aqui.

A casa está muito quieta. Fico em pé no meio do quarto com a carteira e o celular. Olho em volta. Podia esconder os dois embaixo da cama.

Podia guardá-los no armário. Podia pôr na caixa de um dos meus jogos dentro do armário. Podia escolher qualquer jogo. Até o xadrez chinês. Escolho xadrez chinês, porque é meu jogo favorito. E é o jogo que Maura sempre jogava comigo quando vim morar na Casa Azul. Ver o xadrez chinês me faz sentir feliz e triste ao mesmo tempo, que é como me sinto quando penso em roubar, fugir ou ser sequestrada.

Pego a caixa de xadrez chinês da prateleira de baixo e ponho a carteira e o celular dentro dela. Depois ponho a caixa de volta na prateleira e fecho a porta. E sento com meu bloquinho do Snoopy para ler minha lista. Ela diz:

Esvaziar o lixo do quarto
Limpar o quarto
Pôr a roupa na secadora
Ler por exatamente trinta minutos
Ouvir Michael Jackson
Sair para respirar um pouco de ar fresco
Assistir a um filme
Não jogar xadrez chinês

Quando vou à sala de estar para ver o que a Vovó está fazendo e dizer que minha lista está pronta, ela está brincando com a Bebê Wendy. A bebê está no sofá com os pés para cima, rindo. Ela agora ri o tempo todo. Vovó está fazendo barulhos de bichos para ela. Tento lembrar da minha Boneca Bebê rindo, mas não consigo. Faz muito tempo. E isso me deixa *ansiosa*. Preciso estar com ela logo para poder ensinar coisas como o ABC. Eu cantava o ABC para ela o tempo todo, mas ela ainda era muito pequena para *cantar comigo*.

Na sala de estar, Vovó pergunta à Bebê Wendy o que um gato fala. Sei que ela mesma vai responder, por isso digo "miau" antes que ela possa dizer. Depois ela pergunta à Bebê Wendy o que um cavalo fala, e eu imito um relincho. E quando ela pergunta qual é o som de uma ovelha eu falo "béé". Porque eu sei. Sei o que *todos* os animais dizem. Tenho catorze anos e sei muito mais que a Bebê Wendy.

— É ótimo que você saiba todos os barulhos dos animais, Ginny — diz a Vovó —, mas eu estava tentando falar com a sua irmã. Ela é só um bebê, tem muita coisa para aprender. Não é ótimo que ela finalmente tenha aprendido a rir?

— Fiz minha lista — falo.

— Isso significa que quer ler a lista para mim?

Respondo que sim com a cabeça.

— Tudo bem. Pode ler.

Leio minha lista, e no fim a Vovó pergunta:

— Por que não podemos jogar xadrez chinês?

Fico de boca bem fechada. Depois falo depressa:

— Porque não tem nada na caixa.

— Como assim? Esqueceu de guardar o jogo na última vez que jogou?

Fico de boca fechada e espero três segundos torcendo para falar outra coisa.

— Acho ótimo você estar jogando com a sua mãe de novo — diz a Vovó —, mas é melhor guardar o jogo para não perder as peças. Mas tudo bem se não quer jogar xadrez chinês. Quando terminar de ver o filme, sua mãe e seu pai devem estar em casa. E eu vou ter preparado o almoço.

— Então eles vão chegar *exatamente* ao meio-dia?

— Até onde eu sei, sim. Tem alguma lição de casa que precisa fazer para amanhã?

Balanço a cabeça para dizer que não.

— Algum projeto que devia ter terminado?

Penso, porque essa é uma pergunta diferente, e balanço a cabeça de novo.

— Tudo bem. Então acho que pode começar a cumprir sua lista.

O telefone dela vibra na cozinha. Ela pega a Bebê Wendy e vai para a cozinha. Vovó olha para a bancada. O telefone dela está ao lado da cafeteira. Carregando.

Ela o encontra e atende.

— Ah — diz —, que surpresa. Estaremos esperando. — E devolve o celular à bancada. Meus olhos o seguem. — Sua mãe e seu pai vão chegar mais cedo do que pensamos. Estão sendo dispensados agora. Vou trocar a fralda da Wendy, depois vamos começar a preparar tudo para recebê-los.

— Eu espero aqui embaixo — falo.

Ela sobe. Eu me aproximo da bancada.

EXATAMENTE 3H50, SEGUNDA-FEIRA, 17 DE JANEIRO

— Acho que você pode estar ultrapassando um marco — diz Patrice. — Ou alguém está, de qualquer maneira. Sua mãe afirma que as coisas estão melhorando.

Ponho outro pretzel na boca. Gosto de sentir o sal na língua.

— Acho que foi no dia em que ela dormiu. Você ficou lá brincando com a bebê enquanto ela dormia, e, quando ela abriu os olhos, estava tudo bem.

Ela baixa a cabeça. Depois olha para mim de novo.

— Mas eles ainda querem ir dar uma olhada em Saint Genevieve. Sua mãe sabe que cuidar de você dá muito trabalho e que você precisa de muita atenção. Querem estudar todas as opções. Parece que o lugar é realmente ótimo para você. A estrutura, a calma, a supervisão... lá não tem bebês. É preciso ter treze anos, pelo menos, para ir para lá.

Bebo um pouco de água e olho em volta procurando Agamemnon. Está escondido de novo. Ele passa a maior parte do tempo escondido. Fico pensando se ele sai do esconderijo em algum momento.

— Está contente com seu pai em casa?

Balanço a cabeça.

— Sim — falo. — Agora não preciso passar o aspirador nem esvaziar a lata de lixo.

Patrice ri.

— Estava pensando se é legal conversar com ele de novo. Como ele está?

— Ele toma mais comprimidos agora. Fica deitado, cochila e descansa. Mas ontem conversamos sobre irmos ao torneiro de basquete da Olímpiada Especial no domingo, 23 de janeiro.

— Vai ser bom para vocês dois. Soube que também convidou o Rick.

Balanço a cabeça confirmando.

— Escrevi uma carta na quarta-feira para convidar. Depois dei a carta para Maura digitar em um e-mail.

— E ele respondeu?

— Sim. Disse que não pode ir porque ainda está na Georgia.

— Ah, que pena. Mas é bom que você possa trocar e-mails com ele. Vi nas suas cartas que você ainda chama a Krystal de sua Boneca Bebê.

— Krystal *com K* — falo.

— Isso — diz Patrice. — Por que não chama sua irmã pelo nome? Fiquei sabendo que começou a chamar Wendy pelo nome. Ou *Bebê Wendy*, pelo menos.

Não quero que Patrice saiba o motivo. Não quero que ela saiba que não posso chamar Maura de minha Mãe Para Sempre ou Brian de meu Pai Para Sempre ou a Bebê Wendy de minha Irmã Para Sempre porque não vou ficar com eles para sempre. Vou para o Canadá com Gloria cuidar da minha Boneca Bebê. Só preciso ligar para ela.

Então não falo nada. Em vez disso, faço meus ombros subirem e descerem. Às vezes isso significa *não sei*. E às vezes são só seus ombros subindo e descendo.

— De qualquer maneira, acho que pode ter conseguido ganhar tempo. Continue o que está fazendo. Acho que posso dizer que queria que você ficasse com Maura e Brian. O Saint Genevieve é um ótimo lugar, mas... vamos ver o que acontece, tudo bem? Vamos deixar as coisas continuarem melhorando, e aí vamos ver. Certo?

— Certo — respondo.

Patrice olha para um bloco de papel.

— E eu tenho mais novidades para você, notícias de alguns dos meus amigos que são assistentes sociais.

Sento reta e escuto.

— Eles contaram que ajudaram Gloria a registrar Krystal com K no Seguro Social. Ajudaram Gloria a levá-la ao médico e ao oftalmologista. Ela precisa de óculos, como você.

— Gloria está batendo nela? — pergunto.

Patrice morde a boca.

— É difícil dizer. Bater nem sempre deixa marcas. E tem tipos diferentes de abuso, coisas que são mais difíceis de detectar. Mas, por enquanto, os assistentes sociais não viram motivo para tirar a Krystal da...

— Krystal *com K* — interrompo. Estou arranhando as mãos.

— ... *Krystal com K* — diz Patrice — da Gloria. Lamento não ter outras informações além dessas. Mas queria conversar um pouco mais sobre ela hoje. Deve ser frustrante saber que ela ainda mora com a Gloria.

— É muito *chato* — falo.

— Posso imaginar.

— Gloria não sabe cuidar de bebês.

Patrice sorri mostrando os dentes e sopra o ar.

— Certo, bem...

— Ela não lembra de trocar a fralda. Ou de dar comida.

— Sei que Gloria era abusiva e negligente quando você estava com ela. Você manteve Krystal com K viva. Você a manteve segura e alimentada. Foi uma boa menina, Ginny, e eu me orgulho de você. Mas agora as coisas são diferentes.

— Como as coisas são diferentes agora? Gloria ficava muito, muito brava. Ela esquecia de levar comida para casa.

— Eu sei — diz Patrice. — Lembro de como você era magra quando nos conhecemos no hospital.

— Puseram uma agulha e tubos em mim. E um gesso no meu braço. E me deixaram comer um monte de comida.

Lembro que Patrice não respondeu à minha pergunta. Por isso pergunto de novo.

— Como as coisas são diferentes agora?

— Tem dois motivos — ela diz. Olha para o teto e conta. — Três, na verdade.

Espero.

— O primeiro motivo é que Crystal com C fez um bom trabalho cuidando da Krystal com K. Ela garantiu que a bebê tivesse comida suficiente depois que você saiu de lá.

Espero o segundo motivo.

— O segundo motivo é o que eu já disse. Não havia marcas no corpo da Krystal com K quando ela foi ao médico. O médico não encontrou nenhum sinal de abuso físico.

— Tinha sinais no meu corpo.

Patrice toca o olho.

— É, tinha — ela diz. — E agora que sabemos sobre a Krystal com K, sabemos por quê. Bebês pequenos choram muito. Você estava protegendo a bebê.

— Gloria descia para gritar e bater quando tinha muito barulho. E Donald...

Paro de falar.

Patrice está chorando. Não sei por quê.

— Você foi uma boa menina, Ginny — ela diz. — Protegeu a bebê deles. E durante todo esse tempo nós não sabíamos disso. Ainda bem que sua tia entrou em cena e assumiu o comando. Sabia que ela manteve a bebê segura por alguns meses depois que você saiu de lá? Cuidou da pequena Krystal com K enquanto Gloria recebia ajuda. Depois passaram alguns anos e... — Patrice para de falar. — Quantos anos passaram desde que tiraram você do apartamento? — ela pergunta.

— Cinco anos — eu digo.

— Cinco anos? — Patrice ainda está chorando. — Tem *certeza* de que faz todo esse tempo?

— Sim. Crystal com C cuidou dela depois que saí de lá, mas agora ela está na cadeia. Preciso ir para fazer ela ficar quieta, ou...

— Ginny — Patrice fala —, está na hora de contar o terceiro motivo. Vou falar com você de maneira direta.

Eu escuto.

Patrice engole.

— Sei que é muita coisa para absorver de uma vez só. Sei que esse é, provavelmente, o pior momento para você ter que lidar com mais alguma coisa, mas isso está deixando você muito estressada. Então, tenho que falar. — Ela para e seu rosto muda. — Ginny, sua Boneca Bebê tem seis anos.

Não falo nada. Estou pensando.

— Isso faz sentido? — Patrice pergunta.

— Minha Boneca Bebê é um bebê.

— Não, não é. Agora ela é uma menina. Não usa mais fralda. E, se tiver comida no apartamento, ela pode pegar sozinha.

Balanço a cabeça.

— Não é verdade — falo.

— É verdade. Um bebê que tinha um ano há cinco anos tem que ter seis anos agora. Porque passaram cinco anos. Certo?

Faço a conta no meu cérebro.

5 + 1 = 6

Mas também sei que minha Boneca Bebê é muito pequena para ter seis anos.

Balanço a cabeça de novo.

— Não — digo. — Crystal com C disse *ela vai ser sempre sua bebê*. Ela precisa de mim.

— Ginny, isso é só uma expressão. Krystal com K tem seis anos.

— Não tem!

Cubro o rosto com as mãos. Crystal com C sabe que não gosto de expressões. Ela não mente. Ela é a que diz a verdade. Se é verdade que minha Boneca Bebê tem seis anos, então é tarde demais para eu impedir que todas as coisas que aconteceram comigo aconteçam com ela. Porque a Gloria é completamente não confiável e Crystal com C pensa por ela.

E agora Crystal com C está na cadeia.

EXATAMENTE 5H14 DA NOITE, TERÇA-FEIRA, 18 DE JANEIRO

— O torneio de basquete da Olimpíada Especial vai ser no domingo, 23 de janeiro — diz Maura. — Depois, no dia seguinte, vamos ao Saint Genevieve. Esperamos de verdade que você goste. As fotos que a Irmã Josephine mandou são lindas.

Não era uma pergunta, então não falo nada.

— Ginny?

— O que é?

— Está.. animada para ir ao Saint Genevieve? Vai ser legal conhecer gente nova. Pessoas especiais como você.

— As pessoas na Olimpíada Especial são especiais como eu — falo. — E as da Sala Cinco.

— Isso mesmo! — diz Maura. — Vai ser muito parecido com a Olimpíada Especial. Todo mundo vai ser especial.

Olho para Brian. Ele está sentado na minha frente, do outro lado da mesa. Não está falando. Maura agora fica aqui embaixo com a Bebê Wendy durante o dia, e Brian também fica em casa. Ele está *pegando leve* até ficar cem por cento melhor, Maura falou no domingo quando ele chegou em casa.

Brian bebe um pouco de vinho. Agora ele bebe vinho tinto todas as noites no jantar. E não come coisas com muito sal. Ele não vai voltar ao trabalho este ano.

— Estou ansioso pelo torneio de basquete, Ginny — ele diz. — Vai ser legal ver a equipe de novo.

— Rick falou no e-mail que a gente precisa tirar fotos — eu falo.

— Ah, eu vou tirar muitas fotos. E prometo mandar algumas para o bom e velho Rick.

Queria saber se Rick vai para o Canadá comigo e com a Gloria. Acho que não, mas queria muito agradecer a ele. Porque ele me deu *O retorno de jedi* e o número do telefone da Gloria. Quis ligar para a Gloria ontem à noite, mas sei que as pessoas conseguem me ouvir quando falo no meu quarto. Preciso encontrar um lugar que seja privado. Não tem muitos lugares privados na escola. Não tem lugares privados aqui na Casa Azul. Sempre tem alguém aqui.

— Ginny?

— O que é?

É o Brian.

— Em que está pensando? Parece muito distraída.

— Está tudo bem na escola? — Maura pergunta.

— Sim — respondo.

— É a visita ao Saint Genevieve, não é — Brian fala. A voz dele não muda, por isso não é uma pergunta. — Como se sente sobre ir lá?

— Vamos na segunda-feira, 24 de janeiro — digo.

— Sim, mas como se sente sobre talvez ir *morar* lá?

Não quero responder, então espero. Porque às vezes, se você não responde, outra pessoa responde por você, ou alguém diz alguma coisa que ajuda a escolher o que dizer.

— Vai ser difícil para nós também — Maura fala. — Como eu disse no outro dia, tivemos bons momentos juntos. Mas fico feliz por você ir para um lugar onde as pessoas podem dar o que você precisa. Vai ficar muito feliz.

— Qual era a pergunta? — eu digo, porque agora não lembro mais.

— Perguntei como se sente sobre ir morar no Saint Genevieve — Brian responde.

— Sinto que quero ir para o meu quarto agora.

Ele balança a cabeça para cima e para baixo.

— Tudo bem. Pode ir para o seu quarto. Eu entendo.

Levanto da mesa.

— Estou realmente ansioso pelo torneio — ele fala. — Você não está? Vai ser como um último bom momento. — Seus olhos estão molhados.

— É — eu digo. — Vai ser o último bom momento.

EXATAMENTE 5H28, TERÇA-FEIRA, 18 DE JANEIRO

Tem bosques atrás da Casa Azul.

Não consigo vê-los porque está escuro lá fora. Só consigo me ver. Meu reflexo olha para mim da janela escura, escura. Vejo uma menina magra, magra de cabelo comprido e óculos. Ela usa seu chapéu, casaco e botas. E usa suas luvas e o cachecol. Ela é uma menina crescida, não a menininha que era antes. Não a menininha que *deveria* ser. Ela não tem mais nove anos. Ela é a (-Ginny) e tem muito trabalho para fazer. Ela tem que ser muito, muito esperta e não ser mais uma menina das cavernas.

Abro a janela sem fazer barulho. A tela já está levantada, porque deixei tudo preparado antes de pôr as luvas. Ponho minha mochila do lado de fora da janela e a solto na neve. Ela cai só oitenta centímetros até o chão. Eu sei, porque medi a distância há dois anos quando cheguei na Casa Azul.

Depois passo uma perna pela janela e paro. E penso.

Porque não tem uma escada.

Quando li o poema de Robert Frost sobre a colheita de maçãs, tinha uma escada e a sra. Carter disse que a escada significava *céu*. Depois, quando fiz um desenho de mim saindo pela janela do quarto, tinha uma escada. Porque quando eu fugir e encontrar minha Boneca Bebê, vai ser tudo bom, certo e seguro.

Mas oitenta centímetros é uma altura fácil de pular, não tem problema. Não preciso de uma escada. Então, se não preciso de uma escada e uma escada significa céu, talvez não seja o céu quando eu ligar para a Gloria e falar para ela vir me buscar. Ou não ter uma escada significa que alguém vai me fazer parar. Talvez alguém segure meu braço agora e fale *Não, Ginny! Não pule essa janela! Não tente ligar para a Gloria!*

Olho para a porta. Está fechada e tudo está quieto. Depois olho para fora. Está escuro e não tem mais reflexos. Não tem mais (-Ginny) olhando para mim enquanto me preparo. Em vez disso, vejo a pilha escura de lenha e as árvores ainda mais escuras além dela. O espaço aberto do quintal lá embaixo. Vazio e branco. Com ou sem escada, eu tenho que fazer isso.

Preciso ir.

A neve está limpa e me esperando. Pulo, pego minha mochila e vou andando pela neve.

EXATAMENTE 5H36, TERÇA-FEIRA, 18 DE JANEIRO

O telefone de Kayla Zadambidge me diz que horas são quando aperto um botão na parte de baixo. E também mostra a data exata. Agora ele está totalmente carregado. Às vezes penso se amo datas e números porque quando estou no fundo do meu cérebro eles me ajudam a lembrar onde estou de verdade. São como alças que posso segurar para me puxar de volta para cima.

A hora certa agora é *exatamente* 5h37, e estou em um caminho atrás da pilha de lenha.

Guardo o telefone no bolso do casaco e continuo andando. É fácil ver o caminho, apesar de o céu estar escuro. Porque a neve brilha. Ando por *exatamente* nove segundos, pego o telefone, aperto o botão e deslizo para a tela principal. Toco a palavra Contatos.

Não conheço as pessoas cujos nomes estão ali. Tem uma "mãe", mas sei que não é a Maura. Tem um "pai", mas sei que não é o Brian. Tem "Avó", mas sei que não é a Vovó. Não vejo "Gloria" ou "Rick" em lugar nenhum.

Guardo o telefone de novo. Tenho que entrar no bosque e ligar para a Gloria depressa, porque não quero que me vejam. Brian e Maura não vão entrar no meu quarto agora, mas acho que podem ir lá se me chamarem e eu não responder. Continuo andando. O caminho vira. Quando olho para trás, não vejo mais a Casa Azul. Não vejo a pilha de lenha, nada.

Tenho meus vídeos na mochila. Também trouxe o DVD player, mas é só isso. Tudo está carregado, caso alguém me encontre. Faz parte do meu plano secreto. Quando eu ligar para a Gloria, vou deixar meu filme passando. Assim, se alguém me achar e disser: "O que está fazendo no bosque, Ginny?", eu posso responder: "Estou vendo um filme".

Assim estarei falando a verdade. Assim ainda serei uma boa menina.

A neve ultrapassa meus tornozelos. O ar é tão frio que a parte de dentro do meu nariz dói e meus olhos se enchem de água. Passo por cima de troncos velhos de árvores. Ando entre rochas. Ando por nove segundos.

Ponho minha mochila no chão na neve e pego o DVD player. Ponho o aparelho em cima da mochila e pego *A noviça rebelde*, que é sobre uma mulher de cabelo curto chamada Fräulein Maria. Ponho o disco no DVD player e aperto o botão de ligar. A tela acende. Vejo palavras na tela, mas estou tão *distraída* e *ansiosa* que não consigo ler nada.

A lua está alta no céu em cima de mim. Brilha tanto quanto a tela. Pego o celular. Agora são exatamente 5h39. Olho dentro dos meus olhos e vejo o número da Gloria: 555-730-9952. Aperto os números e depois o botão verde, mas não escuto nada. Aperto o botão vermelho e tento de novo, mas ainda não ouço nada. Então vejo que o telefone diz *Sem Sinal*.

E eu falo:

— Que droga!

E fecho o DVD player com força. Jogo o aparelho dentro da minha mochila. Pego a mochila, penduro nos ombros e começo a andar. Volto pelo caminho por onde vim.

Mas não para a Casa Azul.

Porque sei que às vezes as pessoas passam pela rua da Casa Azul falando em seus celulares. Eu as via quando o tempo estava mais quente. Na primavera e no verão e no outono. Acho que elas tinham um sinal.

São 5h42.

Sigo o caminho até ver a pilha de lenha e as luzes da Casa Azul atrás dela. Dou a volta na casa e continuo pela entrada da garagem. Quando chego na rua, vou para o lado esquerdo.

Não tem iluminação, porque moramos no bosque. Vejo o céu e a lua sobre a rua. Ando depressa por mais nove segundos e viro para trás.

A Casa Azul ainda está muito perto.

Ando por mais nove segundos. A estrada vira. Faço a curva e olho para trás. Não vejo nada. Pego o celular e ligo.

Dessa vez o telefone está tocando. Toca quatro vezes antes de Gloria atender.

— Alô?

— Alô, aqui é a Ginny. Sou sua filha. Lembra?

— Ginny? — diz Gloria. A voz dela é como era há cinco anos, quando a polícia chegou para me levar e ela disse: "Desculpa! Desculpa, Ginny!", mas ela não está gritando, e eu também não estou gritando. Quero gritar ou agarrar minhas meias, porque estou muito animada, mas não posso, porque estou andando na estrada gelada e não consigo ver as beiradas. Além do mais, estou preocupada porque pode vir um carro do outro lado. Estou tão animada e ansiosa que meu nome nem parece ser meu quando Gloria diz:

— Ginny? Ginny?

— Sim, estou aqui.

— Puta merda, Ginny, isso é ótimo! Mas como conseguiu meu número? Esse telefone é pré-pago, só uso para trabalhar.

Não sei o que é um telefone pré-pago, mas sei que o trabalho dela é vender maine coons.

— Estava em *O retorno de jedi* — falo.

— *O retorno de jedi*? Você quer dizer o filme?

Balanço a cabeça para responder que sim.

— Ginny?

— O que é?

— Quem te deu meu número? Puta merda!

— Rick.

— Rick? Mas isso não faz nenhum sentido. Ah, espera, sim, faz! Ele pegou meu endereço com a polícia e veio falar comigo há algumas semanas. Trocamos números de telefone.

Não era uma pergunta, então não falo nada. Ainda estou lembrando como era a voz de Gloria quando ela estava com o rosto esmagado.

Ela respira fundo.

— Tudo bem, vamos focar. É ótimo que Rick tenha te dado o número do meu telefone, mas preciso fazer algumas perguntas. Preciso entender o que está acontecendo. Primeiro, alguém sabe onde você está?

— Não.

— Onde você está?

— Andando na rua.

— Em Cedar Lane?

— Sim.

— Está sozinha e ninguém sabe. De quem é o celular que está usando?

— Da Kayla Zadambidge.

— É alguém da escola?

— Sim.

— Tudo bem — diz Gloria. — Espera. Isso significa que você fugiu?

— Não — eu falo.

— Só pegou o telefone na casa da sua amiga e saiu para ligar para mim?

— Isso.

Gloria dá risada.

— Minha filha tinha que saber como fazer as coisas. Tudo bem. Você não deve ter muito tempo para conversar antes de alguém perceber que desapareceu. Temos que pensar no que fazer. Mas antes quero te dizer o que não disse online, porque aqueles babacas me impediram.

Ela respira fundo de novo.

— Quero que saiba que procurei você sem parar desde que foi embora. Por quatro anos inteiros. Ninguém me dizia onde você estava. Nem a assistente social nem a terapeuta. E uma terapeuta deve cuidar de quem sofre. Mas essa? Mesmo vendo minha dor, ela não ligava. E eu sofria mais. Você não imagina o que foi isto pra dor que eu estava sentindo. Sabe o que dá para ouvir se falar bem depressa "isto pra dor", não sabe? Enfim, eu procurei você durante muito tempo, e depois você me achou no Facebook. Foi o melhor dia que eu tive desde que Donald foi preso. E...

— Espera — eu falo. — Donald foi preso?

— Foi — diz Gloria. — E depois Crystal foi envolvida na história sem eu nem saber de nada. Se ela tivesse me contado o que ia fazer, eu teria ajudado. Cara, tenho muita coisa para dizer a ela. Ela vai poder mandar e-mails depois do julgamento, mas ainda não tivemos nenhum contato. Mas seu lugar é com a gente, Gin. Comigo e com a sua irmã. Você sabe disso, não é? E recebeu o presente de Natal que eu mandei? E a pizza?

Mas são três perguntas ao mesmo tempo, e meu cérebro está pensando *Donald foi preso, Donald foi preso*, e eu não falo nada, embora as respostas sejam *sim, sim e sim*.

— Ginny?

— O que é?

— Lembra, eu falei que a gente precisa focar. Fala o que você quer. Porque eu sei qual é o meu plano, e quero ter certeza de que você e eu queremos a mesma coisa. Preciso ouvir você dizer as palavras.

— Quero ir para o Canadá morar com você — falo. — Podemos desaparecer em Quebec e eu posso cuidar da minha Boneca Bebê de novo. Mas você não pode vir me sequestrar, ou vai ser presa. Então, vou precisar de uma carona.

Também quero dizer *preciso ter certeza de que você está alimentando minha Boneca Bebê e que não bate nela*, mas não digo.

Gloria espera alguns segundos antes de falar, e, quando fala de novo, a voz dela treme.

— É muito bom ouvir isso, Ginny. Merda, isso é ótimo. É exatamente o que eu também quero. E você está certa, se eu tentar tirar você da casa ou da escola, vou ser presa.

— Quem vem me buscar?

— Essa é a parte complicada. Não posso encontrar você. As pessoas com quem você mora ficaram muito bravas quando fui na sua casa e na escola. No veneno, a gente pode dizer.

— Por que eu diria isso?

— O quê? No veneno? É só uma expressão. Você não mudou nada, né?

— Ainda tenho a mesma cabeça. E meus olhos ainda são verdes.

E Gloria diz:

— Tudo bem. Vamos pensar nisso. O fato de parecer impossível eu conseguir ir te buscar não quer dizer que eu não deva tentar. Quero dizer, querer é poder, certo?

Agora ela está falando *muito* depressa. Tão depressa que eu quase não entendo. É como se tivéssemos a mesma cabeça. Mas eu não sou tão boa em dividir.

— Mas eu não quero acabar na cadeia. Isso não seria nada bom. Então, vamos ter que fazer alguns ajustes, Gin. Alguns ajustes importantes.

Estou pensando que *ajustes* são como *modificações* na escola, o que significa que alguém deixa minha lição de casa muito mais fácil. Continuo ouvindo e andando pela rua de areia gelada. A parte de trás da perna da minha calça está ficando molhada e dura, e eu estou tremendo, mas não me importo. Porque estou falando com a Gloria, e Donald está na cadeia. Meu plano secreto vai dar certo.

— Vamos ver, vamos ver — diz Gloria. — Quem eu posso escolher para ir te buscar? Eu não posso ir, é claro. Não na casa. A polícia pegaria a gente em dois segundos.

E eu digo:

— Meu Velho Pai Rick pode me dar uma carona.

— Rick? Não. Não podemos confiar nele. Sei que ele te deu o número do meu telefone, mas ele também mandou minha irmã para a cadeia. Além do mais, acho que ele não faria isso.

Estou chocada. Rick ia me levar para o Canadá. Ele é meu Pai Biológico e eu sei que ele me ama, e isso significa que Gloria está errada. Mas não quero *contrariar* a Gloria, porque ela vai ficar brava. E não posso, não posso, não posso deixar a Gloria brava.

Então eu digo:

— Quem mais pode me levar? Não tenho permissão para dirigir. E não tenho um carro.

— Sei que você não dirige, meu bem. Só preciso de um minuto para pensar.

Espero ela terminar de pensar, mas Gloria pensa alto, e não é assim que eu penso, e isso faz minha cabeça doer. Ela continua falando e falando.

— Se você não morasse tão longe da cidade, poderia fugir de novo, e iria te buscar em um lugar combinado — ela diz. — Sabe, um *rendezvous*. Era assim que minha velha mãe francesa costumava falar. Você vai gostar muito dela! Que lugar poderia ser bom para um encontro?

— Às vezes as pessoas se encontram no shopping.

— Sim, mas alguém ia precisar levar você até lá, e seria difícil a gente se encontrar no meio de tantas pessoas. Onde mais podemos marcar um encontro?

— Nós encontramos Rick no parque — falo. Estamos pensando nossos pensamentos juntas com a boca, em vez de pensar dentro do cérebro. Nunca fiz isso antes e é muito rápido. Isso me deixa *ansiosa*, mas não conto para ela, porque ela vai ficar brava, e deixar a Gloria brava pode ser assustador. Arranho os dedos com força.

— Acho que não vai dar certo — diz Gloria. — Você também ia precisar de uma carona para lá. Temos que pensar em um lugar aonde você possa chegar sem ninguém precisar te levar de carro. Certo? Um supermercado, talvez? Ou uma igreja, alguma coisa assim?

— Posso pedir para Maura me levar.

— Quem é Maura?

— Ela era minha Mãe Para Sempre, mas não a chamo mais desse jeito.

Gloria para de falar por um segundo. Depois pergunta:

— Sua o quê?

— Minha Mãe Para Sempre.

— A mulher com quem você mora? É assim que fazem você chamá-la?

Não sei o que dizer. Eu chamava Maura de minha Mãe Para Sempre porque todas as assistentes sociais diziam que eu ia ficar com ela para sempre. Era como elas a chamavam também.

— E imagino que o marido dela seja seu *Pai Para Sempre* — diz Gloria. Respondo que sim com a cabeça.

— Ginny?

— O que é?

— Perguntei se eles *fazem* você chamá-los desse jeito.

Quero dizer não, mas sei que Gloria quer que eu diga sim. Então não digo nada. Não quero que ela fique brava, mas ela vai ficar brava de qualquer jeito. Espero realmente que ela não pergunte sobre meu novo nome.

— Ginny, eu sou sua *Mãe Para Sempre*. Entendeu? Sabe disso, não sabe?

Eu penso.

— Pensei que fosse minha Mãe Biológica — respondo.

— Eu *sou*. Mas sou sua Mãe Biológica *para sempre*, certo? Não entende isso?

Eram duas perguntas, então não digo nada.

— Tudo bem, vamos começar de novo. Não posso ir te buscar em casa, e não posso ir te buscar na escola. Aliás, foi ótimo te ver quando estive lá em setembro. Mas não acredito na rapidez com que aqueles filhos da mãe chamaram a polícia.

— Sim. — Balanço a cabeça. — Teve muito *drama*. Eu vi você do lado do Carro Verde. Fiquei na janela e bati no vidro. Depois tive que ir encontrar a Patrice.

— Patrice? É a terapeuta, não é? Estou surpresa por ela ainda estar em cena.

No meu cérebro, vejo minha foto do Michael Jackson. Ele está em cena dançando e segurando o chapéu, na ponta dos pés.

— Ela não está — falo.

— Mas você acabou de falar que foi encontrar com ela.

— Eu fui.

— Tudo bem, escuta — diz Gloria. — Temos que nos concentrar. Precisamos descobrir um jeito de tirar você daí. E acho que estamos pensando demais. Tem que ser mais tranquilo. Mais simples. Já sei o que vamos fazer. Vai para casa. Volta, quero dizer. Na segunda-feira, quando descer do ônibus na escola, não entra. Vai andando pela calçada o mais depressa que puder e, quando virar na esquina, atravessa a rua. Eu te encontro lá no Cumberland Farms. E de lá a gente foge.

— Foge para onde?

— Para a fronteira.

— Na segunda-feira, 24 de janeiro?

— Sim. Acho que é isso. Hoje é terça, daqui a seis dias, então, certo? Sei que parece muito, mas preciso de um tempo para organizar as coisas. A parte mais difícil vai ser despistar as assistentes sociais. Elas não me deixam em paz.

— Não pode ser na segunda-feira, 24 de janeiro. Nesse dia vou no Saint Genevieve Lar Para Garotas Que Não São Confiáveis.

— Saint Genevieve Lar Para... o quê? Do que está falando?

— Brian e Maura vão me levar para Connecticut na segunda-feira — eu falo. — Para visitar o Saint Genevieve Lar Para Garotas Que Não São Confiáveis.

— Não vai à escola nesse dia?

— Não.

— Então não vai dar certo. Tem que ser em um dia em que você vá para a escola. Na terça-feira?

Balanço a cabeça para concordar e fico ainda mais animada. Sinto como se meu cérebro não estivesse mais dentro da minha cabeça. Sinto como se ele estivesse flutuando no ar.

— Sim — falo. — Na terça-feira, 25 de janeiro. Eu vou para a escola. Um dia depois de ir ao Saint Genevieve. Dois dias depois do torneio de basquete da Olimpíada Especial. Minha Boneca Bebê vai estar no carro? — Meu cérebro me faz lembrar que ela quer que eu vá ao Cumberland Farms. Que fica no fim da rua por onde a gente chega na escola, do outro lado da rua. — Mas não posso atravessar a rua sozinha.

— Ah, fala sério — diz Gloria. — Você pode atravessar a rua. Não vai mais ter que fazer o que essas pessoas falam, pode simplesmente esperar todos os carros pararem e depois atravessar correndo. Não quer ir para casa comigo e com a Krystal com K?

— Quero pegar ela no colo, deixar chupar meu dedo e dar alguma coisa para ela comer — falo.

Gloria começa a rir. Depois para.

— Espera. Você quer...

— Pegar ela no colo, deixar chupar meu dedo e dar alguma coisa para ela comer.

— Tudo bem — ela diz. Muito devagar. — A gente pode falar sobre isso outra hora. Agora, temos que parar de conversar para você poder voltar e se preparar. Para o nosso *rendezvous*. Com um pouco de sorte, ninguém nem vai perceber que você saiu. Entre escondida, se for preciso. E não deixe ninguém perceber que está arrumando suas coisas para ir embora. Pegue todo seu dinheiro, se tiver algum. Ponha algumas roupas e suas coisas preferidas em uma mochila, ou na bolsa da escola, e não se esqueça de esconder o celular. Na verdade, não... acho melhor se livrar dele. Desligue e jogue no bosque. E depois, se conseguir alguns celulares *novos*, vai ser bem legal. Quando a gente está fugindo, celular nunca é demais. A polícia pode rastrear os números, de vez em quando, então é bom usar uma vez cada um e depois se livrar dele. E não se esqueça de levar o dinheiro. E é extremamente importante que você *não* conte para ninguém o que está fazendo. Não deixe ninguém saber que você me ligou e que conversamos. Se alguém descobrir, nada disso vai dar certo. Acha que consegue lembrar de tudo?

Gloria não gosta de ouvir a palavra *não*, por isso balanço a cabeça para responder sim, apesar de ser muita coisa para lembrar.

— Alguma vez pintou o cabelo? Vamos ter que ser rápidas depois que você entrar no carro, mas acho que a gente devia tingir seu cabelo. Eu escondo o carro em algum lugar para despistar a polícia. Na verdade, vou usar outro carro. Depois a gente abandona o automóvel em algum lugar e pega um ônibus. Vai ser complicado enquanto estivermos nos Estados Unidos, mas, assim que a gente atravessar a fronteira, vai ficar mais fácil. É muito mais fácil se esconder no Canadá. Já pensei em um lugar onde podemos ficar, e depois, quando a poeira baixar, podemos começar a construir uma vida nova, só eu e minhas duas meninas, como tem que ser.

— E eu vou cuidar muito bem da minha Boneca Bebê.

Gloria ri.

— Certo. Já falei, a gente vai ter que conversar sobre isso em algum momento. Merda, você já enfrentou muita coisa. Não acredito... não. Temos que parar de conversar, ou alguém vai te pegar. Vamos nos despedir, e depois você vai voltar para casa. Quando desligarmos, você tem que desligar o celular e jogar o aparelho no bosque, o mais longe que puder, entendeu? Depois volta para dentro de casa. Como eu disse, se tiver sorte, ninguém vai ter percebido que você saiu. E espera... disse que vai participar de um torneio?

Balanço a cabeça.

— No domingo, 23 de janeiro. É no ginásio.

— Domingo no ginásio. Entendi. Certo. Quer dizer mais alguma coisa antes de desligar?

Eu penso.

— Não — falo.

— Ótimo. Então, não esquece. Pega todo o dinheiro que puder, e alguns celulares, e depois vai para o Cumberland Farms na terça-feira, quando descer do ônibus. É lá que vai acontecer nosso *rendezvous*. Vai andando direitinho, firme. Não precisa ir se esgueirando toda cuidadosa. As pessoas percebem esse tipo de coisa. Anda com confiança, certo?

— Certo.

— Legal. Agora vamos dar tchau. Amo você, Ginny.

— Tchau — eu falo. Depois aperto o botão vermelho do celular e começo a andar.

Olho em volta para ver onde estou. Agora está mais escuro que nunca, e a rua ainda tem areia, como minha calça, e tem pilhas de neve dos dois lados da rua. Tudo é preto e branco e mais frio do que era antes. Tão frio que não sinto meus dedos quando os arranho.

São 6h03. Desligo o celular e jogo no meio do bosque, onde ninguém vai encontrá-lo. Depois viro e começo a andar de volta para a Casa Azul.

EXATAMENTE 3H31 DA TARDE, QUARTA-FEIRA, 19 DE JANEIRO

Estou no consultório da Patrice, sentada na poltrona florida. Agamemnon está deitado em um raio de sol no tapete, perto da grade do aquecimento. Ele está de olhos fechados, mas de vez em quando move a cauda de um lado para o outro.

Dou uma mordida na bolacha graham.

— Em que está pensando, Ginny? — Patrice pergunta.

— Estou pensando em Agamemnon — falo.

— O que tem ele?

— Hoje ele não se escondeu.

— Não.

— Balança o rabo, mas está de olhos fechados.

Patrice olha. Agamemnon movimenta a cauda da direita para a esquerda.

— Tem razão — ela diz. — Os animais fazem isso, de vez em quando. Parece que estão dormindo, mas a mente continua em movimento. Agamemnon pode estar sonhando que está perseguindo um rato.

— Ou um camundongo — eu falo. — Ou um esquilo. — Porque lembro que os maine coons eram ótimos caçadores.

Patrice fica em pé. Ela pega Agamemnon e vira para mim.

— Posso pôr no seu colo?

Respondo que sim com a cabeça. Faz muito tempo que não seguro um gato, muito tempo. Talvez nem lembre de como fazer. A última coisa viva que segurei foi minha Boneca Bebê. Há cinco anos, quando a peguei para pôr na mala. Antes que eu consiga pensar em mais alguma coisa, Patrice coloca Agamemnon no meu colo. A cabeça dele está perto dos meus joelhos. Ponho os braços nas laterais do corpo do gato. Com a mão direita, faço carinho nele. Ele ronrona.

Meus olhos estão molhados. É difícil enxergar.

— Pronto — diz Patrice. — Que surpresa. Você é boa nessa coisa de segurar gatos. Agora vocês dois podem se conhecer melhor. Ele vai continuar sonhando se você deixar. Enquanto isso, talvez a gente possa conversar sobre o que aconteceu ontem à noite. Brian e Maura me contaram que pegaram você entrando em casa pela janela do seu quarto.

Limpo os olhos e continuo afagando Agamemnon.

— Eu saí — falo.

— Sim, imaginei. E eles disseram que você não quis falar por quê. Disseram que você estava com a mochila e que dentro dela tinha seu DVD player e catorze filmes.

— Eu tenho catorze anos — falo.

— Certo. Você tem catorze anos, e é claro que esse é o número de filmes que ia levar. Viu algum filme enquanto estava fora?

— Eu ia ver *A noviça rebelde,* mas não vi.

— Por que não?

Tomo cuidado para ficar com a boca bem fechada. Penso. E continuo mexendo as mãos no pelo do Agamemnon.

— Vou esperar até você se sentir pronta para responder — diz Patrice. Ela pega um fio azul e branco de um cesto ao lado da cadeira. Tem duas agulhas compridas e prateadas no fio. Ela começa a tricotar. — Mas vou fazer a pergunta de novo, caso tenha esquecido. Por que não viu o filme?

— Fiquei com raiva — falo. E cubro a boca com a mão.

As agulhas fazem barulho.

— Sei — diz Patrice. — Aposto que estava com raiva por causa da conversa que teve com Brian e Maura. Sobre o que vocês falaram?

Estou chocada. Porque ela me deu o que eu tenho que falar e é verdade, basicamente. Agora posso só falar. Tiro a mão de cima da boca e respiro.

— Eles vão me levar para visitar o lar para garotas que não são confiáveis — digo.

Patrice balança a cabeça.

— Saint Genevieve. E você não quer ir lá?

Eu penso. Depois falo:

— Não, eu não quero ir lá.

— Parece que ficou com raiva por ter que sair da Casa Azul, e teve que se afastar por um tempinho para ficar sozinha. Pensou em dizer a Brian e Maura que está com raiva e que não quer ir?

Estou confusa.

— Não — falo.

— Bom, talvez deva. Quando você diz às pessoas que está com raiva, ou que não quer fazer alguma coisa, acaba mostrando que você se importa. E é isso que eles querem desde o começo, Ginny. Brian e Maura precisam saber que você gosta de morar com eles. Que sentiria saudade deles se tivesse que ir embora. Que *vale a pena* tentar fazer você ficar. A única coisa com que viram você se importar desde que fez contato com Gloria pelo Facebook foi com sua irmã. Com a Krystal com K, quero dizer. É compreensível, considerando as circunstâncias, mas não mostrou a ninguém que se importa com qualquer outra coisa. Não demonstrou nenhum interesse em ficar na Casa Azul. Seu comportamento melhorou muito, mas você ainda não demonstra que quer ficar.

Tudo isso significa que Patrice não sabe nada sobre o motivo para eu ter pulado a janela. Ela não vai falar sobre Gloria, telefones, nada.

Eu sorrio.

— Por que está sorrindo?

Quero cobrir a boca com a mão, mas não faço nada. Não preciso.

— Ginny, perguntei por que está sorrindo.

— Nós vamos ao torneio de basquete da Olimpíada Especial no dia 23 de janeiro — digo. Porque é verdade, embora não seja essa a resposta para a pergunta de Patrice.

— Isso é ótimo — Patrice diz. — Acho ótimo que você vá aos treinos toda semana, e que tenha ido mesmo quando Brian estava no hospital. Sei que ele está feliz por ter voltado para casa. Você também está feliz por ele estar em casa?

Balanço a cabeça para dizer que sim.

— Que bom — diz Patrice. — Você e Brian têm uma ligação especial. Vai ser difícil ir para o Saint Genevieve e ficar longe dele, não acha?

Penso. Depois respondo que sim com a cabeça.

— Aposto que vai sentir saudade de quando ele te levava para andar de trenó e de toda aquela diversão no lago no verão passado.

Não era uma pergunta, então fico calada.

— Não vai poder fazer essas coisas se for para o Saint Genevieve. Como se sente com isso?

Começo a arranhar os dedos. Sei o que ela quer que eu fale. Só tem uma resposta que vai deixar Patrice feliz, e a resposta é verdadeira, embora eu nunca tenha tempo para pensar nisso.

— Eu me sinto triste — falo.

Patrice continua tricotando.

— Acha que podemos escrever sobre o quanto isso te deixa triste? Em um pedaço de papel. Eu posso escrever para você, se quiser. Podemos escrever um bilhete para o Brian contando quanto você vai sentir saudade dele. Mas Brian não é o único de quem você vai sentir saudade na Casa Azul, aposto.

— Também vou sentir saudade da Maura e da Bebê Wendy.

— É claro que vai. Vamos escrever para todos eles no mesmo bilhete? Ou acha melhor escrevermos um bilhete para cada um?

Eram duas perguntas. No meu cérebro vejo minha Boneca Bebê de um lado do sinal de igual, e do outro vejo Brian, Maura e a Bebê Wendy. Mas um não é igual a três. Um é *menos* que três, assim:

1 < 3

Não posso sentir saudade de Brian, Maura e da Bebê Wendy como sinto saudade da minha Boneca Bebê, porque minha Boneca Bebê precisa de mim muito mais do que eles. Porque eles estão seguros. Ninguém vai bater neles ou machucá-los. Brian, Maura e a Bebê Wendy não precisam de mim. Então, na verdade, dessa vez um é *maior que* três, embora a conta esteja errada. Porque cuidar da minha Boneca Bebê é maior que tudo. Até que a matemática.

— O que está pensando, Ginny? — Patrice pergunta.

— Estou pensando na minha Boneca Bebê. — Não mexo a cabeça ou os olhos.

— Sim, bem, acho que devemos falar um pouco sobre isso também. Hoje tive notícias da minha amiga assistente social de novo.

Saio depressa do meu cérebro. Olho para ela. Agamemnon agarra minha perna com as patas.

— Fiquei sabendo que elas têm encontrado Gloria, e os médicos que estão cuidando da Krystal com K dizem que ela está perdendo peso.

— Porque a Crystal com C está na cadeia — eu digo. — Ela sabe cuidar da minha Boneca Bebê.

— Talvez você esteja certa — diz Patrice. — As assistentes sociais estão fazendo o que podem para ajudar Gloria a ser uma mãe melhor. Mas...

Eu interrompo.

— Ela está batendo nela?

— Não que alguém possa afirmar. Mas...

— Ela está trocando as fraldas? Fica com ela à noite?

Agamemnon pula para o chão. E sai correndo da sala.

— Ginny, sei que essa notícia pode ser surpreendente para você, mas precisa ficar calma e ouvir. Tenho mais coisas para falar.

Seguro os braços da poltrona com força e espero.

— As assistentes sociais disseram que, se Krystal com K não parar de emagrecer, vão ter que tirá-la do apartamento. Vão ter que tirá-la da Gloria.

Tudo para. No meu cérebro, lembro a primeira vez que a polícia foi lá. O dia em que começou o primeiro Para Sempre. A coisa toda de repente. As batidas e os gritos. As luzes piscando.

Balanço a cabeça e olho para o meu relógio, depois levanto a cabeça de novo.

— Quando a polícia vai lá? — pergunto.

— Ainda não sei — diz Patrice. — E não é nada certo. É uma possibilidade se as coisas não melhorarem.

— Quando você vai saber?

— Não sei. Não deve demorar muito. Acho que até o fim da semana devemos ter alguma notícia. Talvez no fim de semana.

Arranho os dedos. Fico em pé. Sento de novo. Depois levanto e fico em pé.

— Ginny, quer beber alguma coisa? — pergunta Patrice.

— Não. Eu quero...

Paro de falar. Fecho a boca bem fechada, fechada, fechada.

— Brian e Maura queriam que eu conversasse sobre essas coisas com você — diz Patrice. — Eles acham que você tem direito de saber. E eu concordo com eles. Sei que é difícil saber que Krystal com K não está muito bem, mas espero que entenda que as pessoas estão cuidando disso. As assistentes sociais estão trabalhando, e vão fazer o possível para colocá-la em uma boa casa se for preciso.

— Eu vou poder ir vê-la?

— Não sei, mas, quando for para o Saint Genevieve, você vai estar muito longe. As assistentes sociais tentam manter as crianças em suas regiões, quando podem. Se você estiver em Connecticut, vai ser difícil ir visitá-la. Krystal com K vai ficar em um abrigo temporário até um juiz decidir se a reunião é possível ou não, e depois... — Ela para. — Então tudo é bem confuso, e sei que vai querer estar por perto para se manter informada. Se me disser que quer ficar na Casa Azul, posso te ajudar. Mas precisamos falar essas coisas para Maura e Brian. Vamos escrever o bilhete, está bem? Temos que deixar claro quanto vai sentir saudade de todo mundo. Quanto você se importa. E, acima de tudo, não pode haver mais nenhum *incidente*. Não pode mais fugir para o bosque ou sair escondida. Tem que se ater aos limites.

Não sei o que significa *se ater aos limites*. Não entendo nada, mas Patrice já pegou papel e caneta. Ela me pede para ditar o que quero dizer e vai escrevendo. Começo a falar no meu cérebro. Falo depressa no meu cérebro, e depois falo bem, bem devagar. Para não falar nenhuma mentira. É extremamente difícil e *chato* de fazer.

Mas tenho que fazer.
Patrice escreve e escreve, depois lê tudo para mim.

Queridos Maura, Brian e Bebê Wendy,
Não quero ir para o Saint Genevieve Lar Para Garotas Que Não São Confiáveis. Estou pensando que quero me ater aos limites, embora não entenda bem o que isso quer dizer. Mas prometo que, enquanto estiver aqui, não vou mais falar mentiras com minha boca. Não vou causar mais incidentes. Não vou brigar na escola. Não vou roubar coisas. Toda vez que vocês me virem, vou ser uma menina muito boa.
Amor,
Ginny Moon

EXATAMENTE 9H32 DA MANHÃ, QUINTA-FEIRA, 20 DE JANEIRO

Tenho muitas coisas em que pensar, e isso está fazendo minha cabeça doer. Dói tanto que eu ponho as mãos dos lados da cabeça e aperto. Quando Brian me viu fazer isso à mesa da sala de jantar hoje de manhã, ele me perguntou qual era o problema, mas eu só fiz uma cara brava. Porque tenho que me preparar para o *rendezvous* na terça-feira, 25 de janeiro, mas a polícia pode ir pegar minha Boneca Bebê na casa de Gloria antes disso. O que significa que tenho que telefonar para a Gloria e contar imediatamente. Tenho que ligar para ela agora.

Mas não tenho mais um telefone.

— Sua mãe não pode ir por causa da sua irmã bebê? — diz Kayla Zadambidge. Estamos na Sala Cinco montando um quebra-cabeça juntas. As peças não parecem ser peças que encaixam em tudo. São como peças de uma calçada quebrada, ou cacos de vidro.

— Ginny?

É Brenda Richardson. Faço um esforço para pensar. Ela tem um celular, mas a mãe não deixa Brenda levar para a escola todos os dias. Só quando ela tem aula de cambalhotas depois da escola. Hoje ela tem aula de cambalhotas.

— Só seu pai vai estar lá no domingo, ou sua mãe e sua irmãzinha também vão?

Respondo que sim com a cabeça.

— E seu outro pai? Sabe, aquele tal de Rick — diz Larry. — Ele vai?

— Não.

— Por que não? — pergunta Larry. O pai dele só vai deixar ele ter celular quando ele for para o ensino médio.

— Ele está dirigindo caminhão na Georgia — falo. — Mas me manda e-mails.

— Você vai, ah, sei lá, encontrar com ele em algum lugar algum dia, daqui a pouco? — Larry pergunta. Porque Larry sabe sobre meu plano secreto. Ele vai me ajudar na terça-feira, 25 de janeiro. Porque ele disse que *faria qualquer coisa* por mim.

— Sua mãe não vai estar lá porque precisa cuidar da bebê? — Alison Hill pergunta.

Alison Hill tem um telefone. É *exatamente* como o da Brenda Richardson. Ela o deixa guardado no armário. Não sei a combinação, mas o armário dela fica ao lado do meu. Não quero pegar o telefone da Alison Hill ou da Brenda Richardson porque elas são minhas amigas, mas Gloria falou para eu pegar *alguns celulares*. E, se eu não ligar para a Gloria para contar que as assistentes sociais vão levar minha Boneca Bebê embora, isso pode acontecer. A polícia vai buscá-la. Talvez hoje ou amanhã ou no fim de semana. Podem já ter ido.

Tento lembrar o que Alison Hill perguntou. Respondo que não balançando a cabeça.

— Isso deve te deixar triste — ela fala.

Balanço a cabeça para cima e para baixo.

— Quando ela crescer, vai poder ir?

— Acho que sim — digo.

— Adoro sua irmãzinha — diz Kayla Zadambidge. — Lembra como ela segurou meu dedo, e sua mãe deixou eu limpar a boquinha dela com aquele pano branco? Amo bebês.

O telefone de Kayla Zadambidge está no bosque. Não acho que consiga encontrar o telefone, e não tenho tempo para ir procurar. Vou tentar primeiro o da Alison Hill. Depois o da Brenda Richardson.

— Amo minha Boneca Bebê — falo.

Larry começa a cantar uma música que fala sobre não hesitar e sobre amor que não espera, e depois alguma coisa sobre um bebê. Olho para ele, mas ele não para.

— Quero fazer uma bandeja no domingo — diz Alison Hill.

— Eu também! — Brenda Richardson fala.

— Vou fazer cinco cestas — diz Larry. — Cinco.

— Vou acabar com o outro time.

— Vou fazer minha cesta de gancho.

— No fim, vamos ter que tirar uma foto de todos nós juntos e com nossas medalhas.

Tem muita gente falando ao mesmo tempo, e eu não consigo mais suportar. Quero levantar e ir para o corredor, mas a sra. Carol aponta para o relógio.

— Hora de começar a guardar as coisas, pessoal — ela diz. Guardamos o quebra-cabeça e recolhemos nossas coisas. É hora da aula de ciências. Pego minha mochila e vou para a fila na porta. O sinal toca, e eu ando atrás de Alison Hill para o corredor.

EXATAMENTE 4H48 DA TARDE, QUINTA-FEIRA, 20 DE JANEIRO

— Alô? — diz Gloria.
— Minha Boneca Bebê ainda está aí? — Brian e Maura estão lá em cima dando banho na Bebê Wendy. Estou no meu quarto com a porta fechada.
— Ginny? Por que você me ligou? Sim, é claro que sua irmã está aqui. O que aconteceu?
— Patrice disse que a polícia vai tirar ela daí. No fim dessa semana, talvez no fim de semana. Você não está dando comida suficiente para ela.
Gloria para.
— Merda — ela fala. — Merda, merda, merda! Eu sabia que aquelas... escuta. Só escuta! Foi ótimo ter me ligado, mas preciso ir agora. Tenho que sair daqui. Tenho que pegar tudo e mudar de lugar antes que eles apareçam.
— Ainda vai no nosso *rendezvous* na terça-feira, 25 de janeiro, no Cumberland Farms?
— Sim, sim, é claro — diz Gloria. — Mas tenho que pensar onde vou passar os próximos três dias.
— *Quatro* dias.
— Certo. Quatro dias. Tanto faz. Puta merda, não vou deixar tirarem as *duas* de mim! Eu precisava da ajuda da minha irmã agora! Bando de fodidos!
— Você tem que dar mais comida para ela — falo, mas ouço passos no corredor. — Vem vindo alguém.

— Ela é chata para comer! Como você era! Escuta, dessa vez fica com o celular — diz Gloria. — Posso tentar ligar se acontecer alguma coisa. Fica com ele escondido. Desliga, e apenas veja se eu mandei uma mensagem depois que for para a cama. Mas não esconde o celular no seu quarto. Esconde em outro lugar. Do lado de fora se puder.

Ela não fala qual celular tenho que guardar. O da Brenda Richardson ou o da Alison Hill. Começo a arranhar meus dedos.

Mas a porta abre.

É Maura.

— Ginny, hoje vamos jantar um pouco mais tarde do que de costume — ela diz.

O celular está atrás da mim. Guardo ele no meu bolso.

— A fralda da Wendy vazou, tivemos que dar banho nela. Depois vou amamentá-la e colocá-la para dormir um pouco. Vamos comer às seis. *Aproximadamente* seis horas, tudo bem?

— Tudo bem — eu falo.

Ela fecha a porta.

Tiro o telefone do bolso e aproximo da orelha.

— Alô? — falo, mas Gloria não está mais na linha.

Desligo o celular, abro meu armário e pego o xadrez chinês. Depois lembro que Gloria disse: *não esconda o telefone no seu quarto*. Acho que não consigo pegar meu chapéu, o casaco e as botas sem Brian e Maura ouvirem. Não acho que consigo abrir a porta para sair sem alguém me ouvir.

Então, vou até a cozinha, abro uma gaveta e pego a fita adesiva. Volto ao meu quarto e abro a janela. Abro a tela e colo o telefone da Alison Hill na parede da casa. Depois fecho a tela e a janela e sento na minha cama.

Seguro meu cobertorzinho perto do meu nariz e vou para dentro do meu cérebro. *Só mais um pouquinho*, falo para a minha Boneca Bebê. *Logo vou estar aí para garantir que você fique em segurança.*

EXATAMENTE 2H10 DA TARDE, SEXTA-FEIRA, 21 DE JANEIRO

— Dois celulares desapareceram esta semana, ambos de alunos da Sala Cinco — diz a sra. Carol. Seus olhos grandes são frestas por trás dos óculos. — E o celular da Kayla também sumiu na semana passada. E lembro que Michelle Whipple falou que você mexeu na mochila dela.

Estamos em uma carteira no fundo da sala na aula de matemática. Todo mundo está trabalhando em uma coisa chamada *inclinação*.

— Eu não mexi na mochila da Michelle Whipple — falo. — Estava só pegando meu lápis.

— Sim, eu também lembro. Mas conseguiu encontrar uma barra de chocolate enquanto pegava seu lápis. A sra. Dana diz que precisa revistar os armários de todos hoje depois da aula. Como se sente com isso?

Ela disse duas coisas diferentes, e eu escolho a segunda e digo:

— Eu me sinto bem com isso.

— E ela também vai ligar para a casa dos alunos. Vai pedir aos seus pais para procurarem no seu quarto. Como se sente com *isso*?

Dessa vez não falo nada. Fico de boca bem fechada.

— Eu já imaginava — diz a sra. Carol. E escreve alguma coisa. — Vamos ter que esperar e ver o que acontece.

Abro minha boca.

— Quanto tempo vamos esperar? — pergunto. E fecho a boca de novo.

— Não muito provavelmente — diz a sra. Carol. — Imagino que seus pais vão conversar com você sobre isso quando chegar em casa. A sra. Dana já ligou para eles. Ela recebeu os policiais em sua sala logo depois do almoço para falar sobre os celulares roubados. Mas acho que eles foram embora há uma hora.

EXATAMENTE 2H58 DA TARDE, SEXTA-FEIRA, 21 DE JANEIRO

Estamos no carro a caminho do consultório da Patrice.

— Não estamos acusando você de roubar — diz Brian —, mas você pegou aquela barra de chocolate na semana passada, quando eu estava no hospital.

Fico de boca bem fechada.

— Então, vou perguntar de maneira muito direta. Você roubou o celular da Alison?

Não posso mentir para ele. Não posso mentir para ninguém, porque mentiras não são verdadeiras. Palavras têm que dizer a verdade. Elas têm que *somar* como números. É uma regra.

Ele olha para mim, depois olha de novo para a rua. Balanço a cabeça para dizer que não.

— Bom, eu acredito em você. Acredito de verdade — ele diz.

Tenho um sentimento engraçado no fundo do meu peito. Patrice diz que as pessoas sentem coisas com o corpo. Com o coração e a barriga principalmente. Ela está certa. Porque gosto realmente do Brian e agora me sinto enjoada, enjoada, enjoada. Queria muito que ele fosse meu Pai Para Sempre, e agora estou sentindo meu peito pesado e frio como uma embalagem de leite humano.

— Sua m... quero dizer, Maura vasculhou seu quarto hoje. Ela não encontrou nada. Não telefonamos para a sra. Dana para contar isso a ela, porque queríamos falar com você primeiro. Mas lamento por tudo isso. Por tudo. O momento foi horrível. E toda a confusão com a Boneca Bebê... quem podia ter imaginado? As coisas agora são diferentes.

— Eu também lamento — falo. E é verdade. Lamento por tudo que fiz e pelo que vou fazer na terça-feira, 25 de janeiro. Não gosto de nada disso, mas tenho que fazer.

— Está chorando? — Brian olha para mim de novo, depois para a rua. Ele vai mais devagar com o carro e vira em uma esquina. Respondo que sim com a cabeça. Meus olhos estão molhados, mas isso não faz o leite humano desaparecer.

— Você é uma boa menina, Ginny. Não importa o que todas as outras pessoas dizem.

EXATAMENTE 11H19 DA MANHÃ, DOMINGO, 23 DE JANEIRO

Estou no torneio de basquete da Olimpíada Especial. Tem policiais no prédio. Contei três quando estávamos indo para a quadra. E mais dois quando eu estava sentada no banco esperando o primeiro jogo começar. Não me importo, porque sabia que os policiais estariam ali. Eles estão em todos os torneios da Olimpíada Especial. Não estão lá para me proteger da Gloria.

Entro na quadra com Brenda Richardson, Larry e Kayla Zadambidge. Também tem dois parceiros. Parceiros são crianças não especiais. Elas conseguem ficar de boca fechada quando estão pensando e conseguem amarrar os próprios sapatos. Jogam no mesmo time das crianças especiais, mas não fazem cestas. Somos nós seis na Quadra Três contra os Hamden Hornets. Nós somos os Lee Lancers. Tem um cavaleiro com uma lança comprida e pontuda desenhado na nossa camiseta e na bandeira.

Vejo Brian na arquibancada. Ele está vendo o jogo com os pais da Brenda Richardson e alguns outros pais. Rick não está lá. Quero acenar para Brian, mas vejo a bola passar por mim quicando. Alguém grita:

— Ginny!

E eu vejo Kayla Zadambidge me olhando com cara de brava.

O que significa que me distraí de novo.

— Ginny, presta atenção na bola — diz o Treinador Dan. Ele está usando uma camiseta azul e amarela e um boné azul e amarelo. Meu uniforme é azul e amarelo. Todo mundo no Lee Lancers tem um uniforme azul e amarelo. Mas o Hamden Hornets tem uniforme preto e amarelo, como se fossem abelhas.

— Ginny? — diz Brenda Richardson. Ela está ao meu lado, mas não lembro como ela chegou. — Acho que você precisa levar a bola para fora.

Ela está apontando para o outro lado da quadra, onde eu vejo o Treinador Dan. Ele está apontando para um lugar no chão e acenando para mim com a outra mão. Vou ver o que ele está mostrando, e, quando chego lá, ele diz:

— Fica aqui, está bem?

E eu fico. Fico lá e o juiz me dá a bola. Gosto do juiz, porque ele sempre conhece as regras e tem um apito, e sempre veste preto e branco.

— Passa a bola para o jogador na sua frente — diz o Treinador Dan.

— Mas é um jogador do Hamden Hornet — eu falo.

— Eu sei — o Treinador Dan responde. — Ele vai devolver a bola, garanto.

Eu passo a bola para o jogador na minha frente, ele pega a bola e devolve para mim a batendo no chão. Eu pego.

— Agora passa a bola para um dos *nossos* jogadores! — diz o Treinador Dan, e se afasta depressa.

Olho e vejo Brenda Richardson e Larry e três jogadores do Hamden Hornets. Jogo a bola para o Larry, que hoje está na cadeira de rodas. Ele a pega, começa a bater a bola e cantar. Não consigo ouvir o que ele diz.

— Desçam! — diz o Treinador Dan.

Todo mundo começa a correr. Eu corro com eles. Depois levanto a cabeça para olhar para o Brian de novo, mas meus olhos veem um lugar diferente da arquibancada e eu vejo outra pessoa.

É a Gloria.

Estou confusa. Não sei por que ela está lá. Ainda não é hora do nosso *rendezvous*. Ela está com um moletom roxo, mas sua cabeça continua igual à que eu vi no estacionamento. E tem uma menininha sentada ao lado dela.

Uma menininha com cabelo castanho e comprido. Ela é mais baixa do que eu era quando tinha nove anos, mas acho que seus olhos são verdes, embora eu não consiga vê-los de longe.

O que significa que fui substituída.

Gloria tem *Outra Ginny*. Ou *Uma Outra Ginny*. Não sei qual. Não sei se a Outra Ginny é adotada, se estava escondida em algum lugar no apartamento, ou se ela é um fantasma.

Gloria fica em pé. Ela acena para mim devagar e sem fazer barulho. De um lado para o outro, de um lado para o outro. Levanta o polegar e acena um pouco mais.

A outra Ginny só fica ali sentada. Sem se mexer. Acho que ela não tem nada dentro dela para dizer. Acho que ela é uma menina vazia. Uma menina com um rosto que eu não conheço.

Gloria olha para baixo e põe a mão na cabeça da menina. Depois aponta para mim. A Outra Ginny levanta e Gloria passa um braço sobre seus ombros. Gloria aponta para mim de novo, e as duas acenam. Devagar para ninguém ouvir.

Começo a *hiperventilar*. O que significa respirar muito depressa. Porque estou com raiva. Porque quero arrancar os olhos da Outra Ginny para ela não poder olhar para mim. Porque fui *substituída*. Que é o que acontece quando seu fone de ouvido quebra, você ganha outro e joga o velho fora.

Alguém grita meu nome.

Olho em volta, mas não quero ver quem é. As pessoas passam por mim correndo. Olho para Gloria e para a outra Ginny para ver o que elas vão fazer. Não vejo as duas quando viro, mas depois as encontro, e Gloria põe um dedo sobre os lábios. Significa que ela quer que eu fique quieta. Ela fez isso uma vez, quando Donald saiu do banheiro gritando palavrões. Eu estava atrás do sofá e, quando me viu, Gloria pôs o dedo na frente da boca para eu ficar quieta, depois começou a gritar, e Donald bateu nela, em vez de bater em mim, e depois...

— Ginny! — Alguém grita de novo, e, antes de ver quem é, sou derrubada. Por Brenda Richardson e algumas pessoas que não conheço. Tem muitos tênis, braços e pernas em cima de mim, e tento empurrar todo mundo, mas não consigo. Finalmente eles levantam, e eu rolo para o lado, ajeito os óculos, fico em pé e tento achar a Gloria. E a vejo de novo. Começo a levantar a mão para acenar, mas cubro a boca com ela, em vez disso.

— Ginny? — O Treinador Dan me chama. Não o vejo, quando viro, lá está ele. — Está tudo bem? — ele pergunta.

Respondo que sim balançando a cabeça. Quando olho para trás, para a arquibancada, vejo Gloria e a outra Ginny descendo os degraus.

— Ginny, por que não sai um pouco? — diz o Treinador Dan. — Vai sentar no banco. Você volta mais tarde, quando estiver melhor. Bebe um pouco de água, vai ao banheiro.

O banheiro. É para lá que Gloria está indo, acho. Ela vai ao banheiro, porque é onde me encontrava quando íamos a um supermercado, uma loja ou um lugar onde ela precisava falar com seu traficante. *Se me perder de vista, vai para o banheiro*, ela dizia. Ela quer que eu vá para lá agora, acho. Vou ver a Gloria. Vou perguntar para ela onde está minha Boneca Bebê. Vou falar que ela tem que dar mais comida, porque ela está emagrecendo. Se ela estiver no estacionamento, vou correr lá fora para pegá-la.

Fecho as mãos com bastante força. Tenho que ser forte.

Tem muita gente andando em volta do ginásio. Ando no meio das pessoas e em torno delas, e não vou em linha reta, mas vou ficar bem, porque meu cérebro lembra onde está me levando.

Quando chego ao banheiro, entro direto. Vejo quatro pias brancas e seis reservados verdes, e algumas mulheres que não conheço. Não vejo Gloria ou a Outra Ginny. Olho bem, mas elas não estão ali. Saio do banheiro, volto ao corredor, e alguém fala meu nome.

Olho. Ainda vejo muita gente, mas não vejo quem me chamou.

— Ginny? — A voz repete.

É uma voz pequena. Viro e olho. Tem uma menina pequena lá longe, perto da máquina de pipoca. O cabelo dela é parecido com o meu antes. Seus olhos são verdes.

É a Outra Ginny.

Acho que ela está no jardim da infância ou no primeiro ano. Ela é pequena o bastante para fazer uma bolota de cartolina e colar sua foto nela para pôr no quadro de avisos. É muito pequena para eu ficar brava com ela. Mesmo que tenha me substituído, não quero arrancar os olhos dela como os da Michelle Whipple.

A Outra Ginny começa a andar. Na minha direção. Chega cada vez mais perto.

Ela sorri quando me alcança.

Não está me provocando ou rindo de mim. Está na minha frente sorrindo. Vejo que ela segura alguma coisa. E ela está me mostrando o que é.

Uma foto minha quando eu tinha nove anos. Na foto, estou segurando minha Boneca Bebê.

Quero pegá-la. Quero pôr a foto perto dos meus olhos e olhar, olhar e olhar. Quero ver o rostinho e as mãos da minha Boneca Bebê, mas a Outra Ginny corre para longe levando a foto. Volta para o lugar de onde veio, desvia das pessoas como um esquilo ou um gato. Ela corre pelo corredor, se esconde e para. Depois olha para mim. Está ao lado da máquina de pipoca de novo.

Com Gloria.

Não escuto nenhum som. O chão é plano e duro embaixo dos meus pés. É como se eu estivesse atrás de um enorme sinal de igual, embora não consiga vê-lo. Dou um passo na direção delas. Gloria olha para mim e põe um dedo na frente da boca. Quero gritar *O que está fazendo aqui? Devia estar cuidando da minha Boneca Bebê!* Mas não sai nenhum som. Tento de novo, mas não consigo falar. Então começo a andar na direção delas. Depressa.

Um policial para na minha frente. Eu me *encolho*. Ele se abaixa ao meu lado e pergunta se estou bem. De olhos fechados, balanço a cabeça para dizer que sim. Ele pergunta se preciso de ajuda. Dessa vez balanço a cabeça para o lado, não. Ele se levanta, pede desculpas e pergunta se sei aonde tenho que ir. Balanço a cabeça para cima e para baixo. Ele pergunta se preciso de ajuda para voltar para o jogo. Respondo que não balançando a cabeça. Ele pede desculpas de novo por ter me assustado. Depois me deseja boa sorte e vai embora.

Olho para onde Gloria estava com a Outra Ginny. Ela sumiu. Olho para todos os lados. Olho para a porta do banheiro. Olho para a placa de saída.

A placa de saída.

Corro para lá. Empurro duas pessoas que estão entrando e corro para fora, para o estacionamento. Escorrego no gelo, mas alguém me segura.

— Desculpa — falo em voz baixa. Porque está muito frio e o frio atrapalha para falar. Não estou de casaco nem de botas, mas não me importo. Olho para a calçada e para todos os carros no estacionamento. Olho com atenção procurando Gloria, a Outra Ginny ou um Carro Verde, mas não vejo nada.

O que significa que estou sozinha de novo. Tenho catorze anos e continuo do lado errado do sinal de igual.

Minhas mãos estão tremendo e eu respiro depressa, porque Gloria estava aqui com uma outra Ginny e nenhuma das duas estava com minha Boneca Bebê, mas a Outra Ginny tinha uma foto dela. E de mim. A Outra Ginny sorriu e me mostrou a foto, mas não me deixou ficar com ela. Mas onde elas puseram minha Boneca Bebê? Elas a deixaram no carro enquanto entraram na escola?

Talvez Gloria ainda esteja no prédio. Talvez não tenha vindo para o estacionamento. Volto lá para dentro.

O vapor cobre meus óculos. Limpo as lentes na camiseta e os ponho de volta. Olho e olho, mas não vejo Gloria ou a Outra Ginny em lugar nenhum.

— Ei, Ginny — alguém fala.

Olho. Maura vem vindo pelo corredor. Empurrando um carrinho de bebê. As pessoas saem da frente dela.

— Não sabia se o horário da Wendy ia permitir que viéssemos, por isso não falei nada — ela diz —, mas queríamos muito ver você jogar. O que está fazendo aqui? O primeiro jogo já acabou?

Olho atrás dela. Olho para a placa de saída. Olho atrás de mim e para o banheiro de novo.

— Ginny? O jogo acabou?

— Não — eu falo.

— Que bom! Pode me levar até a arquibancada para eu procurar o Brian? Wendy e eu vamos ficar o máximo que pudermos.

Olho para a Bebê Wendy e agarro meu cabelo. Respiro três vezes como Patrice me ensinou a fazer, depois começo a voltar para a quadra. Maura me segue com o carrinho. Quando chego lá, vejo Brian. Ele está ao lado da arquibancada segurando minha garrafa de água. Ele acena para Maura e a Bebê Wendy.

— Aqui, Ginny — ele diz. — Bebe um pouco de água. Aquele tombo foi feio! O que aconteceu lá?

— Não sei — digo.

— Ficou confusa?

— Sim — falo, e olho para onde Gloria e a Outra Ginny estavam sentadas. O lugar está vazio. Ela viu Maura e decidiu ir embora? Talvez tenha ficado com medo da polícia.

— Ei, Ginny. Pronta para jogar de novo? — É a voz do Treinador Dan. Olho para cima. Ele está ali comigo, com Maura e Brian. — Alison entrou quando você saiu, mas Brenda quer descansar. O que acha?

Sei que pareço uma menina das cavernas. Sei que estou de boca aberta, de cabeça baixa e que estou pensando. Não estou interagindo. Estou me *retraindo*. É o que Patrice diz. Ela fala que eu me retraio quando estou perturbada e que não penso em nada quando me *retraio*, mas a verdade é que estou pensando muito.

Alguém diz:

— Ginny, vamos sentar na arquibancada. Machucou a cabeça quando caiu?

Outra voz continua:

— Vem com a gente, descansa um pouco. Você foi ótima até agora. Seu pai, sua irmã e eu estamos muito orgulhosos.

É a Maura. Ela está falando comigo. Sobre Brian e a Bebê Wendy.

Balanço a cabeça.

— Não, quero jogar.

— Quer? — Brian pergunta.

Olho para os números no meu relógio e respondo que sim com a cabeça.

— Quero jogar basquete com os Lee Lancers. Quero ajudar nosso time a ganhar. — Mesmo que não tenha *nosso*. Só tem *eles*. Roubei três celulares de pessoas do time e não dou a mínima para o Larry. Fiz a sra. Wake ir embora da escola e fiz Crystal com C ir para a cadeia. E agora Brian e

Maura podem me mandar para o Saint Genevieve Lar Para Garotas Que Não São Confiáveis. Fui substituída por uma nova Ginny. Eu sou *(-Ginny)* e não pertenço a lugar nenhum. Não posso ser parte de nada, mas ainda quero vencer. Em qualquer coisa. Só uma vez.

O Treinador Dan olha nos meus olhos e me chama com um movimento do dedo. Vou atrás dele. Rosno baixo como um maine coon, e ele balança os ombros e diz:

— Acho que ela está ótima. Vocês que sabem.

— Vocês que sabem — eu também falo, porque parece que isso é parte de um filme. Só não lembro o nome. Pode ser *Teen Wolf*, *O império contra-ataca* ou *High School Musical*.

Eles deixam eu ir jogar.

EXATAMENTE 4H03, DOMINGO, 23 DE JANEIRO

Estamos na casa da Vovó tendo um jantar de comemoração. Porque ganhamos a medalha de ouro no torneio. Ganhamos de todos os times com que jogamos, menos um, e esse time também ganhou medalha de ouro. Estou usando a minha agora.

Depois do jantar vamos comer um bolo que tem *Parabéns, Ginny!* escrito em cima dele. Vi o bolo quando fui contar quantas garrafas de refrigerante tinha na geladeira. O bolo é de chocolate com cobertura de creme branco e letras vermelhas.

Estou sentada na sala de estar vendo a Bebê Wendy segurar grandes peças de Lego no chão. Ela ainda não sabe sentar. Não sabe nem como juntar as peças de Lego. Quero ajudar, mas lembro da regra mais importante. *Não há motivo para você tocar a Bebê Wendy de jeito nenhum.*

Levei minha mochila com algumas coisas, como meu iPod e um quebra-cabeça e alguns livros de desafios e uns livros de colorir que ganhei no Natal, caso fique entediada. Também levei o celular da Brenda Richardson. Está no meu bolso. Pus ele lá quando pegamos nossos casacos, *aproximadamente* às 2h32. Porque preciso encontrar um lugar para ligar para a Gloria. Preciso perguntar por que ela tem Outra Ginny e por que foi à Olimpíada Especial e onde estava minha Boneca Bebê, mas a casa está cheia de gente, e não consigo encontrar um lugar tranquilo.

Meu casaco, o chapéu e as luvas estão na área de serviço, que fica do outro lado da cozinha. Minhas botas também. Vou precisar dessas coisas para ir lá fora no quintal. Lá fora é o único lugar onde posso telefonar, acho.

Entro na cozinha. Todo mundo está conversando. Maura está sentada à mesa e a Vovó está cozinhando, e Tio Will está apoiado na bancada. Eles falam, falam, falam. E riem também. Estão se divertindo muito. O Vovô está na outra sala com a Tia Jillian e a Bebê Wendy. Brian, o tio John e a Tia Megan estão em algum lugar na casa. Não sei onde.

Passo por todo mundo e vou para a área de serviço. Fico do outro lado da parede e ponho minhas coisas. Não fecho o zíper nem os botões de pressão do casaco, porque não quero fazer barulho. Sou tão silenciosa quanto um maine coon andando no tapete.

Saio e fecho a porta. Está mais frio que nunca. Fecho o zíper do casaco, desço a escada correndo e paro ao lado da casa onde ninguém pode me ver das janelas. Pego o celular da Brenda Richardson, ligo o aparelho e digito o número da Gloria.

Ela atende.

— Puta merda, desculpa! Estamos meio fugindo e precisávamos de um lugar onde a gente pudesse entrar e se aquecer. Além disso, eu queria uma chance de te ver! É como nos velhos tempos, estamos morando no carro. O torneio foi o lugar perfeito, já que temos que estar na cidade na terça-feira. Menina, eu queria muito te pegar e te abraçar, mas aquele policial estava bem ali! Tive medo de ele me reconhecer ou perguntar alguma coisa, então saí escondida. Por que está ligando? Está tudo bem?

Começo a arranhar os dedos. Quero muito dizer alguma coisa, mas ela fez duas perguntas. Não sei qual delas devo responder primeiro. E isso me deixa confusa e ansiosa.

— Ginny?
— O que é?
— Por que não fala nada?
— Porque você fez duas perguntas.
— Eu fiz? — Gloria ri. — A boa e velha Ginny.

Mas isso não é verdade. Eu mudei muito, porque agora estou mais alta e meu cabelo é mais comprido. Uso até um sutiã de treinamento. E não sou quem deveria ser. Então eu digo:

— Mas meus olhos ainda são verdes.

Ela ri de novo.

— Tenho certeza disso, amiga — ela responde. — E aí, por que está ligando?

— Você precisa alimentar minha Boneca Bebê.

Gloria faz um barulho de respiração.

— É, é, é. Eu sei — ela diz. — Vai começar a me pentelhar como as assistentes sociais? Eu a mantive viva durante todo esse tempo. Ninguém vê isso? Ela é uma menina magra, entende? Você não a viu hoje? Faz poucas horas. Todas as meninas da minha família são magras. Inclusive você.

Quero dizer, *Não, Crystal com C a manteve viva durante todo esse tempo.* Mas não falo nada, porque estou confusa. Porque Gloria falou, *Você não a viu hoje?* e *Faz poucas horas.* Não sei o que ela quer dizer.

Engulo.

— Não a vi *hoje.* Ou *há algumas horas.* Vi a Outra Ginny.

— Como é que é?

— Vi a Outra Ginny. Você deixou minha Boneca Bebê no Carro Verde e levou a Outra Ginny ao torneio. Mas não pode fazer isso, Gloria. Não pode deixar um bebezinho no carro. Está muito frio para deixar um bebê no carro. Precisa cuidar muito bem dela.

— Espera — diz Gloria. — Mesmo depois de vê-la, você ainda não entende?

— Mesmo depois de ver *quem*, Gloria? Você tem a Outra Ginny para ela poder cuidar da minha Boneca Bebê quando você vai encontrar seu traficante? Ela dorme no meu quarto? Por que não levou minha Boneca Bebê ao ginásio?

— A Outra Ginny? — Gloria não parece brava. — Está falando sério? Acha que a menina que viu hoje é algum tipo de substituta? Você realmente acha...? Escuta, eu sinto muito, muito mesmo por aqueles babacas terem levado você embora daquele jeito. Muita coisa mudou, você não vai acreditar. Quero dizer, não vai acreditar *de verdade*. E sei que não gosta de mudança, então isso vai ser... um pouco surpreendente.

— Não gosto de surpresa — falo.

— Eu sei. Recebi um e-mail da Crystal com C. Deixaram que escrevesse para mim da cadeia. Ela disse que você não entende quanto tempo passou ou como muita gente pode ter mudado nesse tempo. Falei para ela que isso não é um grande problema, mas agora vejo que é. Você vai precisar de muita explicação para entender. Mas não podemos ficar no telefone agora. Alguém pode te pegar. Não dá para falar sobre isso agora. Você entende?

— Não.

— Bom, então vai ter que ficar sem entender. Até terça-feira. Porque na terça de manhã vamos ter o nosso *rendezvous*. Mas a *Outra Ginny* não é o que você está pensando. Ela não é um clone, ou alguma coisa assim. Você não pode ser substituída. Nunca. Mas, como eu disse, não dá para conversar sobre isso agora. Tenho que trocar de carro. Lembra o que tem que fazer?

Balanço a cabeça para dizer que sim.

— Ginny?

— O que é?

— Perguntei se você lembra o que tem que fazer na terça-feira.

— Sim. Vou levar todas as minhas coisas de manhã no ônibus, e quando descer do ônibus vou andando pela calçada sem entrar na escola, e vou atravessar a rua sozinha quando conseguir ver o Cumberland Farms.

— E não vai correr — ela diz.

— E não vou correr.

— Vou esperar você lá. Lembra de não correr. Correr chama atenção. Quando chegar no Cumberland Farms, vai entrar na parte de trás do carro e nós vamos sair voando da cidade. Gosta de cabelo preto ou vermelho?

— Vermelho é minha cor favorita — eu falo. Estou chocada por ela não lembrar.

— Vermelho então.

— Gloria?

— O que é?

— Tem que tomar cuidado com a polícia. Crystal com C diz que, se a polícia me pegar com você, eles te levam para a cadeia.

— Eu sei, garota, acredite em mim. Sei como e por que Crystal com C foi pega e não vou deixar a mesma coisa acontecer comigo. Ela pode ser a mais esperta, mas sempre tentou fazer tudo sozinha. Foi isso que acabou com ela. Eu sobrevivi porque sei como pedir ajuda. Como me relacionar. A polícia está no meu pé há anos por todo tipo de coisa. Sei como me esgueirar por aí e evitar os policiais. Vai ter muito trânsito em volta da escola na terça-feira de manhã, mas vou estar com o carro virado para a saída da cidade e com o motor ligado.

— Vai levar minha Boneca Bebê?

Gloria faz uma pausa. E um barulho de respiração.

— Isso tudo é demais para você, não é? Meu bem, temos muito o que conversar, mas vai dar tudo certo. E, sim, sua Boneca Bebê está bem. Prometo que vou levá-la, que vou dar muita comida para ela e mantê-la bem agasalhada. Vai ser muito mais fácil explicar tudo isso quando estivermos todas juntas no carro e pudermos nos ver e conversar. Então, você vai entender. Mas de novo, sim, prometo que vou levar sua Boneca Bebê. Pode contar com isso.

Olho para os meus dedos. Lembro todas as promessas que ela não cumpriu.

— Sou boa em matemática — falo.

— Sei. Bom, vejo você em dois dias, está bem? É melhor desligar o telefone antes que alguém veja. Conseguiu mais alguns celulares?

Balanço a cabeça para dizer que não, porque só tenho um. Embora tenha encontrado dois.

— Ginny?

— Não.

— Bom, a gente dá um jeito. E dinheiro? Tem algum dinheiro?

— Não, mas aprendi um truque que a gente faz no caixa.

— Tipo pedir troco várias vezes e deixar o caixa confuso? Esse é ótimo. Mas estou surpresa por você saber. Faço isso desde que estava no colégio. Vamos trabalhar juntas. — Ela para. Ouço o silêncio entre nós. — Legal, então — ela diz. — Amo você. A gente se vê na terça-feira.

E ela desliga.

Fico sozinha no quintal com o celular na mão, olhando para a neve. Não tem marcas nela. O quintal todo é limpo e branco. Na terça-feira vou ter um *rendezvous* com a Gloria, vou entrar no carro novo dela e ver minha Boneca Bebê. Vou levar uma mamadeira cheia de leite para ela.

EXATAMENTE 10H47 DA MANHÃ, SEGUNDA-FEIRA, 24 DE JANEIRO

Todo mundo chama de *Saint Genevieve Lar Para Garotas*, mas no meu cérebro eu sei que é *Saint Genevieve Lar Para Garotas Que Não São Confiáveis*.

Estamos em um quarto que tem uma cama, uma cômoda, uma escrivaninha e uma pia pequena com um espelho em cima dela. As meninas que moram no Saint Genevieve Lar Para Garotas Que Não São Confiáveis têm a própria pia com espelho. Elas têm um crucifixo na parede em cima da cama, ao lado da janela. Brian e Maura querem ver se gosto daqui. Querem ver se *isso pode atender às minhas necessidades*. O que é bom, porque vou ao *rendezvous* para ver Gloria e minha Boneca Bebê, e talvez a Outra Ginny. Não gosto nada dela. Será que minha Boneca Bebê gosta? Quero falar com Brian sobre isso. Nós conversávamos muito sobre todas as coisas no meu cérebro. Ele não entendia direito, mas era legal, porque a gente conversava. Agora não posso falar nada para ele. Tenho que ficar com a boca fechada e não falar nada sobre nada.

— O que acha do quarto? — Brian pergunta.

Não respondo, porque ele está atrás de mim e eu não o vejo. Posso fingir que não sabia que não sei que está falando comigo.

— Gosta dele, Ginny?

No meu cérebro eu falo *Que droga!* Com a boca eu digo:

— Gostei.

— E a comida? O café da manhã foi muito bom.

— Comi tudo.

— Sim, mas você come tudo sempre. Gostou?

— Minha barriga está cheia.

Olho pela janela. Escuto o barulho dos braços de Brian caindo contra os lados do corpo. Ele faz isso quando não sabe o que fazer.

— As meninas que conhecemos são muito simpáticas — diz Maura. — Aposto que pode fazer boas amigas aqui.

Ela quer que eu diga: *Sim, você está certa, Maura*. Os dois querem que eu fale alguma coisa como *Sim, gosto daqui*, ou talvez *Sabe, esse lugar é bem legal, para quem gosta de paredes brancas e tapete marrom e pessoas pregadas em cruzes*. Ou que não gostei e quero voltar e ficar na Casa Azul. Eles querem que eu fale alguma coisa.

Ponho as mãos sobre as orelhas para não ouvir suas perguntas. Não quero pensar no Saint Genevieve Lar Para Garotas Que Não São Confiáveis. Quero pensar no *rendezvous* com Gloria e minha Boneca Bebê. Na Outra Ginny. E na surpresa de Gloria.

Maura diz:

— Ginny, você está bem? Em que está pensando?

Ela está bem perto, por isso a escuto mesmo com as mãos cobrindo as orelhas.

— Ginny, em que está pensando? — ela repete.

Fecho os olhos e penso em outra coisa. Depressa. Lembro o que aconteceu ontem no torneio de basquete da Olimpíada Especial. Baixo as mãos.

— Estou pensando na Bebê Wendy — falo.

— É mesmo? O que está pensando sobre ela? Especificamente, quero dizer.

Olho para o meu relógio.

— São quase onze horas. Logo ela vai acordar.

Maura parece surpresa.

— Tem razão. Você tem um bom controle sobre sua agenda.

— Fiquei muito orgulhoso de você por ter feito aquela brincadeira da tenda com ela no outro dia — diz Brian. — Você tem ajudado muito sua mãe.

Ele está falando da Maura, não da Gloria. De qualquer jeito, ele não fez uma pergunta.

A Irmã Josephine entra. Ela é a mulher no comando do Saint Genevieve Lar Para Garotas Que Não São Confiáveis. A Irmã Josephine usa um grande lençol preto com uma fronha pendurada na cabeça. Ela chama isso de *hábito*.

— Bem, espero que tenham gostado do dormitório — ela diz. — O almoço é servido ao meio-dia e meia, então temos tempo. Brian e Maura, podem ir à secretaria falar com a Irmã Maria Constance? Ela pode responder às dúvidas financeiras que mencionaram. — E ela olha para mim. — E você, mocinha, quer ir dar uma volta comigo? Acho que vai gostar de ver o jardim.

EXATAMENTE 11H02 DA MANHÃ, SEGUNDA-FEIRA, 24 DE JANEIRO

Estamos andando por um caminho aberto no meio de muitos arbustos e árvores. Tudo está molhado e tem pilhas de neve do lado do caminho.

— No verão, todas essas roseiras florescem — diz a Irmã Josephine. — Há cinco variedades diferentes.

No fim da calçada eu vejo uma estátua. Tem arbustos em volta dela, por isso não consigo ver a parte de baixo. E tem um banco de pedra na frente.

A estátua é de uma menina usando um *hábito*, ou um capuz, ou um cobertor. Ela não tem rosto. A pedra é lisa e redonda onde deviam estar os olhos e a boca. A cabeça está olhando para baixo, para alguma coisa em seu colo. Não consigo ver, porque os arbustos estão na frente.

A Irmã Josephine aponta.

— Está vendo ali? Com o xale? Aquela é nossa Mãe Abençoada. A Virgem Maria. Ela era só uma menina quando teve seu bebê.

— Quantos anos ela tinha? — pergunto.

— Ninguém sabe ao certo — diz a Irmã Josephine —, mas muitas pessoas pensam que era bem jovem, talvez catorze anos.

— Catorze?

A Irmã Josephine confirma balançando a cabeça.

Chego mais perto da estátua, passo pelo banco de pedra e pelos arbustos. Fico na ponta dos pés para ver o que a menina está segurando.

É um bebê.

Um bebê de pedra com mãos e pés pequeninos. Um bebê de pedra sem rosto. E está olhando para mim.

Por *aproximadamente* três segundos, não consigo respirar.

— Por que não tem rosto? — falo.

— Ah — responde a Irmã Josephine —, sempre me perguntei a mesma coisa. A verdadeira Mãe Abençoada certamente t...

Eu interrompo.

— Não. O bebê. Por que o bebê não tem rosto?

A Irmã Josephine olha para mim de um jeito engraçado.

— Ah, acho que é o mesmo motivo para as duas esculturas. O artista provavelmente queria que víssemos que a beleza de nosso Senhor e da Mãe Abençoada é inimaginável. O que acha disso?

Não respondo. Não *consigo* responder.

— É... é... — Tento, mas não consigo fazer a pergunta.

— O que, Ginny?

— O bebê sabe quem ela é? — Preciso saber, porque o bebê não pode ver o rosto da menina de catorze anos. Não sabe de que cor são os olhos dela. É como se a menina mudasse e agora tivesse uma cabeça diferente.

— É claro que o bebê sabe quem ela é. É a mãe dele. Bebês sempre reconhecem a mãe. Ele agora é crescido, é claro.

Mas a Irmã Josephine não entende. *Ela não entende.*

— E as irmãs? — pergunto. — Os bebês reconhecem as irmãs? Eles lembram do rosto de suas irmãs?

A Irmã Josephine inclina o corpo para trás.

— Não sei — diz. — Nosso Senhor não teve irmãs.

Ela continua falando, mas eu não escuto. Cubro o rosto com as mãos. Não quero que ninguém me veja. Que veja meu rosto. Porque não sou quem eu era. Sou (-Ginny) e agora tenho catorze anos, e minha Boneca Bebê não vai lembrar de mim quando eu chegar no nosso *rendezvous*.

— Ginny?

Baixo as mãos. A Irmã Josephine está do meu lado direito.

— Ginny, por que está cobrindo o rosto?

— Quero ir lá para dentro — falo.

— Está aborrecida? O que aconteceu?

— Está frio.

— Certo — diz a Irmã Josephine. — Podemos conversar mais lá dentro.

EXATAMENTE 7H02 DA MANHÃ, TERÇA-FEIRA, 25 DE JANEIRO

Estou no ônibus. Estamos entrando no estacionamento dos ônibus. Vejo do lado de fora a vaga onde o Carro Verde estava estacionado quando Gloria veio à escola. Lembro de novo e de novo que hoje ela vai estar dirigindo um carro diferente. Ainda não sei qual, mas sei que o motor vai estar ligado e que Gloria *vai sair voando da cidade* quando eu entrar no banco de trás. O que acho que significa que ela vai dirigir muito, muito depressa antes de a polícia chegar. Pode até cantar pneus.

Tenho minha mochila. Está preparada para o nosso *rendezvous*. Dentro dela tem um jeans e quatro calcinhas e nove sutiãs de treino e três pares de meias e três camisetas e um pijama. E meu cobertorzinho. Queria trazer nove filmes e meu DVD player, mas tive que tirá-los para encaixar o leite que peguei na geladeira. No bolso da frente tem meu bloquinho do Snoopy e a agenda do Michael Jackson. No bolso do lado esquerdo tem *exatamente* três notas de um dólar, uma moeda de vinte e cinco centavos e cinco moedas de dez centavos, treze moedas de cinco centavos e quatro moedas de um centavo. Todo o dinheiro é para a Gloria. Para ela ficar feliz. No bolso secreto dentro da mochila está o telefone da Brenda Richardson. Está desligado. No bolso do lado direito tem uma mamadeira que encontrei em um dos armários da cozinha.

O ônibus estaciona. Todo mundo levanta. Olho para fora e vejo os primeiros alunos caminhando para a porta de vidro. Vejo a sra. Carol esperando ao lado do ônibus como sempre faz.

Olho para baixo, para o Larry, que continua sentado. Descer do ônibus não é fácil para ele. Ele balança a cabeça.

— Estou pronto, baby — ele diz.

Não o corrijo. Em vez disso, falo:

— Obrigada, Larry.

Larry vai para o chão e desliza as pernas para baixo do banco na nossa frente. Ele empurra uma das muletas para baixo, perto dele. E empurra a outra para baixo do banco do outro lado do corredor.

Quando termina, ele diz:

— Talvez um dia a gente se veja de novo. Quando formos mais velhos. Você vai voltar e me procurar, não vai?

— Vou voltar e te procurar — digo, mas meu cérebro está muito distraído para pensar agora.

Ele levanta a mão para eu apertar. Eu aperto.

Todas as outras crianças já estão na frente do ônibus. Vou atrás delas e desço os degraus bem depressa. Quando chego perto da sra. Carol, eu paro.

— Larry está no chão — aviso.

— Como assim? — ela pergunta.

— As muletas estão embaixo do banco. Acho que ele precisa de ajuda.

— Ele se machucou?

Fico de boca fechada. Larry *poderia* ter se machucado quando eu estava descendo do ônibus. Ele *poderia* ter batido a cabeça no banco ou machucado a mão em uma das molas.

— Não sei — falo.

A sra. Carol fica na ponta dos pés. Olha para dentro do ônibus com seus olhos grandes demais.

— Ginny, fica aqui — ela diz. — Fica aqui um minuto enquanto vou ver o Larry.

Ela entra no ônibus e fala alguma coisa para o motorista. O motorista olha no espelho. A sra. Carol começa a andar no corredor.

Chego mais perto do ônibus, embaixo das janelas. Tão perto que vejo os parafusos amarelos na tinta amarela. Tão perto que não consigo ver quem está lá dentro.

E eles não conseguem me ver.

Corro.

Corro até chegar no fim do ônibus. Então lembro para ir mais devagar e andar como Gloria falou. Ando devagar e com firmeza pela calçada. Passo por carros e pelos pais dentro deles. Passo pelo mastro da bandeira. Passo pelo fim do estacionamento dos ônibus. Passo pela placa de *Área Escolar Livre de Drogas*. Passo pela escola inteira.

Viro para trás pela última vez para ver se tem alguém me seguindo e gritando: "Ginny! Não! Não faça isso! Não atravesse a rua!"

Mas não tem ninguém lá. Vou sozinha ao *rendezvous*.

Passo pelo estacionamento e por alguns arbustos e árvores. Vejo carros na minha frente, passando depressa pela rua nos dois sentidos. Do outro lado deles tem um posto de gasolina. A placa em cima do posto diz "Cumberland Farms".

Chego na esquina. Tem uma área de travessia na minha frente, uma faixa feita com duas linhas brancas paralelas. *Paralelo* significa que duas coisas estão ao lado uma da outra, mas não se tocam. As linhas são brancas, brancas, brancas.

Paro na beirada da calçada e olho para o outro lado. Os carros estão passando muito depressa bem na minha frente, e não acho que consigo atravessar no meio deles. Quero arranhar minhas mãos e os dedos, mas estou usando luvas. Um carro preto breca e o motorista começa a acenar. Mas ele não acena como se dissesse oi. Ele acena como se estivesse bravo. Percebo que ele está me mandando andar. Ele parou os carros que estão indo para um dos lados. Desço da calçada.

E vejo que estou andando em cima de um sinal de igual gigante.

Alguma coisa pula no meu peito. Acho que é meu coração. O sinal de igual sob meus pés. Estou atravessando para o outro lado do Para Sempre. Para o lugar onde tenho nove anos e minha Boneca Bebê espera.

O motorista buzina. Saio do meu cérebro e vejo que estou parada bem na frente do carro preto. Ainda não me mexi. O homem no assento do motorista berra e bate no volante. Passo por ele correndo e vejo que outros carros pararam na outra faixa. O da frente é branco. A motorista acena para mim como fez o do carro preto. Corro para acabar de atravessar a rua.

Agora a rua e os carros e o ônibus ficaram lá atrás. A sra. Carol, Larry, Brian e Maura estão todos atrás de mim agora, porque atravessei para o outro lado do sinal de igual gigante. Para o lugar onde tenho que estar.

Olho para baixo para ver se estou menor. Se minhas roupas ainda servem. Nada parece diferente, então olho em volta. Vejo *exatamente* quatro bombas de gasolina com um grande telhado sobre elas e o posto. Tem carros estacionados do lado de fora do prédio. Dois deles são verdes, mas no meu cérebro eu não lembro que nenhum dos dois é da Gloria, porque ela disse que estaria dirigindo um carro diferente. Fico ali olhando, olhando e pensando muito. Até alguém chamar meu nome.

É a Gloria. Ela está na esquina do posto com um chapéu amarelo que tem um pompom no topo. Começo a andar na direção dela, mas escuto um barulho alto e um carro breca forte do meu lado. O motorista levanta e sacode as mãos. Escuto ele berrar do outro lado do vidro.

Gloria corre para mim. Ela segura minha mão e nós passamos pelas bombas de gasolina. Ela me leva para trás do prédio, para um carro azul.

— Ginny, você precisa olhar por onde anda! — Gloria me fala. — Merda. Preciso te abraçar.

Ela me dá o maior abraço que já ganhei. Está me abraçando tão forte que não consigo me mexer. Sinto os ossos dela embaixo do casaco. Os ossos dos ombros e das costas. Ela ainda é muito, muito magra.

Finalmente Gloria me solta. E se afasta de mim.

— Meu bem, não pode andar na frente dos carros! Tem que olhar para os dois lados. Merda, você ficou alta — ela diz. — Mas ainda não encorpou de verdade. Quantos namorados teve?

Começo a dizer que tive *zero* namorados, mas ouço um ruído de batidas e, quando olho, vejo a Outra Ginny bem ali no carro. Ela me vê e eu a vejo. Ela põe a mão aberta no vidro.

— Agora você a reconhece? — diz Gloria. — É a Krystal com K. *Ela é sua irmã.*

Balanço a cabeça.

— Não — eu digo. — Krystal com K é minha Boneca Bebê.

E Gloria diz:

— Certo. É isso que estou tentando dizer. Essa é a Krystal com K. Você não vê? Essa é a surpresa da qual falei pelo telefone. Ela cresceu. Bom, ficou mais velha, pelo menos. Como você.

Não sei se Gloria está brincando comigo ou não, porque a Outra Ginny é muito velha para ser minha Boneca Bebê. Minha irmã mais nova *vai ser sempre meu bebê*, e essa menina é muito, muito mais velha que isso. Balanço a cabeça de um lado para o outro.

— Essa é a Outra Ginny — falo.

Gloria dá risada. Mexe a mão no ar, e a Outra Ginny abre a porta e se aproxima de nós. Ela é magra, tem cabelo castanho e olhos verdes.

O que significa que parece *aproximadamente* comigo.

— Oi, Ginny — ela diz.

Não era uma pergunta, por isso não falo nada. Não tenho que falar *coisa nenhuma* para a Outra Ginny, a menos que ela faça uma pergunta.

— Pronto — diz Gloria. — Reconhece sua Boneca Bebê, não é?

— Essa não é ela — eu falo.

— Você não lembra de mim? — fala a Outra Ginny. — Tenho sua foto. Mamãe me deu, e eu carrego ela comigo sempre. Mostrei para você no domingo.

Quero dizer *Que droga!*, porque ela me fez uma pergunta. Então respondo:

— Não lembro de você. Minha Boneca Bebê tem um ano.

— Não tenho mais.

— Ginny — diz Gloria —, sei que faz muito tempo, mas você tem que aceitar. Sua irmã não tem mais um ano. O que sua tia disse foi só uma expressão. Quando conversamos por telefone depois do julgamento, ela me contou tudo sobre como você tomou ao pé da letra quando ela falou que sua irmã seria sempre um bebê. Mas não foi isso que ela quis dizer, Ginny. Não foi nada disso que ela quis dizer.

Estou respirando cada vez mais depressa.

— Crystal com C não usa expressões — falo. — Crystal com C é a que fala a verdade. Ela disse que minha Boneca Bebê vai "ser sempre minha bebezinha".

— Não sei o que quer dizer "ela é a que fala a verdade", mas sua tia usou uma expressão, com certeza — diz Gloria. — E você não pode ficar revoltada por isso. Ninguém fica com um ano de idade por cinco anos. Ela agora tem seis. Olha o cabelo dela. Os olhos dela. Vocês duas são muito parecidas.

— Olha — diz a Outra Ginny. — Olha de novo. Sou eu de verdade.

Ela me mostra a foto, e dessa vez eu a pego.

Vejo que seu rosto parece *aproximadamente* com o da minha Boneca Bebê. Aproximo a foto dos meus olhos. Afasto e olho de novo para a Outra Ginny. Depois levanto a foto de novo e a puxo para o lado para poder ver a Outra Ginny e minha Boneca Bebê *exatamente* ao mesmo tempo.

E vejo que elas são a mesma pessoa.

O que significa que Krystal com K é a Outra Ginny. Minha Boneca Bebê virou uma menininha. Patrice estava certa.

Não consigo mais enxergar porque meus olhos estão molhados.

— Ela não tem um ano? — falo.

Gloria dá risada.

— Não — responde.

Estou confusa. Se minha Boneca Bebê tem seis anos, ela não usa mais fraldas. Não precisa de mim para pegar ela no colo e esconder. Não precisa de mim para dar leite humano. Não precisa de mim para cuidar dela.

Olho para o carro de Gloria só para ter certeza de que não tem uma cadeirinha no banco de trás. Para ver se Gloria está pregando uma peça. O que eu sei e o que sabia ficam trocando de lugar no meu cérebro.

— Minha Boneca Bebê não está no apartamento? — pergunto, mesmo que já saiba a resposta. Depois não sei mais. E sei de novo.

Fico ali piscando.

Gloria faz um barulho de respiração.

— Sabia que isso ia ser difícil para você. Podemos conversar na viagem. Vamos entrar no carro.

— Não — eu falo, porque o que eu sei continua mudando de lugar, indo e voltando. No meu cérebro, eu escrevo:

Boneca Bebê = Krystal com K = Outra Ginny = Seis anos

E são muitos sinais de igual.

Minha voz não funciona, mas no meu cérebro eu digo: *é só uma expressão, é só uma expressão.*

— Não — diz Gloria. — Como assim, *não*? E o que está cochichando?

Isso tudo significa que Gloria disse a verdade. Então, Crystal com C mentiu? Não sei o que fazer, mas tenho que descobrir rápido. Abro e fecho os olhos. Olho para os números no meu relógio e saio do meu cérebro.

— Você ainda vai para o Canadá? — pergunto.

— Sim. É claro que vamos — diz Gloria. — Vamos a Quebec para ficar com a minha família. Eles vão esconder a gente por um tempo. Por que está perguntando? Você sabe para onde vamos. Falamos sobre isso, você entendeu. Agora vamos. Entra na porra do carro.

Ela segura meu braço e puxa. Eu me *encolho* e caio no chão molhado e frio. Gloria me levanta e me põe em pé. Quando consigo enxergar, vejo um homem perto do posto de gasolina olhando para nós. Gloria grita com ele.

— O que está olhando, babaca? Ela caiu, tudo bem?

No meu cérebro, lembro de quando Gloria foi à Casa Azul e cantou pneus. Lembro como ela foi à escola e *fez uma cena e tanto*. Lembro como Gloria pode ser *violenta*.

Mas *vamos ficar seguras com a família dela*, falo na minha cabeça. *Vamos ficar seguras.* Eu escrevo:

Família da Gloria = Alguém para Ajudar a Ficar de Olho na minha Boneca Bebê.

E

Família da Gloria = Alguém para Ajudar a Ficar de Olho em Mim

Meu traseiro dói do tombo e minha calça está molhada. Olho para baixo, para os números no meu relógio, e balanço a cabeça. Não. Gloria ainda é completamente *impulsiva* e *indigna de confiança*. Não vamos ficar seguras com ela, aonde quer que ela nos leve.

— Ginny? — diz Gloria.

Paro de piscar e levanto a cabeça.

— Vamos. As pessoas estão começando a olhar — ela fala. — Aquele cara que acabou de entrar no posto de gasolina... a gente tem que ir.

— Não — eu digo.

— O quê? — Gloria fala.

Engulo.

— Não — repito, mas não parece minha voz. Não sei se fui eu ou a (-Ginny).

— Por que não?

Vejo a resposta no meu cérebro. Vejo *exatamente* por que, porque:

Gloria ≠ Alguém Que Pode Fugir Para o Canadá Sem Ser Pego

Gloria vai acabar na cadeia e Krystal com K vai para uma Casa Para Sempre. Como eu fui.

Levanto dois dedos.

— Tem dois motivos — digo.

— Quais são?

— O primeiro é porque minha Boneca Bebê tem seis anos.

— Sim, que bom que entendeu — diz Gloria. Ela olha depressa para a esquerda e para a direita. — E o segundo?

— O segundo motivo é que você vai acabar na cadeia.

Gloria treme e seus olhos ficam finos. Ela vai bater, e eu me *encolho*.

— Você é muito atrevida, garota — ela diz. — Olha para a sua irmã. Olha para ela! Eu a criei muito bem, sem a sua ajuda! Sei que ela é magra, mas é assim que nós somos! E, droga, não podemos conversar sobre isso agora! Não podemos ficar aqui! Alguém vai aparecer te procurando a qualquer minuto! Não percebe? Sua escola fica logo ali, descendo a rua!

Ela aponta, mas eu não olho. Mantenho os olhos fixos na mão dela. Os nós dos dedos estão brancos. Atrás dela, Krystal com K aponta para mim, aponta para o carro e sorri mostrando os dentes.

Gloria faz um barulho baixo de respiração.

— É isso aí. Vamos.

Ela agarra a frente do meu casaco. E me puxa para a frente.

No meu cérebro, eu o vejo. Donald.

— Não! — grito. Agarro a manga de Gloria e tiro a mão dela de mim. Ela tenta me agarrar de novo, e eu recuo. Estendo as mãos para fazer Gloria parar. — Por favor! — grito. — Por favor!

Gloria para. Olha para mim com uma cara assustada. Depois põe uma parte da mão na boca como se tentasse comê-la.

— Não é para ser assim! — ela fala. — Não é para ser como era antes! Não está com medo de ir comigo, está, Gin?

Ela quer que eu diga *Não, não estou com medo*, mas isso não é verdade, então não digo nada.

Gloria fala:

— Ginny, preciso de você. Preciso ter você comigo de novo para voltarmos a ser uma família. Não percebe o que eles tiraram de nós?

Verifico no meu cérebro. Não vejo o que alguém tirou de nós. Só vejo muitos sinais de igual e palavras que não se somam.

Agora os olhos de Gloria estão molhados.

— Eu fiz o melhor que pude! — ela diz. — Eu tinha um vício! E, merda, a gente tem que ir! Vamos ser pegas! A escola vai começar a dar telefonemas e...

Ela faz um barulho de grunhido e tenta me segurar de novo. Tento escapar, mas agora ela me pega. E me empurra para o carro. Tento gritar, mas minha boca não funciona, então eu faço força, faço força, faço força para escapar. Bato na porta do carro.

O rosto de Gloria está bem perto do meu. Vejo seus olhos e seus dentes, e meu cérebro me faz dizer:

— Por favor, não! — Como eu fazia antes, e cobrir minha cabeça com as mãos.

Ela segura meus pulsos e me puxa para cima de novo.

— Ginny, temos que sair daqui! Temos que ir embora! Por mais que agora você pense que sou horrível, temos que ir embora. *Agora!*

Minha voz não faz o que eu mando, por isso balanço a cabeça com os olhos ainda fechados.

Gloria olha em volta e olha para o outro lado da rua e, quando ela olha de novo para mim, seu rosto está bravo, bravo, bravo.

— Entra no carro! — ela berra. — Entra no carro! Não vim até aqui para reviver cada erro que já cometi! Acha que eu quero agir desse jeito? Vim para consertar as coisas! Você vem ou não?

Enquanto fala, ela bate no teto do carro. Bate de novo e de novo, e cada vez que ela bate eu dou um pulo.

Tento dizer alguma coisa, mas Gloria está fazendo tanto barulho que eu não consigo encontrar um lugar para a minha voz. Ela está escondida dentro do meu cérebro de novo, e eu fecho os olhos, baixo as mãos e os ombros e *faço* um lugar para ela.

— Nós não gritamos! — eu falo. — Nós não gritamos nem batemos! Nós dizemos "estou muito brava para conversar!" e saímos para respirar ar puro! Então, Gloria, para com isso! Para de gritar comigo!

Porque é tudo verdade. É assim que fazemos as coisas na Casa Azul.

Quando abro os olhos de novo, Gloria não está mais gritando. Ela está quieta. Quando recomeça a falar, sua voz é áspera e baixa.

— Não dá para continuar desse jeito. — Ela dá risada, mas não é uma risada engraçada. — Passou da hora de eu ir embora. Você se transformou em uma complicação, Gin. Muito trabalho. A gente pode fazer isso dar certo se você ainda quiser. Mas você tem que querer.

Baixo a cabeça.

— Não quero — falo.

Ela bate no carro e fala meu nome ao mesmo tempo. Depois diz:

— Então é assim? Depois de tudo isso, vai simplesmente desistir?

Balanço a cabeça devagar de um lado para o outro, mas depois mudo o movimento e começo a balançar a cabeça para baixo e para cima. Meu cérebro está com medo e não sabe mais o que eu quero.

— Sim — eu digo, mas a palavra me dá medo. Porque não sei o que vem depois dela.

— Krystal? — diz Gloria. Ela morde o lábio e limpa um dos olhos.

— Mãe? — diz Krystal com K.

— Entra no carro.

Krystal com K entra no carro. Ela não fala *tchau*. Depois Gloria diz:

— Desculpa, Ginny. Desculpa, eu sinto muito. Amo você, mas não vou ficar aqui para ser pega. Não hoje.

Não falo nada.

— A polícia vai chegar a qualquer momento — ela fala. — Quem sabe não vai me procurar quando for um pouco mais velha? Quando tiver dezoito anos. Estaremos em Quebec. Até lá, tente cuidar de você e... ter uma vida legal. Está bem?

Ela me abraça e eu não me *encolho*. Porque agora quero que ela se encolha. O rosto dela está molhado, molhado, molhado. Ela me aperta tanto que dói, mas não me importo por ela me machucar agora, porque sei que ela vai embora assim que parar.

Ela para.

E entra no carro. O motor faz barulho, o carro anda para trás e vai até o fim do estacionamento. Para por *aproximadamente* um segundo, depois os pneus giram tão depressa que guincham e fazem uma fumaça preta. Cubro as orelhas e me abaixo bem encolhida e, quando o barulho desaparece, eu abro um olho e fico em pé.

EXATAMENTE 7H57 DA MANHÃ, TERÇA-FEIRA, 25 DE JANEIRO

O carro de Gloria não está mais no estacionamento. Estou sozinha atrás do Cumberland Farms sem minha Boneca Bebê, sem ninguém. Estou sozinha do outro lado do sinal de igual gigante. Não sei se posso voltar para o lugar de onde vim.

Estou com medo e ansiosa. Gloria foi embora. Ela não vai me sequestrar. Ela tentou, mas eu disse não.

Eu disse não.

Olho para ver se vem vindo algum carro, depois atravesso o estacionamento. Olho para o outro lado da rua e vejo minha escola. Eu podia tentar voltar, mas meu lugar não é lá. Meu lugar é onde eu tenho nove anos de idade e minha Boneca Bebê ainda é um bebê, mas ela agora tem seis anos. A matemática que eu usava não está dando certo. E Gloria disse que eu era *muito trabalho*. Crystal com C também disse isso.

Olho para minhas mãos. Ainda estou segurando a foto em que apareço com a Krystal com K. Eu e minha Boneca Bebê. As duas têm rosto.

Ponho a foto no meu bolso. Depois tiro os polegares dos buracos das luvas e começo a apertá-los com os outros dedos.

Não tem nada para mim deste lado do Para Sempre e também não tem nada para mim do outro lado. Não sou mais Ginny *LeBlanc* e não sei ser

Ginny Moon. Minha Boneca Bebê não precisa de mim. Ninguém precisa de mim na Casa Azul. Não tem mais nenhum lugar para mim.

Porque eu sou (-Ginny).

Acho que é esse o sentimento de ser um fantasma. Ou de não ter rosto. Ninguém me conhece e não tenho nem uma casa, um carro ou uma mala onde me esconder.

Olho para o outro lado da rua. Um caminhão passa depressa. Sinto o vento no rosto e me *encolho*. Mas, quando ele passa, olho para o meu relógio e me endireito de novo.

Olho para o lado direito da rua. Tem muitos carros passando, mas a calçada segue em frente. Sei que é seguro andar na calçada. Então começo a andar.

Ando pela calçada até chegar a uma esquina. Posso atravessar a rua, ou posso virar à direita de novo. O barulho dos carros é alto, o ar é frio e minha mochila é pesada. Não sei aonde estou indo. Não sei aonde deve ir uma menina que não cabe em lugar nenhum.

Basicamente, penso que preciso de um lugar para morar. Mas não tem ninguém para me ajudar com isso. Tenho que encontrar um lugar sozinha. Não sei se vai ser uma casa ou um apartamento. Não sei se vai ser na cidade ou no bosque. No momento, estou pensando que vai ser na cidade, porque é onde estou e não vejo árvores ou bosques em lugar nenhum.

Os carros passam depressa e estou ansiosa. Viro para a direita de novo. Na minha frente vejo muitos prédios feitos de tijolos. Vejo placas que dizem Credit Union e Livros e Joias. Tem uma igreja e uma loja chamada Boss Furniture e um restaurante de comida chinesa.

Passo por todos esses lugares. Vejo um cinema e lembro que não tenho meu DVD player comigo, porque trouxe leite para minha Boneca Bebê no lugar dele. Então falo "Que droga!" tão alto quanto consigo, porque não tem ninguém perto para ouvir.

O cinema tem uma placa com letras que começam no alto do prédio e descem até a porta. A placa tem muitas lâmpadas coloridas, mas agora não estão acesas. As letras dizem Cinema Colony. Vou até a porta e olho para a placa. Fico tonta quando olho para cima. Estou com frio. Seria bom entrar para me esquentar. Olho para a porta e vejo que não tem ninguém lá dentro. Além do mais, tem uma corrente na porta, e acho que isso significa que não posso entrar. Dou a volta no prédio para ver se tem alguma janela aberta, porque foi isso que Gloria falou para eu fazer uma vez, quando ela precisou entrar na casa do Donald para pegar o dinheiro dela de volta.

Atrás do cinema, um gato sobe em uma cerca. Tem papéis rodando perto do chão. Vejo uma bicicleta velha sem rodas. Não tem nenhuma janela aberta atrás do cinema, mas tem uma escada preta de metal. Ela sobe, e tem outra escada pendurada nela. Parece assustador, mas eu quero muito entrar, porque o cinema deve ser um bom lugar para me aquecer e talvez morar, e estou pensando que posso ver filmes lá dentro. Tem janelas no alto do prédio, e todas ficam perto da escada.

Subo a escada pendurada na armação e chego nos degraus de metal. Começo a subir. É como andar em um esqueleto preto. Consigo ver o chão lá embaixo e sinto que posso cair, mas sei que há janelas lá em cima e continuo subindo. Finalmente chego a uma delas. Está aberta, e eu entro.

Está escuro lá dentro, mas meu pé encontra o chão e eu me esgueiro pela janela. Minha mochila quase fica presa. Quando fico em pé, vejo uma sala onde só tem cobertores velhos e latas pretas de lixo, e uma porta que está fechada. Tem canos no teto e uma moldura de quadro quebrada no chão. Tudo está sujo e difícil de ver, porque não tem luz.

Então vejo um interruptor na parede. Ando até lá e aperto o botão, mas nada acontece. Eu falo:

— Como assim, não tem luz?

Mas ninguém responde.

E eu penso: *Talvez esse possa ser meu quarto*. Não gosto de não ter luz, mas tem uma porta, e talvez uma cozinha do outro lado dela. Tento abrir a porta, mas está trancada. O que eu tenho é um quarto sem cozinha, sem banheiro e sem luz.

Fico no meio do quarto. Viro, viro e viro. Vejo a janela de novo e de novo enquanto giro. Escuto o barulho dos carros lá fora. Não escuto pessoas falando. Não escuto música. Não escuto o barulho de alguém lavando louça ou da Bebê Wendy brincando. E está frio, frio, frio.

O que significa que ali não é um bom lugar para morar.

E estou com fome, o que significa que preciso achar alguma coisa para comer. Sou boa em encontrar comida. Vou até a janela e saio para a escada de metal. Desço até a outra escada e por ela chego ao chão, mas não consigo lembrar de que lado fica a frente do cinema. Começo a andar até chegar em uma rua.

E vejo um carro de polícia.

O carro de polícia não está se mexendo. Está parado ao lado de um poste de luz e de uma lata de lixo. Não tem ninguém nele, o que significa que o policial está fora do carro, em algum lugar. Pode estar me procurando.

Começo a apertar os dedos dentro das luvas. Olho para os dois lados da rua. Vejo uma mulher velha levando um cachorro a algum lugar na coleira. Vejo um homem de casaco comprido entrando em um prédio, mas ainda não vejo o policial, o que significa que ele deve estar escondido em algum lugar, ou do outro lado da esquina, perguntando para as pessoas: "Você viu a Ginny? Agora ela está bem encrencada".

Minhas mãos estão tremendo e eu estou *hiperventilando* e minhas pernas querem se mexer, mexer, mexer. E eu corro.

Passo correndo por uma cerca e por mais prédios de tijolos. Passo correndo por pilhas de lixo e latas de lixo. Passo correndo por carros que estão parados e carros que estão se movendo. Passo correndo por duas senhoras e por um homem de fone de ouvido e um homem com um chapéu de inverno com um pompom e uma mulher com um casaco preto e uma bolsa preta e brincos de prata. Tem barulhos altos em todos os lugares. Motores e buzinas, às vezes pessoas falando ou o vento. E o ar é frio e meus pés estão cansados. Estou respirando depressa e não sei para onde ir, apesar de precisar de um lugar para morar.

Sinto minhas costas molhadas, e o traseiro e as pernas. Paro de correr. Estou em uma calçada na frente de uma grande janela de vidro. Tem gente do outro lado da janela. Tiro a mochila dos ombros, abro e olho lá dentro. A embalagem de leite está vazia. Tem gotas de leite no plástico e todas as minhas coisas estão molhadas. A garrafa de vidro quebrou. Tem uma rachadura nela. Acho que foi o leite que deixou tudo molhado, embora nada tenha ficado branco.

O que significa que não tenho leite para minha Boneca Bebê.

Então lembro que agora ela é grande e não tem mais um ano de idade.

Quero chorar, mas preciso ser *durona*. Quero que Gloria volte com o carro dela para eu poder pedir desculpas por ter deixado ela brava. E quero falar para a Krystal com K que tudo bem ela ser a Outra Ginny e me substituir. Eu falo qualquer coisa se Gloria me aceitar de volta e me levar com ela para o Canadá. Porque preciso caber em algum lugar, e onde estou não é um lugar.

Mas no fundo do cérebro eu sei que não quero nenhuma dessas coisas. Só quero ficar segura.

Preciso pôr a embalagem quebrada de leite em uma lata de lixo, porque uma regra é que *Nós não guardamos lixo*, mas não vejo nenhuma lata de lixo. Ainda estou parada na frente da grande janela de vidro. Tem uma mulher do outro lado. Olhando para mim. Ela usa um avental e está segurando uma bandeja com xícaras e canecas. Ela olha para mim, levanta uma das mãos e entorta o rosto como se estivesse confusa, e mexe a boca. E eu falo para ela:

— Não sabe que não consigo ouvir o que você fala? Está do outro lado da janela.

Ela olha para trás, depois olha de novo para mim. Faz uma cara engraçada e começa a falar.

E eu digo:

— Você não entende? Não consigo ouvir!

A mulher deixa a bandeja em cima da mesa e vai embora. Acho que precisou ir ao banheiro.

Ainda estou com fome e frio, mas preciso encontrar uma lata de lixo para pôr a embalagem de leite. O jeans está grudando em mim porque está molhado, e minhas pernas e o traseiro estão cada vez mais frios e mais frios. Mas não tem latas de lixo em nenhum lugar. Tinha uma perto do carro de polícia, mas não quero voltar lá. Olho para a rua de novo e olho para o outro lado da rua, e depois alguém diz:

— Está tudo bem? Você precisa de ajuda?

Eu viro. É a mulher da janela. Agora ela está *deste* lado. Está segurando os braços como se sentisse frio.

E eu digo:

— Sim, preciso de ajuda.

— O que aconteceu?

— Quebrei o leite e minha calça está molhada — falo. — E não tenho lugar para morar. — Espero que ela me dê um bom lugar quente para morar.

A mulher faz outra cara engraçada e diz:

— Está machucada? Está se sentindo bem?

Mas são duas perguntas ao mesmo tempo, e eu não falo nada.

— Escuta — a mulher diz —, está muito frio aqui fora. Por que não entra para a gente conversar? Tem um telefone se precisar ligar para alguém.

Mas não sei para quem ligar, porque minha Boneca Bebê tem seis anos e eu falei para a Gloria que não queria ir com ela, e, se eu voltar para a Casa Azul, Brian e Maura podem me fazer ir morar no Saint Genevieve Lar Para Garotas Que Não São Confiáveis. Não tem lugar nenhum para mim e não estou feliz com isso.

A mulher está dizendo alguma coisa, mas não consigo ouvir. Porque ainda estou pensando. Então vejo atrás dela um policial sair pela porta por onde ela passou.

E corro.

Corro para uma faixa de pedestre. Atravesso correndo sem olhar. Continuo correndo e correndo. Passo correndo por lojas e prédios. E vejo uma caçamba de lixo atrás de um prédio.

Uma caçamba é como uma grande lata de lixo onde você joga coisas grandes, como sofás ou cadeiras quebradas. A caçamba está perto de uma parede de tijolos. Corro até a caçamba e paro. Sei que preciso jogar o lixo no lugar certo, por isso jogo a embalagem de leite lá dentro. É como fazer uma cesta na Olimpíada Especial. Só que não tem ninguém ali para torcer. Não tem ninguém aqui. Olho em volta para ver se tem algum lugar onde eu possa sentar ou me aquecer. Tem uma cerca do outro lado da caçamba e eu vejo um grande espaço aberto com mato, terra, neve e lixo sendo empurrado pelo vento. Não tem árvores como na Casa Azul. E na Casa Azul não tem trilhos.

Fico perto da cerca por um bom tempo. Vejo uma gaivota voando. Ouço uma sirene da polícia ao longe. Penso se o policial me viu e está a caminho. Depois escuto outro barulho. Um ronco. Ele não vai embora como os outros ruídos. Está chegando mais perto. Escuto uma buzina, e não é buzina de carro. É uma buzina de trem, e é longa, alta, e está chegando mais perto, mais perto.

Os trilhos do trem estão bem na minha frente do outro lado da cerca. O trem se aproxima depressa e eu não tenho para onde ir. Volto correndo para a caçamba, me escondo atrás dela, pressiono o corpo contra a parede de tijolos do prédio e cubro minha cabeça com as mãos. O trem está mais perto, mais perto, e está fazendo tanto barulho que quero chutar e gritar, mas não tenho para onde ir, porque estou em um espaço muito apertado. O trem chega, e faz tanto barulho que eu me *encolho* e me jogo para trás. Bato a cabeça na parede de tijolos. Dói muito, e o trem faz tanto barulho que não consigo ouvir as palavras que estou dizendo dentro do meu cérebro, então eu grito, grito e grito.

EXATAMENTE 11H28 DA MANHÃ, TERÇA-FEIRA, 25 DE JANEIRO

Tem três mulheres comigo em uma salinha com uma janela. Tem uma mesa na sala e uma almofada em cima dela. Uma balança e algumas máquinas penduradas na parede. Uma das mulheres pega meu relógio. Outra põe uma pulseira de plástico branco no meu pulso, onde antes estava o relógio. Quero brigar com ela, mas estou tão cansada que não consigo. Outra diz que vão me devolver o relógio quando for a hora de eu ir embora. É uma regra, ninguém pode usar relógio ou joias quando é *admitido* no hospital, ela diz. Além do mais, uma das mulheres fala que tem um relógio em cada quarto.

O que é verdade. Eu sei porque lembro.

Porque o hospital é para onde a gente vai quando quer ver se tem alguma coisa errada com você. Fui ao hospital outras quatro vezes. Uma neste aqui, quando Crystal com C tentou me deixar na escola. E em dois outros antes disso, quando fugi das minhas Casas Para Sempre. O que estava errado comigo nessas outras quatro vezes era que fiquei presa do lado errado da equação. O lado errado do Para Sempre. Tive que me subtrair, porque não estava onde devia estar.

Mas hoje voltei ao lado *certo* do Para Sempre. Estava com Gloria e minha Boneca Bebê, mas deu tudo errado. Fiquei com catorze anos, e minha Boneca Bebê tem seis. Então, não sei qual é o problema. Não sei por que ainda sou (-Ginny).

— Vamos ver o seu quarto — diz uma das mulheres.

Uma delas estende a mão para tocar meu ombro. Depois a abaixa. E sorri. Saímos do quarto. A mulher com a mão no meu ombro aponta um corredor comprido. Todas nós começamos a andar.

Porque *meu quarto* é o lugar onde está minha cama. É o lugar onde guardo todas as minhas coisas. E acho que isso significa que agora vou morar no hospital.

E isso não faz nenhum sentido. O hospital não é um lugar onde as pessoas moram. Você não deve ficar. Não vim morar aqui antes, quando fugi e fui sequestrada.

Penso, penso e penso. Ando e tento pensar em como isso aconteceu.

Cheguei ao hospital porque a polícia me encontrou. Eles me tiraram de trás da caçamba depois que o trem passou. Tentei lutar com eles, mas minha cabeça doía muito por causa da batida na parede de tijolos. Quando me puseram no banco de trás do carro da polícia, eles me disseram que uma garçonete de um restaurante tinha ligado para eles. Perguntaram meu nome. Eu disse que não sabia. Perguntaram aonde eu ia. Eu disse que não sabia. Daí perguntaram se eu era a garota do Alerta Amber em outubro, e eu disse: "Não, sou a garota que foi ter um *rendezvous* com sua Mãe Biológica, mas sua Boneca Bebê cresceu e tem uma cabeça diferente".

Depois disso, eles me levaram para o hospital.

— Chegamos — diz uma das mulheres.

Saio do meu cérebro. Estamos na frente de uma porta com o número cento e dezessete. Olho para o número.

E falo:

— Mas eu só tenho catorze anos.

A mulher sorri.

— Entra. Você vai adorar.

Nós entramos. O quarto tem uma cama, uma cadeira, um banheiro e uma televisão enorme. Não tem nenhuma foto do Michael Jackson. Não tem prateleiras. Duas das mulheres me ajudam a sentar na cadeira, e a outra olha meu cabelo.

— Vamos deixar você bem limpinha, depois vamos fazer um curativo na sua cabeça. Tem um galo aqui.

Vou com elas para o banheiro. Vejo meu rosto no espelho, mas não é o rosto que quero ver.

Faço uma cara brava.

As mulheres tiram minha roupa e ficam comigo enquanto eu tomo banho. Depois eu saio. Elas me dão uma toalha para eu me enxugar. E me dão um roupão novinho. E me ajudam a vestir o roupão, mas não consigo amarrá-lo.

Porque as faixas ficam nas costas.

Nada disso aconteceu nas últimas quatro vezes em que estive no hospital. Só fui para uma salinha com um médico que me olhou, mais nada. Agora elas querem que eu more aqui e as faixas dos roupões estão do lado errado. O que significa que *nada* mais funciona direito. E definitivamente ainda estou do lado errado do Para Sempre.

E o gigantesco sinal de igual em Cumberland Farms deve ter sido o errado.

Por isso ainda sou (-Ginny) e não voltei a ter nove anos quando passei por ele.

Mas não sei se algum dia vou conseguir achar o sinal de igual certo. Não sei se posso achar um jeito de fazer as coisas voltarem a ser *exatamente* como eram antes de o policial me tirar de baixo da pia. E agora lembro que não quero mesmo que elas sejam daquele jeito, porque sei que Krystal com K vai ficar segura depois que Gloria for pega.

Quando saio do meu cérebro, estou sentada em uma cama nova. O colchão está levantando, e eu posso ficar sentada. Os lençóis são brancos e o travesseiro é duro. E Brian e Maura estão lá. Em pé, um de cada lado.

Eu pisco.

— Oi, Ginny — diz Brian.

Quero que ele corra para a cama. Quero que ele fale *Ai, meu Deus, sentimos tanta saudade de você!*, e quero que Maura segure minha mão. Como ela costumava fazer.

Em vez disso, eles me dizem que a Bebê Wendy está com a Vovó e o Vovô.

Olho para Maura. Sua boca é uma linha fina.

— Consegue nos dizer o que aconteceu? — Brian pergunta.

E eu falo:

— Gloria tentou me levar para o Canadá.

— Ela tentou te obrigar a entrar no carro?

— Sim.

— Como você escapou?

— Falei não e gritei.

— Você fez isso? — diz Maura.

Balanço a cabeça para responder que sim.

— Por quê? — ela pergunta. E a voz dela fica mais alta. — Por que, Ginny? Porque sabemos que você armou tudo isso. Encontramos o celular do lado de fora da janela do seu quarto. Você está tentando ir embora com a Gloria desde que a encontrou no Facebook. Então, por que não fugiu com ela quando teve a chance, por quê?

Não sei nada. Tento ficar calma. Brian olha para a porta, depois para mim.

— Isso não tem mais importância — ele fala para Maura.

— Não tem? É claro que tem! Quero saber por que ela não foi! Quero saber por que, depois de mentir, roubar e armar tudo isso, ela não foi até o fim! — Ela olha para mim. — Gloria ainda está com a sua Boneca Bebê, não está? Gloria ainda tem a pequena Krystal, certo? Por isso você ficou aqui?

Minha garganta está apertada e são duas perguntas diferentes, mas sei que preciso contar a eles.

— Porque minha Boneca Bebê tem seis anos — falo.

— Você a viu então — Brian diz. — Sua irmã estava lá quando você foi encontrar a Gloria.

Respondo que sim com a cabeça.

— Mas você não entrou no carro com elas.

Balanço a cabeça para dizer que não.

— Por quê? — Maura pergunta. — Explica.

— Porque ela não é mais um bebê. Minha Boneca Bebê não precisa de mim.

— É isso? — diz Maura. — Por isso não entrou no carro?

Balanço a cabeça de novo para dizer que sim.

— E eu sei que Gloria vai ser pega.

— Por que diz isso?

— Porque ela é completamente *indigna de confiança*.

— Humpf — Maura responde. — O que ela falou quando você disse que não ia?

— Falou que eu era muito trabalho, muito mesmo. Disse que é demais e que ela não é suficiente.

— Sério? — pergunta Brian.

Maura dá um passo para trás. Seus olhos ficam grandes como os da sra. Carol e um espaço se abre entre seus lábios.

— Sério? — ela fala.

E é a mesma pergunta duas vezes de duas pessoas diferentes, mas eu falo:

— Sim.

E Brian diz:

— Parece que ela ficou brava.

— Ela ficou muito brava — conto.

— O que ela fez depois disso?

— Depois do quê?

— Depois de dizer que você era muito trabalho — Brian explica.

— Ela falou para eu *ter uma vida legal*.

— Não acredito nisso — diz Maura.

E Brian repete:

— Sério?

Respondo que sim com a cabeça.

— Então é isso — diz Brian. — Acabou?

— Eu não contaria com isso — Maura fala. — Ainda não. Mas, no momento, precisamos saber para onde Gloria foi. Ginny, você sabe? Sabe para onde elas estão indo? Precisamos descobrir.

Fico de boca bem fechada. E balanço a cabeça para dizer que não. Porque não quero ajudar a polícia a pegar Gloria. Não quero ser a pessoa que vai ajudar a encontrá-la. A polícia pode resolver tudo sem mim, e, depois, minha Boneca Bebê — Krystal com K — vai estar segura.

— Bem, vamos deixar a polícia cuidar disso — diz Maura. — Você também vai conversar com Patrice sobre isso, mas acho que podemos ter uma conclusão aqui. Uma conclusão de verdade.

— Não vou morar aqui, então?

— É claro que não vai morar aqui. Vai voltar para casa com a gente assim que o médico der uma olhada em você.

Olho para o relógio atrás deles. Ele diz que são 12h42, mas não acredito. Nada mais está certo.

EXATAMENTE 10H58 DA MANHÃ, QUARTA-FEIRA, 26 DE JANEIRO

Patrice está sentada na cadeira florida. Estamos conversando há *aproximadamente* uma hora. Não fui à escola porque tem mais um *assunto do qual tenho que cuidar*. Afago Agamemnon. Patrice o colocou no meu colo de novo. Ele está ronronando, e isso me faz relaxar.

— Bom, é isso, então — diz Patrice. — Você vai ter mais uma chance.

Estendo a mão para a mesa ao meu lado e pego mais um brownie.

— Agora que Gloria está fora de cena e você provou que não quer ir embora com ela, Brian e Maura decidiram que você vai ter outra chance. Não é ótimo?

— Uhum — eu digo.

— Tem mais alguma dúvida?

— Uhum — falo de novo. Engulo e bebo um gole de leite. — Vou voltar para o Saint Genevieve Lar Para Garotas Que Não São Confiáveis?

— Ainda não — diz Patrice. Ela sorri. — Maura ficou mesmo surpresa por você ter enfrentado Gloria. Todos nós ficamos completamente chocados, na verdade. Mas Maura acha que isso é um sinal de que as coisas mudaram para melhor. Em você. Ela está disposta a tentar. Está disposta a deixar você ficar e ver o que acontece. Então, enquanto continuar melhorando, você não vai para o Saint Genevieve. Vai ficar exatamente onde está.

Olho em volta.

— Na Casa Azul — diz Patrice.

Afago Agamemnon.

— Mas vamos ter que nos esforçar muito para você ser reintegrada na escola. Você roubou três celulares e fugiu da sra. Carol. Vamos precisar escrever mais algumas cartas pedindo desculpas. Acho que todo mundo vai entender. Ainda mais agora que Gloria está fora de cena. — Ela bebe o café. — Mas precisamos conversar mais um pouco sobre o que aconteceu. Estão faltando alguns detalhes. As coisas ainda não se encaixam.

Paro de afagar Agamemnon. Patrice sabe que este é o lado errado do sinal de igual? Quero saber se os detalhes que vamos descobrir podem me ajudar a voltar para o outro lado do Para Sempre. Quero saber se vão fazer tudo voltar a funcionar direito.

— Você foi ao Cumberland Farms — diz Patrice — e tinha muitas roupas e leite na sua mochila. Era como se fosse viajar. Para onde Gloria ia te levar?

Não quero responder. Porque *para onde Gloria ia me levar* é o mesmo lugar *para onde Gloria foi*.

— Ginny?

— O que é? — Quando ela fala *Ginny* o som é diferente, como se não fosse mais meu nome. Ainda sou (-Ginny) porque estou do lado errado do Para Sempre. Ainda não tenho nove anos como deveria ter.

— Fiz uma pergunta.

— Pode perguntar de novo, por favor?

— Para onde Gloria ia?

— Íamos viajar com a minha... com a Krystal com K.

Quando penso em Krystal com K minha barriga dói.

— É muito bom ouvir você usar o verdadeiro nome dela. Mas Gloria ia levar vocês duas para algum lugar. Lembra que lugar era esse?

Paro de balançar a cabeça para cima e para baixo. Fecho a boca com força, com força e com força, e balanço a cabeça para um lado e para o outro.

— Tudo bem — diz Patrice. — Tudo bem. Ela vai aparecer em algum momento. Mas precisamos realmente saber para as assistentes sociais poderem ajudá-la. Lembra? Elas foram visitar Gloria algumas vezes para ajudá-la a cuidar da Krystal com K.

— Iam levar ela embora — eu falo.

Patrice balança a cabeça para dizer que sim.

— É, iam. Mas só porque sabiam que ela não estava segura com Gloria. Não quer que Krystal com K deixe de estar segura, quer?

Não quero. Mas sei que Gloria vai ser pega logo, e não quero, não quero mesmo ajudar para que isso aconteça. Mas não foi isso que Patrice perguntou, então respondo:

— Não, não quero.

— Tem certeza de que não sabe para onde elas iam?

Fico de boca fechada e respondo que não balançando a cabeça.

— Tudo bem então — diz Patrice. — Vamos voltar à discussão que teve com Gloria. Depois que você entendeu que a Outra Ginny era Krystal com K, vocês duas discutiram. Isso é verdade?

Balanço a cabeça para dizer que sim, mas no meu cérebro a garota que falou para Gloria não gritar com ela parece ser outra pessoa. Alguém mais forte que eu.

— Sobre o que discutiram?

— Falei como fazemos as coisas na Casa Azul, porque ela estava gritando. Depois disse que ela ainda tinha a mesma cabeça, e que o único motivo para eu querer ser sequestrada era manter minha Boneca Bebê segura. Protegida dela. Daí ela tentou me agarrar e gritou.

Patrice sorri.

— Parece que você realmente a surpreendeu. Disse algumas coisas que ela não estava preparada para ouvir. Você percorreu um longo caminho desde que morava com ela, sabe? Está aprendendo a se defender e a expressar o que quer.

— Mas eu queria ter nove anos de novo.

Patrice olha para mim de um jeito engraçado.

— Nove anos? Por que quer ter nove anos? Uma menina crescida como você pode fazer muito mais coisas que uma de nove anos.

— Porque, se tivesse nove anos, eu ainda poderia cuidar da minha Bo...

Paro de falar, esfrego os joelhos um no outro e arranho minhas mãos. Agamemnon se mexe e para de ronronar.

— Ah — diz Patrice. — Estou começando a entender. Isso explica muita coisa. Sabemos que por um tempo você esteve fixada no papel de mãe — *parentalizada* é a palavra —, sabemos disso desde que descobrimos que Krystal com K não era uma boneca, mas agora estamos lidando com uma coisa muito mais complicada. Você sente que não tem mais um propósito. Antes, ficava ansiosa o tempo inteiro porque pensava que sua irmã ainda era uma bebê e precisava da sua ajuda. Agora que sabe que não é assim, é quase como se alguém houvesse tirado seu emprego. Para você, esse é o saldo da equação. É meio parecido com ficar desempregada, eu acho.

A expressão *saldo da equação* é muito, muito assustadora. Então eu digo:

— Por isso nada se soma? Porque não tenho um emprego?

— Acho que sim. E eu posso ajudar com isso. É fácil de resolver, do ponto de vista da psicologia. Mas vou falar com a Maura primeiro. Vai ser um grande passo para vocês duas. Para ela principalmente.

Não sei do que Patrice está falando. Não quero um emprego. Quero sair do *Depois*. Estou mais confusa que nunca, por isso minha testa fica enrugada.

— Escuta, Ginny. Você já sabe que não vai morar com a Gloria e a Krystal com K. Você tentou e não deu certo. Gloria queria você de volta, mas a verdade é que ela não estava pronta para você, e provavelmente nunca estará. E essa é a parte triste. Ela queria ser capaz, mas sabe que não é. Então, você precisa ficar com sua Família Para Sempre. Eles gostam de você, Ginny, e, acredite em mim, é difícil encontrar pessoas como eles. É muito mais fácil amar alguém do que gostar de alguém. Então, por favor, fique onde está!

Ainda não quero ficar onde estou. Não entendo o que Patrice está dizendo. São muitas palavras, e ainda estou pensando em como antes eu sabia qual era meu lugar. Porque ainda estou presa do lado errado do Para Sempre no *Depois*, e ainda sou (-Ginny).

— Ginny?

— O que é?

— O que acha de ficar onde está?

— Não entendo o que isso significa.

— Significa que precisa continuar morando na Casa Azul com seus pais. Eles querem que você fique. Você deve ficar com eles. Porque, confie em mim, a Casa Azul é muito melhor que morar com a Gloria ou no Saint Genevieve.

Ela falou *pais*, mas está falando sobre *Brian e Maura*.

— E precisa parar de roubar, mas acho que isso não vai ser um problema, se não está tentando ser sequestrada. Certo?

— Certo — falo, porque quando alguém diz *Certo?*, sempre quer que você responda a mesma coisa. Mas Patrice é uma *espertinha*.

— *Certo* o quê? — ela pergunta.

— Certo agora.

— Ginny, o que eu quero que você faça?

— Quer que eu pare de tentar fugir.

— O que mais?

— Quer que eu fique com Brian e Maura.

— Exatamente — diz Patrice. — Mas acho que pode ser uma boa ideia voltar a chamá-los de Pais Para Sempre. E, como eu acabei de dizer, não vai mais roubar. Você criou uma bela reputação na escola. Até aqui, os pais das crianças cujos telefones você roubou concordaram em encerrar o assunto, mas você vai ter que se esforçar bastante para reconquistar a confiança de todo mundo. E nós duas vamos ter que continuar nos vendo por muito, muito tempo. Temos que manter você segura, mocinha. Todos nós gostamos muito de você. Precisamos garantir que esteja sempre em um lugar seguro.

Sei que, se eu ficar na Casa Azul, estarei sempre em um lugar seguro, mas ainda não está certo. Arranho meus dedos com força. Lágrimas saem dos meus olhos e eu começo a respirar mais depressa.

— Quero morar com minha Boneca Bebê — falo. — Tudo bem a Krystal ser minha Boneca Bebê. Tudo bem a Krystal ter virado a Outra Ginny.

— Não tem problema ficar aborrecida — diz Patrice. — Mas essas coisas não são verdade. Krystal com K não é a Outra Ginny, e ela nunca mais vai ser um bebê. Desde que entenda essas coisas, não tem problema em ficar aborrecida. Você tem todo direito de estar. Mas tem que parar de roubar, e não deve mais fugir por aí. Agora, por favor, pode soltar o Agamemnon? Ele vai ficar bravo se continuar agarrando o pelo dele desse jeito.

Então alguma coisa pula no meu rosto.

Eu grito e sacudo os braços. É Agamemnon. Ele bate as patas no meu rosto tão depressa que não consigo nem contar. Depois faz outro barulho alto e vai embora.

— Está vendo? — diz Patrice. — Agamemnon não gosta quando você o aperta com muita força. Machuca, e ele não sabe como pedir ajuda. Por isso às vezes ele ataca e surpreende a gente. Quando você sente dor ou está aborrecida com alguma coisa, precisa aprender a pedir ajuda. Eu sei que você tem sofrido muito, Ginny. Vamos começar prometendo que não vamos mais roubar.

Balanço a cabeça para dizer que sim, mas não tenho razão para roubar se estou presa aqui no *Depois*.

— Muito bem — diz Patrice. Ela olha para o relógio. — Ainda temos um tempinho. Vamos começar a escrever as cartas de desculpas de que falamos antes. Tenho papel aqui. E depois eu vou ter aquela conversa com a Maura.

EXATAMENTE 11H07, QUARTA-FEIRA, 26 DE JANEIRO

Estou dormindo na cama, mas meus olhos estão acordados. Estão abertos e verdes como os números do meu relógio despertador.

Quando você foge, a polícia sempre te acha. Se tentar lutar, eles pegam você e colocam no carro e levam para o hospital. Depois a família com quem você morava vai te buscar e te levar para casa.

Mas tem vezes que você não foge e a polícia aparece mesmo assim. Na sua casa. Se você tenta fugir, eles ainda pegam você e levam para o hospital, mas a família com quem você morava não aparece. Não levam você de volta. Em vez disso, aparece uma assistente social. Ela leva você para um lugar novo.

Foi isso que aconteceu antes.

Fugi duas vezes de Samantha e Bill antes de fazer cocô no tapete da Morgan, e foi então que a polícia apareceu para me pegar. Porque eu não queria mais morar com eles. Estava realmente cansada da Morgan. Ela era *chata*.

E antes disso a polícia apareceu para me tirar da casa de Carla e Mike. Foi por causa do Snowball. Eu me senti muito mal depois e fiquei falando: "Por favor, por favor, fica vivo de novo", mas era *tarde demais*. E, quando você esconde um gato morto, nunca deve colocá-lo embaixo do seu colchão. As pessoas vão entrar no seu quarto e falar: "Que calombo é esse na sua cama, Ginny? Que porra de calombo é esse!"

Então, se você quer sair de uma casa para sempre, é bem fácil.

Você só precisa fazer alguma coisa ruim. Não precisa nem ser de propósito.

Mas pode ser.

Porque aqui não é meu lugar. Meu lugar é do outro lado do Para Sempre, onde ainda tenho nove anos e tudo se soma. Não aqui no *Depois*. Não tem lugar para (-Ginny) no *Depois*. Ela não cabe na equação ou na frase, e o sinal de menos significa que ela tem que ser subtraída. Sei que tiro do sério todo mundo. Vejo o jeito engraçado como olham para mim quando eu falo. Sou só uma menina das cavernas que não tem um lugar seu. Não consigo fazer nada certo e mal posso manter minha boca fechada. Não consigo cuidar de ninguém, por isso não tenho um lugar meu, a menos que seja na caverna ou como Bubbles, em um zoológico.

Então, vou fazer a polícia vir. Se eu fizer alguma coisa muito, muito ruim, eles vão me colocar na cadeia. Porque cadeia é como uma jaula no zoológico. Cadeia é para pessoas que precisam ficar longe de todo mundo. Se não posso ser quem eu era e minha Boneca Bebê não precisa de mim, acho que não devo estar em lugar nenhum, exceto atrás das grades. Porque (-Ginny) não é nem uma pessoa. Ela é como um animal ou um fantasma, ou uma estátua muito, muito assustadora.

O que significa que amanhã vou fazer Brian e Maura Moon se arrependerem de não ter me deixado ter um gato.

EXATAMENTE 4H35 DA TARDE, QUINTA-FEIRA, 27 DE JANEIRO

Maura está no sofá segurando a Bebê Wendy. Ela acabou de amamentá-la. Estou sentada no chão. Acabei de olhar.

Porque tem três coisas que Patrice pediu para Maura deixar eu fazer, agora que todo mundo acha que vou ficar na Casa Azul. A primeira é *deixar eu ver quando ela amamenta*. Antes Maura punha um pano branco sobre o ombro ou usava um cobertorzinho para esconder a cabeça da Bebê Wendy. Eu não podia ver. Mas agora tenho que ver por que isso *incentiva o vínculo*.

A segunda coisa que devo fazer é *ajudar um pouco mais* com o bebê. Como preparar as coisas para o banho ou pegar um livro quando for hora de ler. Hoje de manhã pedi para carregar a bolsa de fraldas quando fomos ao mercado. Mas Maura não deixou.

A terceira coisa que devo fazer é *segurar o bebê enquanto Maura observa*. Uma vez por dia. Maura diz que *ainda não chegamos nisso*.

Ouço o caminhão do correio se aproximando lá fora. Ouço quando ele reduz a velocidade e para na casa vizinha. Depois ele segue em frente e breca de novo, agora na frente da Casa Azul. Escuto o barulho da portinha da caixa de correio abrindo e fechando. Depois o caminhão do correio vai embora.

— Lá vai o caminhão do correio — diz Maura. — Ginny, estou esperando uma coisa importante, quero ir lá fora ver se chegou. Wendy está quase dormindo, vou colocá-la no berço. Acha que vai ficar bem se eu for buscar a correspondência?

Levanto a cabeça.

— Sim — falo, mas não gosto do som da minha voz. Não é a voz da Ginny. Sei *exatamente* de quem é essa voz.

— Muito bom. Fica aqui. Pega um livro para colorir ou alguma coisa para ler e relaxa até eu voltar. Tudo bem?

— Tudo bem — falo.

— Ótimo — diz Maura. — Não esquece, se Wendy começar a chorar, vai ficar tudo bem. Eu volto já. E, se o barulho te incomodar muito, é só ir para o seu quarto e fechar a porta. Mas não deve acontecer. Ela acabou de comer e já está dormindo. Sei que vou conseguir colocá-la no berço sem ela acordar.

Maura levanta com a Bebê Wendy. Os olhos da bebê estão fechados. Ela passa por mim a caminho da cozinha e sobe a escada. E desce *exatamente* quarenta e quatro segundos mais tarde.

— Pronto — ela fala. — Eu já volto. Seja uma boa menina. Está bem?

— Está bem — eu falo.

Ela senta no banco ao lado da porta de tela da varanda para calçar as botas. Depois pega o casaco. Fecha o zíper, calça as luvas e põe o chapéu. Ela sorri para mim pela última vez. E sai.

Eu levanto.

No verão, na primavera ou no outono, quando não tem neve, demora *aproximadamente* quatro minutos para pegar a correspondência. Quando faz frio e tem neve no inverno, demora cinco. Então, Maura vai ficar fora por *aproximadamente* cinco minutos.

O que significa que tenho muito tempo.

Corro até a cozinha e pego um pano de prato em cima da bancada. É branco e tem duas linhas verdes nas beiradas. Duas linhas verdes tão verdes e finas como cobras. Maura usou a toalha agora há pouco para enxugar as colheres da bebê e uma tigelinha. A Bebê Wendy não comeu o cereal de arroz com pera que ela preparou.

O pano ainda está úmido. Eu o seguro com uma das mãos e levanto a outra para acender o fogão, mas começo a ficar *ansiosa*. Baixo a mão e corro até a sala para olhar pela janela. Vejo Maura lá fora, na metade do caminho para a rua.

Volto correndo para a cozinha e acendo o fogo da frente e da direita. O mesmo que eu usava na Casinha Branca para fazer ovos. Mas dessa vez não estou cozinhando. Estou colocando o pano de prato branco e verde no fogo *de propósito* para ele fazer a bancada e os armários começarem a queimar. Maura vai entrar, apagar o fogo, gritar, berrar e chamar a polícia para me levar embora, e esse Para Sempre vai acabar. Daqui a *aproximadamente* cinco minutos.

É tudo parte do meu novo plano secreto.

Fico parada na frente do fogão. O pano é uma bola amassada na minha mão. A chama é cor de laranja. Sinto cheiro de metal quente.

A Bebê Wendy começa a resmungar.

No meu cérebro eu falo *Que droga!*

Dou um passo para trás e escuto. Ela resmunga mais alto.

Corro de novo para a sala de estar e olho pela janela, e agora Maura está parada do lado da caixa de correio conversando com alguém. Sra. Taylor. Elas estão falando e falando, e lá em cima o choro está ficando mais alto, e atrás de mim eu sei que o fogo na cozinha agora é vermelho, vermelho, vermelho.

Ponho o pano em cima do ombro e começo a arranhar meus dedos.

Maura falou para eu ir para o meu quarto se a bebê começar a chorar. Maura disse que voltava já. Ela não falou nada sobre parar para conversar com a sra. Taylor.

Olho para o meu quarto no corredor. Penso. Depois corro para a cozinha de novo. Desligo o fogo, tiro o pano do ombro e seguro na minha frente. Por dois cantos. Junto os cantos e deixo o pano em cima da bancada. Depois dobro no meio de novo e aliso. Bem direitinho, embora minhas mãos estejam tremendo por causa do choro. Porque tudo tem que estar *pronto* e *preparado* quando eu voltar.

Viro e subo a escada correndo.

Lá em cima, o choro é tão alto que tenho que cobrir as orelhas com as mãos, apesar de o barulho estar do outro lado da porta. Olho pela janela do banheiro e ainda vejo Maura e a sra. Taylor conversando perto da caixa de correio.

Empurro a porta do quarto e ando até o berço. Os olhos da bebê estão fechados. Ela ainda não me vê. Eu me debruço e falo:

— Sh, sh, sh.

Mas a bebê não para. Ela chora cada vez mais alto. As mãozinhas estão fechadas e a boca sem dentes está aberta, e ela grita, grita e grita.

Vejo o coelhinho em cima da cômoda. O coelhinho é pequeno e gordo e tem olhos costurados com fios, porque botões são perigosos para bebês. O pelo nas orelhas do coelho é achatado e fino, porque a bebê mastiga as orelhas do bichinho o tempo todo. Maura lava o coelho duas vezes por semana para ele não ficar com cheiro ruim. Ele faz a Bebê Wendy se sentir melhor quando está triste ou não consegue dormir. Ela precisa do coelho. Agora.

Pego o coelho e ponho no colo da bebê, mas a bebê está muito agitada. Sei que ela não vai parar. Começo a procurar um esconderijo. Lá fora, vejo Maura e a sra. Taylor conversando, conversando e conversando, então pego no colo a bebê e o coelhinho juntos e balanço bem devagar para cima e para baixo, e falo:

— Sh, sh, sh.

Sei que estou quebrando a regra mais importante.

E funciona.

A bebê se acalma e fica quieta. Respiro fundo e a seguro bem perto de mim. Seu bumbum está na minha mão direita, e a mão esquerda segura a parte de trás do pescoço e a cabeça. A Bebê Wendy é pequena, pequena, pequena. Ela chega mais perto, agarra minha blusa e começa a chupar.

A sensação é quente. Como um abraço. Suas mãos e braços são iguais aos da minha Boneca Bebê. Quero me *encolher* porque não é para ser assim, mas não posso, porque estou bem no fundo do meu cérebro. No sentimento. Não posso sair, embora eu queira.

Ouço um barulho lá embaixo. É a porta? Não sei.

Ando até a escada para olhar e ouvir. Não ouço nada. Viro para olhar de novo pela janela do banheiro, quando me mexo, o coelhinho cai. Cai três, quatro, cinco degraus. E fica lá.

A bebê começa a chorar de novo.

Balanço e falo *sh*, mas dessa vez não funciona. A bebê precisa do coelhinho. Tenho que pegá-lo, mas não posso, porque minhas duas mãos estão segurando a Bebê Wendy.

Vejo a caixa de correio lá fora. Maura e a sra. Taylor desapareceram.

O que significa que tenho que ser rápida.

Ponho a bebê no chão e passo por cima dela. Desço. *Degrau Um, Dois, Três, Quatro e Cinco*, e me abaixo para pegar o coelhinho. Depois viro e deito na escada, de forma que meu queixo e os braços fiquem lá em cima, ao lado da Bebê Wendy. Ponho o coelhinho perto do rosto dela.

— Olha! Está aqui! — eu falo.

A bebê para de chorar. Abre os olhos. Olha de lado para o coelhinho. Depois para mim.

Ela não sabe o que está acontecendo. Não sabe nada. Ela abre a boca e boceja. Depois olha nos meus olhos como se estivesse surpresa. Eu penso: *Ela vê o que tem no meu cérebro? Ela sabe que sou (-Ginny)?*

Minha boca está aberta, por isso a fecho depressa. Olho para a Bebê Wendy por cima dos óculos.

— O cérebro fica na cabeça — falo para ela.

A bebê sorri e ri.

Eu digo:

— Sei que não pode ver lá dentro, mas é onde meu cérebro está. Não quero que você veja o que estou pensando.

Ponho o coelhinho mais perto dela. A Bebê Wendy é muito pequena para pegar as coisas na primeira tentativa. Ela tenta levantar a cabeça, estica o braço e cai de novo com a bochecha no tapete.

Ponho o coelhinho mais perto.

Lembro de fazer a mesma coisa com minha Boneca Bebê.

— Ginny?

Maura está dentro da casa. Respiro fundo, e meus braços e ombros ficam duros.

— Ginny, onde você está?

A Bebê Wendy não faz nenhum ruído. Só fica olhando para o coelhinho. Estendendo a mão para ele.

— Ginny, onde você está? Ginny, o que está...

As palavras param, mas são todas uma só palavra. A voz dela é um buraco em uma janela.

Ela pula quatro, cinco, seis vezes e passa por mim. Eu desvio. Ela pega a Bebê Wendy.

Agora Maura está lá em cima com os lábios curvados e os dentes à mostra.

— Que diabo está fazendo? — ela grita.

— A bebê derrubou o coelhinho! — eu falo.

Maura parece confusa. Ela olha, olha e olha. Para mim. Para a Bebê Wendy. Para o coelhinho perto da beirada da escada.

— Estava tentando fazer a bebê *rolar*! — ela diz. — Você tirou a bebê do berço e tentou fazer ela rolar escada abaixo!

— Não, eu não!

— Sim, você! O que mais podia estar fazendo, oferecendo um brinquedo para uma bebê no topo de uma escada? Qual é o problema com você? Por que faria uma coisa dessas?

Eram três perguntas seguidas, e eu não sabia qual delas responder, por isso só *me defendo*. Empurro a beirada do *Degrau Um* e fico de joelhos no *Degrau Três*.

— Você ficou lá fora muito tempo! Ela começou a chorar! Eu peguei a bebê, dei o coelhinho e ela parou! Depois ouvi um barulho e fui olhar o que era, mas o coelhinho caiu e eu tive que pegar! Para de gritar comigo, Maura! Para de gritar comigo já! Eu fiz uma coisa boa!

Maura está com a boca aberta, mas não sai nenhuma palavra.

É *exatamente* a mesma cara que Gloria fez quando gritei com ela de volta. É *exatamente* a mesma cara que ela fez antes de dizer para eu ter uma vida legal e me deixar sozinha.

Quero baixar a cabeça, mas continuo olhando bem nos olhos de Maura. Olho e olho, depois abro a boca e respiro.

— Eu acredito em você — ela diz. E engole. — Tudo bem. Desculpa.

Não sei o que dizer, por isso não digo nada.

— Mas ainda acho que é cedo para você começar a segurar a bebê. Tem coisas que você precisa aprender, por mais que já saiba muito. E isto aqui é a prova. Não pode pôr um bebê no chão perto da beirada de algum lugar de onde ele possa cair. Mas acho que você provavelmente está pronta para começar a me ajudar um pouco mais com a Wendy. O que acha?

Acho confuso, mas ela não está gritando e não está me chamando de menina maluca. Ela não está gritando e não está dizendo que fiz uma coisa ruim, embora eu fosse pôr fogo na cozinha. Ela está dizendo que posso ajudar a cuidar da minha irmãzinha.

— Acho muito, muito bom — eu me escuto dizer. É a *minha* voz. Da Ginny.

Levanto e espero, porque não sei o que fazer.

Maura diz:

— Wendy bebeu muito leite antes de ir para o berço. Acho que ela quer alguma coisa sólida. Pode me ajudar a pegar o cereal de arroz?

Não respondo *Hum* ou *Deixa eu pensar*. Em vez disso, inclino-me para a frente.

— Acha que ela ficaria *aproximadamente* feliz se a gente pusesse um pouco de leite humano no cereal?

Maura também se inclina para a frente.

— Acho que ela ficaria *exatamente* feliz se você pusesse leite humano no cereal. Só precisamos esquentar um pouco antes.

Olho de novo para o chão. O coelhinho ainda está lá. Eu o pego, abraço, depois dou para a Wendy. Todas nós descemos.

Na cozinha, eu pego o cereal de arroz. Ponho em cima da bancada. Maura usa uma das mãos para puxar uma cadeira de perto da mesa. Ela aponta para a cadeira e eu sento. Ela respira fundo. Seu sorriso é meio torto.

— Muito bem — diz. — Não conheço outro jeito de me acostumar com isso. Ginny, pode segurar a Wendy enquanto eu preparo o cereal?

Estou tão chocada que não consigo responder com a boca. Respondo que sim com a cabeça. Estico os braços e cruzo a perna esquerda sobre a direita.

Maura chega perto de mim e põe a bebê nos meus braços. Minha irmã. A cabeça de Wendy descansa na dobra do meu braço esquerdo. Começo a respirar mais devagar. *Devagar e com calma, devagar e com calma.* Estou segurando Wendy e Wendy está segurando o coelhinho. O coelhinho não está segurando nada, nem uma cenoura. Mas, quando levanto a cabeça de novo, Maura está segurando o pano de prato. O que tem linhas verdes nas beiradas.

O que eu ia usar para pôr fogo na cozinha.

— A sra. Taylor disse que a cachorra dela vai ter filhotes — Maura fala.

Olho para o fogão atrás dela. Apagado e frio.

— Brian, quero dizer, *seu pai*, estava pensando em arrumar um cachorro no verão, quando as aulas acabarem. Ele acha que pode ser bom para você. Para todos nós. Acha que é uma boa ideia?

Eu penso. No meu cérebro, vejo o apartamento de Gloria com as duas jaulas encostadas na parede, mas as jaulas estão abertas e os gatos maine coons foram embora. Olho em volta para ver para onde foram.

Em algum lugar distante, atrás de mim, uma porta se abre. Pés pequenos se afastam.

— Ginny?

Levanto a cabeça.

— Cachorros gostam de jogar frisbee — falo.

— É, acho que sim — diz Maura.

— Eles gostam de ir junto no carro quando você vai no lago.

— É verdade.

— Gostam de correr no meio das folhas quando todo mundo está lá fora varrendo o quintal. Gostam quando você joga bolas de neve para eles.

— Certo de novo — diz Maura.

— Eles não gostam de ficar sozinhos.

Maura engole.

— Não gostam. Você tem razão, Ginny. Está certa sobre todas essas coisas. Prometo que vou fazer o possível para deixar você se envolver mais.

Mas você também precisa tentar. Sei que é difícil, mas por favor tente ser menos... retraída. Sei que isso é parte de quem você é, mas... vai tentar, não vai? — Ela limpa os olhos e vira a cabeça, e quando olha para mim de novo vejo que eles estão molhados. — O que acha? É uma boa ideia termos um cachorro? — Ela fecha os olhos, olha de lado e sorri. E levanta um dedo. — Não, espera... só a segunda pergunta.

— Sim — eu digo. — Acho que ter um cachorro é uma ideia muito, muito boa.

Maura põe a toalha em cima do ombro e conta algumas colheres de cereal de arroz, que vai pondo dentro de uma mamadeira. Depois ela despeja um pouco de leite humano lá dentro e mexe. Depois põe a mamadeira em uma panela com água e leva a panela com água ao fogão.

Puxo Wendy para mais perto e olho para o meu relógio. São 5h08. A data ainda é quinta-feira, 27 de janeiro. De agora em diante, vou passar muito mais tempo tentando *ajudar um pouco mais* a cuidar da Wendy. Porque, embora eu tenha vindo de um lugar diferente e minha cabeça seja diferente, ainda tenho meu primeiro nome e meus olhos ainda são verdes. Não tenho que ser (-Ginny) se essa Família Para Sempre me quer com eles. Não tenho que ser (-Ginny) se eles me deixam fazer coisas e *ajudar a cuidar muito bem* da minha irmãzinha. Meu novo plano secreto não funcionou, mas não faz mal, porque no *Depois* as coisas nunca se somam do jeito que você espera. Além do mais, *dois erros não fazem um acerto*, e o que eu estava fazendo com o pano de prato teria me tornado (-Ginny) para sempre. Então, vou ficar aqui na Casa Azul por muito, muito tempo, o que é mais seguro que procurar sinais de igual gigantes ou esperar a polícia.

O que significa, acho, que finalmente vou ficar onde estou.

AGRADECIMENTOS

Sou pai adotivo e escritor, e, ao escrever este livro, desempenhei dois papéis. Sendo assim, preciso agradecer a todo mundo que apoiou meu livro, bem como a todas as pessoas que participaram da minha jornada na decisão de adotar. Então, em ordem cronológica:

Gostaria de agradecer a minha mãe e a meu pai, que sempre deixaram claro que filhos devem ser apreciados e protegidos acima de todas as coisas, e bem-vindos em todos os estágios da vida.

Muito obrigado, Claudio e Liz, que leram páginas e páginas do meu trabalho quando nós três estávamos no sétimo e oitavo ano. Vocês ficavam pedindo mais páginas e diziam que estavam fascinados, mas era eu quem dependia de suas palavras.

Obrigado ao meu mentor na universidade, professor John Yount, da Universidade de New Hampshire (UNH), que me disse: "Não lecione. Seja garçom, se precisar, mas não lecione". Lecionei do mesmo jeito, mas seu aviso me fez ver que escrever poderia ser tão importante quanto ensinar, talvez até mais. Aos professores Margaret Love-Denman, Mark Smith e Sue Wheeler, também dos tempos da universidade na UNH.

Gostaria de agradecer a minha esposa, Ember, por sua disposição para explorar o acolhimento temporário e a adoção, e por ler tantos manuscritos, tantas vezes. Obrigado a Ariane, nossa filha, cujo amor por Michael Jackson inspirou Ginny.

Obrigado a Karen Magowan e Patricia Pettegrow, e a todas as assistentes sociais no DHHS do Maine e no DCYF de New Hampshire. Obrigado a todos os pais temporários, pais adotivos e pais de crianças com deficiência que conheci ao longo dos anos. Vocês continuam sendo meus mentores e modelos.

Obrigado a Jeff Kleinman, meu agente na Folio Literary Management, por responder à voz de Ginny e por acreditar nela. Molly Jaffa, Diretor de Direitos Internacionais na Folio.

Obrigado a Russell Dame, que leu incansavelmente o manuscrito, e cujos comentários foram de grande valor durante a revisão. A James Engelhardt da Editora da Universidade de Illinois, que me deu feedback para um esboço inicial. Justin Pagnotta e Mark Holt-Shannon do Dover Middle School, que me ofereceram insights, apoio e conselho em vários estágios. Kate Luksha, Jimmy Roach e Jayce Russell, que leram trechos breves em workshop na Universidade de New Hampshire. Ann Joslin Williams, nossa diretora de workshop.

Obrigado a Liz Stein, minha editora na Park Row, por comemorar a humanidade de Ginny e defender sua dignidade. E às revisoras Libby Sternberg, Bonnie Lo e Amy Jones, e à Julie Forrest, Sheree Yoon, Stefanie Buszynski e Shara Alexander no marketing/publicidade.

Costumamos escutar as pessoas cujas vozes são mais altas, que chamam nossa atenção. Com todo o barulho, é fácil esquecer que algumas pessoas não são capazes de tornar conhecidas suas necessidades. Algumas pessoas — crianças deslocadas e crianças no sistema em especial — frequentemente deixam de acreditar que suas necessidades importam. Como poderiam acreditar, considerando o que a sociedade ensinou a elas por meio de suas experiências? Uma de minhas esperanças ao escrever *Ginny Moon* foi dar voz a pessoas que poderiam, como Ginny, ter dificuldades para se colocar e se defender. Também espero que o livro inspire as pessoas a ajudarem as crianças no sistema de acolhimento. Elas são muitas. Eu falo um pouco sobre essas questões em meu site www.benjaminludwig.com.

Impresso no Brasil pelo Sistema Cameron da Divisão Gráfica da
DISTRIBUIDORA RECORD DE SERVIÇOS DE IMPRENSA S.A.